KB069864

당쟁의 한국사

당쟁의 한국사

고조선부터
현대까지,
대립과 파벌의
권력사

김종성 지음

❀ 을유문화사

당쟁의 한국사

발행일
2017년 8월 25일 초판 1쇄

지은이 | 김종성
펴낸이 | 정무영
펴낸곳 | (주)을유문화사

창립일 | 1945년 12월 1일
주소 | 서울시 마포구 월드컵로16길 52-7
전화 | 02-733-8153
팩스 | 02-732-9154
홈페이지 | www.eulyoo.co.kr
ISBN 978-89-324-7359-8   03910

진화하는 파벌 투쟁

텔레비전 뉴스에서 정치인들이 말싸움하거나 주먹질하는 장면을 종종 볼 수 있다. 우리나라는 물론이고 전 세계가 다 마찬가지다. 그런 모습을 볼 때마다 시청자들은 눈살을 찌푸린다. 그런데 그런 볼썽사나운 장면을 연출했던 사람들이 선거 때만 되면 국민들 앞에 나와 90도 각도로 '폴더형 인사'를 한다. 유세 트럭에서 율동도 선보이고, 귀여운 표정으로 하트 모양도 만들어 낸다. 그런 식으로 유권자들에게 한 표를 호소한다.

이런 모습을 보면서 정치 수준을 개탄하는 이들이 많다. 정치가 너무 유치하다고 말하는 사람들도 적지 않다. 그런데 역사의 흐름이라는 장기적 관점에서 보면, 이것은 꽤나 진보된 형태다. 상당히 세련되고 안정적인 정치 투쟁 방식이라 할 수 있다. 옛날 사람들이 지금의 정치 상황을 봤다면 이런 식으로 유한 정치도 가능할 수 있

당쟁의 무대 중 하나였던 서원. 사진은 경기도 용인시의 한국 민속촌 내에 있는 충현서원
이다.

느냐며 감탄할지도 모른다. 왜냐하면, 지금 같은 방식으로 정치인들
이 경쟁하지 않던 시절에는 상대편에게 창검을 들이대거나 아니면
상대방을 사형 집행으로 몰아가는 일이 흔했기 때문이다. 어쩌면 옛
날 사람들은 지금의 정치를 보고 마음이 놓인다고 말할지도 모른다.

오늘날처럼 정치 파벌들이 의회에서 말싸움이나 몸싸움을 하
다가 선거 때 한 표를 호소하는 현상은 북아메리카와 유럽에서는
18세기에 시작했고, 아시아를 포함한 여타 지역에서는 20세기에 시
작했다. 시청자들의 눈을 찌푸리게 만드는 볼썽사나운 광경이 보편
화된 지가 길게 보면 3백 년, 짧으면 백 년밖에 안 되는 것이다. 이런
모습은 인류 역사상 비교적 새로운 양상이다.

불과 백 년 전만 해도 정치 투쟁의 패배자는 대개 목숨을 잃었

프롤로그

다. 한국뿐 아니라 다른 나라들도 마찬가지였다. 북아메리카와 유럽에서는 이런 현상이 그보다 빨리 사라졌지만, 그 외의 세계에서는 불과 한 세기 전까지도 그런 것이 일반적이었다.

그 시절에는 패배자가 귀양살이를 하거나 감옥살이를 하다가 귀환하는 일도 없지 않았지만, 대부분의 경우 권력 투쟁에 패배한 쪽이 생명을 잃기 마련이었다. 물론 단순 가담자들은 그렇지 않았지만, 지도부 인사들은 거의 다 그랬다. 지금처럼 선거 때 열심히 유세하다가 패배한 뒤에 4~5년을 기다렸다가 재도전하는 것은 꿈도 꿀 수 없었다. 권력 싸움에 지는 것은 기본적으로 이 세상과 하직하는 것을 의미했다. 그러다 보니 권력 투쟁에 임하는 자세도 전투적일 수밖에 없었다.

파벌 투쟁의 양상이라는 면에서 볼 때, 19세기까지와 20세기부터는 질적으로 다른 시대다. 북아메리카와 유럽의 경우에는 18세기까지와 19세기부터라고 구분해야겠지만, 세계 평균을 따지면 19세기까지와 20세기부터라고 할 수 있다. 편의상 19세기까지를 제1기, 20세기부터를 제2기로 부르기로 한다. 파벌 투쟁에서 패배하면 기본적으로 죽음을 각오해야 했던 제1기에 비해 제2기에는 투쟁에서 져도 목숨을 각오할 필요가 없게 됐다. 의지와 자금력이 있는 한, 계속 도전하면 됐기 때문이다.

19세기까지인 제1기는 두 시기로 다시 세분된다. 그것은 파벌 투쟁이 기본적으로 군사 행동에 의해 결판나던 시기와 사형 선고에 의해 결판나던 시기이다. 군사 행동으로 결판나던 시기를 제1-1기,

사형 선고로 결판나던 시기를 제1-2기로 부르기도 한다.

　　제1-1기에는 파벌 투쟁의 승부가 창검으로 상징되는 군사력에 의해 좌우되는 일이 많았다. 창검이 정권 교체를 결정한 대표적 사례로는 1398년에 조선에서 일어난 제1차 왕자의 난을 들 수 있다. 이때 정도전과 이방원의 승부는 군사력에 의해 판가름 났다. 물론 이방원의 기습으로 인해 정도전은 무력을 써 보지도 못했지만, 이들의 운명을 결정지은 것은 어쨌든 군사력이었다. 정도전은 요동 정벌과 사병 혁파를 주장했고, 이방원은 그 모두를 반대했다. 지금 같으면 대선이나 총선에서 이런 문제를 투표로 결정했겠지만, 이 시대 사람들은 왕자의 난 같은 군사 행동을 통해 정치 현안을 해결했다. 그들은 창검으로 정권 교체의 향방을 결정하는 것을 당연하게 여겼다.

　　이 시대의 권력자들은 자신들이 우세한 군사력을 보유하고 있는 한, 절대로 정권을 내놓지 않았다. 상대편의 무력이 자기편보다 우세하다는 걸 체험하고 나서야 권력을 내놓았다. 1997년과 2002년에 대한민국의 보수 정당은 상대적으로 우월한 역량을 보유하고도 정권을 내놓았다. 정권을 내놓으라는 것이 일반 시민들의 요구였기 때문이다. 하지만 제1-1기의 권력자들은 그럴 필요가 없었다.

　　그런데 주의할 게 있다. 본질적으로는 창검에 의해 정권이 교체됐지만, 이런 일이 불법으로 기록되지는 않았다는 점이다. 이방원의 쿠데타는 태조 이성계의 승인으로 합법화되었다. 물론 그 승인은 강압에 의한 것이었다. 어떻게 이루어진 것이든 간에 그런 승인을 통해 제1-1기의 정권 교체들은 합법적인 정권 교체들로 인정되었다. 합법성을 획득했다는 점에서 제1-1기의 정권 교체들은 제1-2기나 제2기의 그것들과 외형상 다르지 않다고 볼 수 있다.

제1-2기에는 파벌 투쟁의 승부가 합법적인 사형 선고에 의해 좌우되는 일이 많았다. 이 시기에는 조정 내에서 두 파벌이 논쟁이나 비방전을 벌이다가 패배한 쪽이 임

중국 베이징의 군사 박물관에서 찍은 고대 중국의 창검

금에게서 사형 선고를 받고 그 결과로 정권 교체가 일어나는 게 일반적이었다. 다시 말해, 정적을 합법적으로 살해하는 방식으로 권력을 추구하던 시대였던 것이다.

한국 역사에서 일반적으로 사용된 사형은 거열·참수·교수형이었다. 고대 이집트나 인도·소아시아·유럽에서 행해진 화형은 한국에는 없었다. 불에 달군 철물로 고문을 가하는 일은 있었지만 이것으로 죄인을 사형에 처하지는 않았다. 불이 아닌 물을 이용하는 사형 집행도 있었다. 고려 때는 죄인을 강물에 던지는 일이 많았다. 『고려사高麗史』「최충헌열전」에 따르면, 최충헌의 노비인 만적도 노예 해방·신분 해방 운동을 벌이려다가 발각되어 강물에 던져지는

형벌을 받았다. 이런 예외를 제외하면, 한국인들은 불이나 물을 이용한 사형 집행에는 친숙하지 않았다.

일반인들과 달리 고위급 정치범에게는 사사형으로 대체하는 일이 많았다. 사약을 통한 사형 집행을 '사사賜死'라 부른다. 죽음을 하사한다는 의미였다. 사사는 정식 사형은 아니었다. 사형수의 신분이나 위신을 고려해 특별히 내리는 일종의 '은혜'라 할 수 있었다. 이처럼 사약에 의한 사형은 예외적이었지만, 정치 투쟁에서는 오히려 흔했다. 권력 투쟁의 지도자 대부분이 신분이나 위신을 중시하는 사람들이었기 때문이다. 누군가가 사약을 마시고 죽었다면, 그는 권력 투쟁의 패배자였을 가능성이 컸다.

물론 제1-2기에 이런 식의 정권 교체만 있었던 것은 아니다. 상대 파벌에게 사약을 먹이지 않고도 정권 교체를 이루는 일도 있었다. 1567년 사림파(유림파)의 집권이 그랬다. 이때 사림파는 선조 임금의 등극과 함께 자연스럽게 정권을 잡았다. 오랜 투쟁으로 인해 수구 세력인 훈구파가 자연적으로 약해진 결과로 사림파가 비교적 평화롭게 정권을 잡았던 것이다. 하지만 이런 일은 드물었고 제1-2기에는 상대 파벌을 사사형으로 대표되는 사형 집행으로 몰아넣고자 총력을 기울이는 일이 일반적이었다.

지금까지의 인류 역사에서는 제1기가 제2기보다 길었고, 제1-1기가 제1-2기보다 길었다. 제1-1기 시대 사람들이 제1-2기의 정치 투쟁을 봤다면, 세련되고 안전한 시대라고 극찬했을 것이다. 오늘날의 풍경까지 봤다면, 극찬은 한층 더해질 것이다. 정권을 빼앗겨도 목숨을 잃지 않고 다음을 기약할 수 있다는 사실에 감탄사를 연발하지 않을 수 없을 것이다. 제1-2기 사람들이 지금 시대를 본다 해도 마찬가지일 것이다. 이렇게 옛날 사람들이 볼 때, 지금의 파벌 투쟁은 상당히 점잖고 안전하다. 오늘날에는 권력 투쟁에 패배해도 목숨을 잃지 않는다. 선거 패배 뒤에 지지자들이 떠나고 경제적으로 타격을 입고 한동안 실업자로 사는 고통을 감내하다가, 몇 년 후에 재도전하거나 전업을 하면 된다.

이러한 권력 투쟁의 양상은 전쟁 무기가 점점 진화되어 온 것과 다소 연관성이 있어 보인다. 창검이 대표적인 시대를 지나 총포가 대표적인 시대도 가고, 지금은 핵무기가 대표적인 시대가 되었다. 무기는 갈수록 잔혹해진 데 비해, 정치 투쟁의 양상은 갈수록 세련되고 안전해졌다. 국가가 다른 국가를 상대로 사용하는 무기는 잔혹해진 반면, 국가 내에서 정치 파벌끼리 사용하는 투쟁 수단은 온순해진 것이다.

지금으로부터 약 181년 전인 1836년, 독일 위쪽의 덴마크 코펜하겐의 국립박물관 안에는 고고학 유물들이 어지럽게 널려 있었다. 이것들을 내려다보던 크리스티안 위르겐센 톰센Christian Jürgensen Thomsen 관장은 고민에 빠졌다. 고고학자인 그는 어떤 식으로 그것들을 분류할까 하고 한참 고심했다. 여기저기서 수집한 유물들을 체계적으로 분리하는 것은 쉬운 일이 아니었다.

장고에 장고를 거듭하던 톰센의 머릿속에서 번쩍 하고 떠오르는 게 있었다. 유물들을 살펴보던 그는 그것들의 재질이 크게 세가지라는 점을 깨달았다. 하나는 돌이고 하나는 청동기이고 하나는 철이었다. 순간, 그는 재질을 근거로 유물을 분류하면 되겠구나 하는 판단이 들었다. 그렇게 분류해 보니 그럴싸했다. 완벽한 방법은 아니지만, 흡족할 만했다. 이렇게 해서 나온 게 석기 시대-청동기 시대-철기 시대라는 3시대 구분법이다. 물론 석기 시대라고 해서 꼭 석기만 사용되고, 청동기 시대라고 해서 꼭 청동기만 제작된 것은 아니다. 그래서 분류 방법상의 문제가 없는 것은 아니었다. 그럼에도, 톰센의 구분법은 역사학과 고고학에 크게 기여했다. 오늘날 우리의 역사 인식은 기본적으로 그의 분류법에 기초하고 있다.

필자 역시 톰센과 비슷한 방법으로 권력 투쟁에서 승부를 판가름한 결정적 도구가 무엇이었냐를 기준으로 각각의 시대를 창검의 시대, 사약의 시대, 투표의 시대로 명명했다. 물론 창검의 시대라고 해서 창검으로만 정권이 바뀐 것은 아니다. 투표의 시대라고 해서 투표로만 권력이 교체되는 것도 아니다. 다만 각 시대의 가장 대표적인 정권 교체 방식이 창검이고 사약이고 투표인 것이다. 이렇게 명명된 각각의 시대에서 대표적인 권력 투쟁을 분석하고, 여기서 도출한 패턴을 근거로 앞으로의 파벌 투쟁 양상을 예측하는 게 이 글의 목표다.

2016년 10월 29일 시작해 박근혜 전 대통령의 탄핵을 이끌어 낸 촛불 집회는 한국의 권력 투쟁 방식에서 신기원이 될 만한 사건이었다. 이제까지는 볼 수 없었던 독특한 방법으로 이 집회는 한국 정치를 바꾸어 놓았다. 사람들은 촛불을 들고 대통령을 물러나게 하고 보수 정당의 존립 기반을 축소시켜 놓았다. 따라서 이를 촛불 혁명이라 해도 조금도 지나치지 않다. 우리가 이 글에서 도출하게 될 한국사의 권력 투쟁 패턴은 촛불 이후의 권력 투쟁 양상을 미리 내다보는 데도 도움이 될 것이다. 이에 대한 이야기는 에필로그에서 다루게 될 것이다. 아울러, 각각의 시대에 공식적인 권력 투쟁의 배후

3시대 구분법을 만든 위르겐센 톰센

에서 정치적 영향력을 행사한 인물들의 이야기를 중간중간 살펴보고자 한다. 이른바 비선 실세에 관한 이야기를 다루게 될 것이다.

각 시대마다 정치 지도자가 되는 데 필요한 일반적인 조건이 있다. 우리 시대의 경우에는, 평균 이상의 학력을 갖고 국회의원이나 시장 혹은 도지사, 총리나 장관 등의 경력을 거친 사람이 일반적으로 국가 지도자가 된다. 그런데 이런 조건을 갖추지 못했으면서도 정치적 능력이 비상한 이들이 있다. 그런 사람들이 흔히 비선 실세가 된다. 공적인 권한이 없으면서도 최고 지도자 급의 실권을 행사하는 이가 비선 실세다. 최순실은 수많은 이유로 공식적 지도자가 되기에 부적절한 인물이다. 이런 이들이 비선 실세가 되는 경우가 많다. 유교 국가인 조선에서 승려가 된 보우, 남성 출신의 과거 급제

자들이 정치를 하는 사회에서 궁녀가 된 김개시 같은 이들이 그런 예에 해당한다. 그러므로 특정 시대의 비선 실세가 어떤 사람인지 살펴보면, 그 시대에는 어떤 유형의 사람이 지도자가 됐는지를 알 수 있다.

차례

제2장

사약의 시대

제3장
투표의 시대

창검의
시대

1 당쟁은 조선 시대의 전유물이 아니다

당쟁黨爭 하면 흔히 임진왜란(1592~1598) 이전부터인 16세기 후반 이후를 연상한다. 그때부터 전개된 권력 투쟁을 우리는 흔히 당쟁이라고 부른다. 당쟁은 모든 시대의 당파 투쟁을 다 가리키는 말이 될 수 있지만, 우리는 관용적으로 16세기 후반 이후의 것을 가리키는 데 그 말을 사용한다.

당쟁 하면 흔히 생각하는 16세기 후반 이후는, 동인과 서인이라는 두 단어와 함께 연동되어 떠오른다. 동인, 즉 동인당에서 남인당과 북인당이 나오고, 서인, 즉 서인당에서 노론당과 소론당이 나온 역사와 연결되는 것이다. 그래서 당쟁이란 말은 남인·북인·노론·소론의 사색당파와 연계된다. 그런 당쟁에 대한 우리의 인식은 조선 왕조의 멸망 원인이었다는 결론으로 이어진다.

일제 강점기인 1927년에 조선총독부가 발간한 자료가 있다.

조선인 통치에 이용할 목적으로 대외비로 발간한 책자로『조선인의 사상과 성격朝鮮人の思想と性格』이라는 제목이 붙은 이 책에서는 조선인의 독특한 특성 가운데 하나로 당파심을 제시했다. "어느 나라를 불문하고 다수인이 집합하여 사회를 구성하는 한, 같은 냄새가 자연스럽게 서로 끌리듯이 당파를 만들기 마련"이라며 당파심은 어느 나라 사람들에게나 있다고 이 책은 말한다. 그러면서도 이 책은 "그러나 그 어느 나라도 조선인처럼 구식의 당파심에 사로잡혀 주의·주장에 얽매이지는 않는다"고 적고 있다. 조선인의 당파심이 다른 어느 민족보다도 심하다는 것이다. 또 이 책은 "조선인처럼 가문·계급·신앙·이익을 토대로 견고한 당파를 쉽게 만드는 사람들을 여태껏 듣도 보도 못했다"고 지적한다. 그러면서 "이조李朝의 선조宣祖 이후 정치사는 바로 당쟁사다"라고 규정했다. 선조 임금이 즉위한 1567년 이후의 조선 정치사를 본질적으로 당쟁사로 폄하한 것이다.

『조선인의 사상과 성격』은 조선인의 당파심이 유달리 강하다고만 했을 뿐, 그것의 명쾌한 원인은 제시하지 못했다. 조선인은 이익을 좋아하기 때문에 당파 만들기를 좋아한다고 말하긴 했으나 그것만으로는 고개를 끄덕이게 할 만한 분명한 이유를 보여 주었다고는 할 수 없다. 이 세상에 이익을 좋아하지 않는 민족이 있을까? 이익을 좋아하기로 치면, 일본인이 조선인을 능가하면 능가했지 뒤처지지는 않을 것이다. 그렇다면, 일본인의 당파성이 조선인보다 훨씬 더 강하다고 해야 할 것이다.

이런 허술한 논리를 갖고 조선총독부는 조선인들의 당파성

운운했다. 조선인들에게 "너희는 당파성이 강해서 망할 수밖에 없었다"고 세뇌시킨 것이다. 허술하고 말도 안 되는 논리였지만, 폭력이 수반된 논리였기에 힘을 발휘했다. 그래서 식민지 조선인들의 뇌리에 깊이 새겨질 수 있었다. 일본의 세뇌는 오늘날 우리한테까지 영향을 주고 있다. '당쟁' 하면 사색당파의 붕당 정치부터 연상하는 우리의 인식 패턴은 조선총독부가 만들어 낸 허구의 논리에 기초한 것이다.

『조선인의 사상과 성격』에서도 언급됐듯이 군중이 당파를 형성하는 것은 자연스러운 현상이다. 인간 사회에는 파벌이 생기기 마련이고, 파벌에 참여한 사람은 당파심에 지배되기 마련이다. 이 같은 파벌과 당파심은 어느 나라, 어느 곳에서나 있었다. 한국뿐 아니라 일본에도 있었고 중국에도 있었다. 저 멀리 유럽에도 있었고 아프리카에도 있었다. 또 그것은 어느 시대나 있었다. 16세기 후반 이후의 조선 시대뿐 아니라 그 이전 시대에도 당연히 있었다. 고려 시대는 물론이고 한국사 최초의 왕조인 고조선도 마찬가지였다.

물론 선조 이후의 당쟁은 정치적 측면 외에 철학적·사상적 성격까지 띠었다. 선조 이후의 당쟁은 사림파라 불린 유교 성리학자들이 주도했다. 그러다 보니 이들의 정치 투쟁에 철학적·사상적 색깔이 끼지 않을 수 없었다. 당파를 구성한 집단마다 조금씩 다른 철학적 특성을 보였다. 그래서 그 시기의 투쟁이 다른 시대의 투쟁보다 특별했던 것은 사실이다. 이 시기의 정파 투쟁만을 당쟁이란 카테고리에 묶으려는 경향이 생기는 것도 그런 이유 때문이다.

하지만 정치 투쟁의 수단으로 철학적 논쟁이 오갔다 해서 그것이 정치 투쟁이 되지 않는 것은 아니다. 그 역시 정치 투쟁의 하나였다. 16세기 후반 이후 사림파의 철학 논쟁이 곧 정치 투쟁이었다는 점은 기氣와 이理를 둘러싼 서경덕과 이황의 철학적 대립에서도 드러난다.

서경덕은 1546년에 죽었다. 사림파가 집권하기 이전에 죽은 것이다. 하지만 그를 비판한 이황은 선조의 등극과 함께 사림파가 집권한 1567년의 승리를 경험했다. 이황은 정치 투쟁과 혼합된 학술 활동을 하면서 서경덕을 비판했다. 그래서 이황의 서경덕 비판은 학술 활동인 동시에 정치 투쟁이었다.

황진이·박연폭포와 더불어 송도삼절(송도 3대 명물)로 불리는 서경덕은 '기'를 중심으로 우주 만물을 설명했다. 서경덕은 삶과 죽음 등을 논한 '귀신사생론鬼神死生論'이라는 글에서 기에 관해 "끝없는 허공에 가득 차 있다"고 하면서 "그것이 크게 모이면 천지가 되고 그것이 작게 모이면 만물이 된다"고 했다. 기를 우주를 이루는 기본 단위로 본 것이다. 현재까지 인류가 발견한 가장 작은 소립자는 쿼크라는 물질이다. 1963년 미국의 이론물리학자 머리 겔만Murray Gell-Mann이 발견한 것이다. 현재의 과학으로 볼 때, 서경덕이 말한 기는 쿼크라고 볼 수 있다. 그는 이런 기의 상호 작용에 의해 우주 만물의 법칙인 '이'가 생긴다고 했다. 그러니까 논리적으로 볼 때 기가 이보다 먼저라는 것이다. 이렇게 기를 중심으로 세상을 설명하는 서경덕의 철학은 기일원론氣—元論이라 부른다.

기가 이보다 앞선다는 주장은 정치적으로 중요한 함의를 갖는다. 국가로 비유하면, 기는 백성이고 이는 사회 질서다. 서경덕은 봉건 시대에 살았다. 그의 시대에는 사회 질서가 봉건적 질서였다. 따라서 기가 이보다 앞선다는 그의 주장은 백성이 봉건 질서보다 앞선다는 사상과 연결되는 것이었다. 봉건적 사회 질서는 백성을 위해 존재해야지 그 위에서 군림할 수는 없다는 '속내'를 담고 있었던 것이다. 서경덕은 양반 사대부였지만 경제적으로는 하층민으로 기존 사회 질서로부터 혜택

이황 동상

을 많이 입지 못한 사람이었다. 이런 처지도 그의 사상에 적지 않은 영향을 줬을 것이다.

이황은 서경덕의 기일원론을 비판했다. 그는 이를 중심으로 우주를 설명했다. 기가 있고 나서 이가 있는 게 아니라, 이가 있고 나서 기가 있다고 말한 것이다. 『퇴계선생문집退溪先生文集』 제25권에 실린 '아득하여 조짐이 없는데 삼라만상이 이미 갖추어져 있음을 논

咸論沖漠無朕萬象已具'이란 글에서 이황은 "이는 사물이 있기 전에 먼저 '이'가 있음을 말한 것이니, 임금과 신하가 있기 전에 이미 임금과 신하의 이가 있었고, 아버지와 아들이 있기 전에 이미 아버지와 아들의 이가 있는 것과 같다"는 주자朱子의 말을 인용하면서, 이가 기보다 먼저라고 말했다. 임금과 신하의 도리가 생기고 나서 임금과 신하가 생기는 것이므로 이가 기보다 먼저라는 것이다.

이런 논리는 봉건적 사회 질서가 생긴 뒤에 당시의 사회가 생겼다는 논리로 연결되었다. 세상이 생기기 전에 이미 봉건 질서가 있었으므로 이 질서를 뒤집어서는 안 된다는 논리가 그 안에 함축되어 있는 것이다. 이것은 주로 양반 대지주들의 입장을 대변하는 이론이었다. 기존 질서 속에서 획득한 기득권을 지켜야 했던 그들한테는 '이'의 절대성을 강조하는 이황의 사상이 마음에 들 수밖에 없었다.

서경덕과 이황의 사상적 대립에서 나타나듯이, 사림파의 철학적 논쟁은 학술 차원에서 그치는 게 아니었다. 실제로는 정치 투쟁을 염두에 둔 것이었다. 오늘날의 정치 논쟁과 다른 게 있다면, 현실적 이해관계를 드러내지 않고 고상한 방식으로 욕심을 추구했다는 점이다. 정치 현장에서 '기'의 절대성을 말하는 관료는 속으로 서민층의 정치적 이익을 추구하는 사람이었고, '이'의 절대성을 말하는 관료는 마음속으로 대지주들의 정치적 이익을 대변하는 사람이었다. 외형적으로는 철학자들의 고담준론 같지만, 실제로는 수준 높은 정치 투쟁이었던 것이다.

그렇기 때문에 사림파 시대의 당쟁을 다른 시대의 정치 투쟁과 다른 것으로 오해해서는 안 된다. 표현상의 차이만 있었을 뿐, 그 것은 여느 시대의 권력 싸움과 다를 바 없는 것이었다. 따라서 16세 기 후반 이후의 권력 투쟁만을 당쟁에 포함시키고, 다른 시대의 권 력 투쟁과 구별하는 것은 옳지 않다. 이것의 연장선상에서 보면, 조 선 후기의 당쟁을 근거로 조선 멸망을 당연시한 일본의 식민사관 역 시 옳지 않은 것이다. 어느 시대 어느 나라에나 있었던 당쟁을 갖고 1910년 조선 멸망을 합리화하는 것은 타당하지 않다. 그런 점에서 당쟁의 역사를 고조선 시대에서부터 찾는 우리의 접근법은 올바른 것이라 할 수 있다.

2 곰과 호랑이의 파벌 투쟁

일연의 『삼국유사三國遺事』에서 본문 첫 이야기는 단군왕검의 고조선 건국에 대한 것이다. 환인의 아들 환웅이 지상에 내려와 웅녀와 결혼해서 단군왕검을 낳았으며 이 단군왕검이 고조선을 세웠다는 이야기가 이 책의 본문 첫 대목에 나온다.

이야기를 읽다 보면, 고조선은 신선의 나라였음을 알 수 있다. 일연은 단군 시대 역사서인 『단군고기檀君古記』를 인용해서, 단군왕검이 나중에 산신이 되었다고 말했다. "단군이 장당경으로 옮겼다가 나중에 돌아와 아사달에 숨어서 산신이 되었다"고 적고 있다. 산신 신앙은 신선교 신앙에서 나온다. 단군이 산신이 되었다는 것은 신선이 되었다는 말과 같다. 『삼국유사』보다 6년 뒤인 1287년에 편찬된 이승휴의 『제왕운기帝王韻紀』에서는 "아사달에 숨어 산신이 되었다"고 하지 않고 "아사달산에 들어가 신이 되었다"고 했다. 고조

서울시 종로구 사직동의 단군 성전에서 찍은 단군상

선 사회에서 말하는 신은 신선이었다. 따라서 단군이 신이 되었다는
『제왕운기』 기록 역시 단군이 신선이 되었음을 뜻한다.

신선교는 선녀나 신선이 되기 위해 스스로를 수행하는 종교였
다. 신선교에서 신선은 수행의 최고 경지에 도달한 상태를 가리켰다.
단군이 신선이 되었다는 것은 수행의 최고 경지에 도달하고자 오랫
동안 연마했음을 뜻한다. 고대에는 군주의 신앙이 곧 백성의 신앙이
었다. 단군이 신선이 되고자 수행했다는 것은 이 나라 전체가 신선
의 나라였음을 뜻한다. 중세 유럽에서 가톨릭을 믿지 않고는 유럽의
백성으로 살기 힘들었듯이, 신선 수행을 하지 않고는 고조선의 백성
이 되기 힘들었음을 뜻한다. 신선교가 고조선의 국교였던 것이다.

고조선은 신선교 제사장이 정치적 군주를 겸하는 제정일치의 신국神國이었다. 임금이 종교 사제를 겸한 나라였으니, 후대의 국가들에 비해 정치 풍토가 신성할 수밖에 없었다. 오늘날의 일부 지도자들처럼 억만장자들에게 노골적으로 손을 내밀며 정치 자금을 요구하는 천박한 군주가 신국의 나라에서는 등장하기 힘들었다. 하지만 이런 신성한 나라에서도 파벌 투쟁은 당연히 있었다. 고매한 유교 철학자들의 시대인 16세기 후반의 사림파 시대에도 당쟁이란 이름의 권력 투쟁이 있었듯이, 거룩한 신선교 철학자들의 나라인 고조선에도 파벌 투쟁은 존재했다.

　　『주례周禮』라는 책이 있다. 말 그대로 하면 '주나라의 예법서'란 책이다. 하지만 당시의 감각으로 바꿔 풀어 쓰자면 '주나라의 행정 조직 매뉴얼'로 이해해야 할 책이다. 이 책의「춘관春官」편에 고대 직업 중 하나인 점인占人이 나온다. 당시 사람들에게 점인은 역사 담당 관리를 의미했다. '점치는 사람'이란 뜻인 점인은 연초에 그해의 일을 점친 뒤 그것을 기록해 둔다. 그런 다음, 한 해 동안 실제로 벌어지는 일을 따로 적어 둔다. 그들은 연말에 가서 자신들이 점친 내용과 실제 발생한 사실을 비교한다. 이것이 고대 역사가의 초기 모습이다. 1년의 예언이 맞는가를 연말에 판단할 목적으로 한 해의 사건들을 기록해 두는 사람들이 초기의 역사가들이었던 것이다.

　　이처럼 초기의 역사가들은 점쟁이를 겸했다. 그러다 보니 이들은 현대의 역사가들처럼 합리적 사유 방식을 지닌 사람들이 아니라 직관력과 영적 능력이 탁월한 사람들이었다. 그러다 유교가 확산되면서 유교 선비들이 사관 자리를 차지하게 된 것이다.

점쟁이가 역사를 기록하다 보니, 고대 역사서에는 이들의 특징이 묻어 나올 수밖에 없었다. 종교적이고 상징적인 색채가 그들의 기록에 나타날 수밖에 없는 이유가 바로 이 때문이다. 그 결과 고대 기록에서는 하나같이 신화적 분위기가 느껴진다.

이런 분위기를 풍기는 것 가운데 하나가 『삼국유사』의 단군 신화다. 『삼국유사』를 편찬한 사람은 고려 시대 승려 일연이지만, 이 책의 전체 내용이 그의 머리에서 나온 것은 아니다. 이 책의 상당 부분은 그 이전의 역사 기록을 그대로 인용했다. 단군 신화도 마찬가지였다. 일연도 밝혔듯이 단군 신화는 『단군고기』에 나오는 내용이다. 일연은 그걸 인용했을 뿐이다. 『단군고기』에는 점쟁이 사관들이 남긴 단군 신화가 그대로 담겨 있었다. 그러다 보니 우리가 읽는 단군 신화는 종교적이고 상징적인 이야기가 될 수밖에 없었다.

단군 신화에 따르면, 환웅은 널리 인간을 이롭게 할 목적으로 태백산 신단수에 강림한 뒤 360여 가지 인간사와 세상에서 교화를 처리했다. '세상에서 교화를 처리했다'의 『삼국유사』 원문은 在世理化(재세이화)다. 경희궁의 흥화문興化門, 창덕궁의 돈화문敦化門, 창경궁의 홍화문弘化門에 들어간 化(화) 자는 '세상을 바꾸다'라는 의미를 담고 있다. 구체적으로 말하면 군주의 덕으로 세상을 바꾼다는 의미였다. 환웅이 추구한 재세이화도 그런 것이었다. 환웅이 정착지에서 현지 문화를 바꾸고 새로운 문화를 보급하려 했음을 의미한다.

고대 사회에서 문화라는 것은 종교를 지칭한다. 고대 사회에서는 종교가 모든 것을 결정했다. 정치도 여기서 나오고 경제도 여기서 나오고 교육도 여기서 나왔다. 신의 뜻을 지상에 구현하는 과정이 곧 정치이고 경제였다. 『예기禮記』 「월령月令」 편에 따르면, 하늘의 기운과 땅의 기운이 화합하고 초목이 싹을 피우는 음력 정월에는 농사를 개시해야 했다. 다음 달인 음력 2월에는 어린 동식물과 어린 아이들에게 관심을 기울여야 했다. 이렇게 경제 역시 하늘의 뜻을 구현하는 과정이었다.

교육도 마찬가지였다. 고대 한국 및 중국에서 학교의 일차적 목적은 제사였다. '맹모삼천지교孟母三遷之教'란 고사는 맹자 어머니가 마지막으로 이사한 곳이 학교였다는 식으로 알려져 있지만, 이 고사를 소개하는 『소학小學』 「계고稽古」 편에 따르면 마지막으로 이사한 곳은 사당에 딸린 학교였다. 교육보다는 제사를 우선시하는 데로 이사를 갔던 것이다. 그곳으로 이사 간 뒤에 맹자가 제기를 늘어놓고 절하며 노는 장면을 보고 맹자의 어머니는 "이곳이야말로 자식을 살게 할 만 곳이다"라며 만족했다. 맹자가 공부를 흉내 내는 모습이 만족스러웠던 게 아니라 제사를 흉내 내는 모습이 만족스러웠던 것이다. 이 시대의 부모들에게는 글자 공부보다 제사를 가리키는 게 자녀의 출세에 더 이로웠던 것이다. 교육이 제사에 종속적인 이 같은 모습에서 느낄 수 있듯이, 고대에는 교육도 종교에서 나왔다. 종교는 고대 사회의 모든 것이었다.

단군 신화에 따르면 환웅의 이념에 호응하면서 나타난 것이 곰과 호랑이다. 이들은 환웅 앞에 나타나 자신들도 인간이 되게 해

제1장 창검의 시대

달라고 간청했다. 환웅이 추구하는 새로운 국가 이념과 문화를 받아들이겠다는 의지를 표출한 것이다. 이렇게 곰과 호랑이로 상징되는 세력이 먼저 머리를 조아린 까닭은 환웅이 커다란 세력을 이끌었기 때문이다. 환웅에겐 3대 신하인 풍백·우사·운사 외에도 3천 명의 신하가 있었다. 물론 3천이란 숫자가 실제의 신하 규모를 지칭하는 건 아닐 것이다. 아마도 상징적인 숫자일 확률이 높다. 오래전부터 동아시아 사람들은 3천이란 숫자를 '매우 많다'는 의미로 사용했다. 일례로, 시인 이백이 관직에서 물러난 뒤 장안을 떠나 추포에 머물 때 쓴 시 「추포가秋浦歌」에서 자신의 백발을 가리켜 "백발 3천 장은/ 수심으로 그리 길어졌다"고 했다. 1장丈은 3미터다. 머리카락 길이가 3천 장이었다면 동네 먼지를 다 쓸고 다녔을 것이다. 숫자 3천을 사용한 이 같은 과장법에서 유추할 수 있듯이, 환웅이 거느렸다는 신하 3천 역시 큰 규모를 나타내는 상징적인 수로 보아야 한다. 그렇지만 환웅이 커다란 규모를 거느린 것만큼은 확실하다. 그렇지 않다면, 새로운 정착지에서 별다른 저항도 받지 않고 나라를 세울 수 없었을 것이다.

환웅이 대규모 세력을 거느렸다면, 환웅 앞에 나타나 합류를 자청한 곰과 호랑이 역시 개인이 아니라, 곰과 호랑이로 상징되는 각각의 부족이라고 볼 수밖에 없다. 그냥 현지인 한두 명이 개인적으로 접근했다면, 곰과 호랑이가 비중 있게 기록됐을 리 없다. 아마도 환웅에게 뭔가 제안을 할 만큼의 상당한 규모를 가진 부족들이었을 것이다. 그랬기 때문에 단군 신화에서 각각 하나의 '배역'을 차지할 수 있었을 것이다.

단군 신화에 등장한 환웅·곰·호랑이, 이 셋은 기록상으로 나타난 우리 민족의 정치 파벌이다. 물론 그 이전에도 이 땅에, 그리고 우리 민족에 파벌이 있었겠지만. 역사 기록에 나오는 파벌로는 이 셋이 최초다.

곰과 호랑이는 환웅과의 합류를 자원했다. 그런데 이들의 통합은 순조롭지 않았다. 곰은 합류에 성공했지만, 호랑이는 그러지 못했다. 단군 신화에 따르면, 환웅은 신령한 쑥 한 다발과 마늘 스무 쪽을 주면서 "너희가 이것을 먹으면서 백일 동안 햇빛에 노출되지 않으면 사람의 형체가 될 것"이라고 말했다. 곰과 호랑이를 그냥 받아 준 게 아니라, 금기 사항을 지켜야 할 과제를 내준 것이다. 곰은 금기 사항을 잘 지켜 사람이 됐지만, 호랑이는 지키지 못해 사람이 되지 못했다.

단군 신화는 환웅의 관점에서 우리 민족의 형성을 기록한 것이지 곰이나 호랑이의 관점에서 기록한 게 아니다. 그렇기 때문에 단군 신화에서 말하는 '사람'은 환웅 쪽을 가리킨다. 곰이 사람이 되었다는 것은 곰 부족이 환웅 부족의 일원이 되었음을 의미한다. 반대로 호랑이가 사람이 되지 못했다는 것은, 호랑이 부족이 환웅 집단에 들어가지 못했음을 의미한다.

환웅 부족은 외래인 집단이지만, 곰·호랑이 부족은 토착 부족으로 볼 수 있다. 곰과 호랑이 부족은 오래전부터 이 땅에서 살았을 것이다. 혈통적으로 보면, 환웅에 비해 곰과 호랑이 부족이 우리 민족과 더 가까울 수도 있다. 그런데 환웅이라는 외래 종족이 출현해 새로운 문화를 강요했다. 이 같은 외부의 충격을 곰 부족은 수용했고, 호랑이 부족은 그렇게 하지 못했다. 곰 부족은 환웅의 통치 이념과 신앙을 받아들인 데 반해, 호랑이 부족은 그러지 않았던 것이다. 이로 인해 환웅·곰 부족 연합과 호랑이 부족 사이에 갈등이 생길 수밖에 없었을 것이다. 환웅·곰 부족은 새로운 문화, 즉 신선교를 통해 이 땅을 재편하려 하고, 호랑이 부족은 기존 신앙을 바탕으로 이 땅을 지키려 했을 것이다. 이것이 기록상으로 유추할 수 있는 우리 민족 최초의 정치 투쟁이라고 볼 수 있다. 물론 그런 투쟁은 이전에도 있었겠지만, 한민족의 원형이 생성되는 과정에서 나타난 정치 투쟁으로는 단군 신화가 기록상 최초이다.

최초의 파벌 투쟁이 어떻게 종결되었는지를 파악하는 것은 어렵지 않다. 역사는 승자의 것이다. 승자는 역사를 남길 특권을 갖는다. 고대에는 신화가 역사였다. 우리 역사상 최초의 파벌 투쟁 뒤에 나온 것이 바로 단군 신화다. 단군은 환웅·곰 부족 연합의 결과물이다. 환웅·곰 부족 연합이 이 투쟁에서 승리했기에 단군 신화가 나온 것이다. 반대 상황이었다면, 오늘날 우리는 단군 신화가 아니라 호랑이 신화를 배우고 있었을지도 모른다.

그런데 환웅이 호랑이 부족과의 대결에서 승리한 원동력은 무엇일까? 단순히 새로운 문화를 갖고 왔다는 것만으로 환웅의 힘을 설명할 수는 없다. 다른 무언가가 있었기에, 토착 세력인 호랑이 부족을 꺾을 수 있었으리라 볼 수 있다. 그 비결은 무엇일까?

3 환웅과 곰이 승리한 원동력

인류의 고향은 아프리카다. 이 대륙이 인류의 출발점이다. 인류가 여타 고등동물에 비해 우위를 갖게 된 것도 아프리카 대륙에서였다. 그런 뒤에 인류는 다른 대륙으로 이동했다.

모세는 자기 백성들을 이끌고 이집트를 탈출했다. 한글 성경에서는 이것을 '출애굽'이라 부른다. 성서 학계의 통설은 이 사건이 13세기에 발생했다는 것이다. 호모 사피엔스의 '출애굽'은 대략 10만 년 전의 일로 추정된다. 이때 소규모의 호모 사피엔스들이 아프리카를 떠나서 지금의 시나이반도를 넘어 중동에 진입했다.

아프리카 북부에는 사하라라는 거대한 사막이 가로지르고 있다. 그 아래쪽의 지형은 크게 서부와 동부로 갈린다. 서부에는 밀림이 많고 동부에는 평원이 많다. 직립 원인이 출현한 곳은 평원이 많은 동부로 추정된다. 밀림이 많은 데서는 나무를 잘 타는 동물이 유리하다. 반면 앞이 환히 트인 평원에서는 두 발로 서는 동물이 멀리 내다보고 맹수를 피할 수 있다. 더 높이서 더 멀리 내다보는 동물은 그만큼 방향 감각도 좋다. 또 두 발로 서기 때문에 두 손을 자유롭게 활용해 다른 활동을 할 수도 있다. 직립하는 인류는 이런 이점을 활용해, 아프리카 동부에서 우위를 차지했다. 그런 뒤에 그중 일부가 아프리카를 벗어났다.

북아메리카 동부는 유럽 서부와 맞물리고, 남아메리카 동부는 아프리카 서부와 맞물린다. 이것을 보면, 아프리카에서 중동으로 가는 경로뿐 아니라 아프리카에서 남아메리카로 가는 경로도 있었을 가능성이 있다. 대서양 밑에는 남북으로 길게 이어지는 거대한 해령海嶺이 있다. 지금보다 해수면이 낮았을 때는 그 해령을 매개로 남아메리카와 아프리카의 인적 교류가 있었을 수도 있다.

하지만 현재까지 확실한 것은 아프리카에서 중동을 거쳐 인류가 지구상에 퍼졌을 것이라는 견해다. 중동을 거쳐 유럽과 아시아로, 아시아에서 알래스카로, 알래스카에서 아메리카로 이동했을 가능성이 가장 크다. 수컷에게만 있는 성염색체인 Y염색체로 인류의 이동 경로를 추적한 인류학자 스펜서 웰스Spencer Wells에 따르면, 인류는 중동을 거쳐 유럽으로 간 부류, 중앙아시아와 북아시아를 거쳐 아메리카로 건너간 부류, 인도 위쪽과 동남아를 거쳐 북중국으로 간 부류, 남아시아와 동남아시아, 일본 열도를 거쳐 북아메리카로 건너간 부류로 분류된다.

이처럼 현재까지 확인된 바에 따르면, 아프리카를 벗어난 인류는 공통적으로 중동 지방을 거쳤다. 후대의 유럽인들은 이곳을 오리엔트라고 불렀다. 해 뜨는 곳, 즉 동방이란 의미였다. 이곳은 해양과 대륙이 만나는 곳이다. 정확히는 지중해와 인도양이 대륙과 만난다. 또 아프리카와 아시아, 유럽이라는 3개 대륙이 만나는 곳이기도 하다. 더욱이 농경 지대와 해양 지대와 유목 지대가 함께 어울려 있는 곳이어서 여러 가지 면에서 허브로 불릴 만한 곳이다.

그래서 중동을 떠나지 않고 이곳에서 패권을 차지한 집단은 이곳을 떠난 집단들보다 선진적인 문화를 꽃피울 수 있었다. 경험을 통해 알 수 있듯이, 문화는 한 개인이나 한 집단의 역량만으로는 우수해질 수 없다. 여러 사람이 모이고 여러 집단이 모이는 가운데서 문화의 역량은 높아진다. 중동이 문화적 헤게모니를 쥘 수 있었던 것은 이곳이 그런 곳이었기 때문이다.

중동의 이 같은 문화적 주도권은 13세기에 몽골 제국이 유라시아를 휩쓸기 전까지 유지됐다. 『천일야화』, 즉 『아라비안나이트』의 시대적 배경이 된 아바스 왕조는 중동이 세계 문명을 주도하던 시절의 마지막 페이지를 장식한 이슬람 국가였다. 하지만 칭기즈칸이 세계를 휩쓴 뒤부터 문명의 중심은 몽골과 동아시아로 이동했다. 마르코 폴로Marco Polo의 『동방견문록』에 나타나듯이 13세기 후반의 유럽인들이 동아시아를 동경한 것은 그런 이유 때문이다. 1840년 제1차 아편전쟁으로 서유럽이 중국을 제압하기 전까지는 이런 구도가 유지됐다.

오리엔트가 세계 문명을 주도하던 고대에, 아프리카에서 중동

『아라비안나이트』 필사본. 『아라비안나이트』는 중동이 세계 문명을 주도하던 아바스 왕조를 배경으로 하고 있다.

으로 유입됐다가 경쟁에 밀린 종족들은 여타 지역으로 밀려날 수밖에 없었다. 그런 종족들이 유럽과 중앙아시아·동아시아·남아시아로 이동했다. 곰 부족과 호랑이 부족도 그런 종족이었을 것이다. 이들은 처음 한동안 오리엔트에서 머물다가 이곳을 떠난 종족의 후예였다. 이들보다 나중에 오리엔트를 떠난 종족이 환웅 종족이다. 곰 부족과 호랑이 부족에 비해 환웅이 동아시아에 늦게 도착한 것은 환웅의 조상들이 오리엔트에 좀 더 오래 머물렀을 가능성을 보여 준다.

곰 부족과 호랑이 부족은 이 땅에 먼저 정착했지만, 신입자인 환웅 부족에게 주도권을 내주었다. 환웅 부족이 새 나라를 건설하는 인센티브를 얻는 것을 허용한 것이다. 동시에 이 부족이 갖고 온 신선교 같은 신문명을 받아들였다. 그럴 수밖에 없었던 것은, 환웅 부족의 조상들이 훨씬 나중에 오리엔트를 떠난 만큼 오랫동안 선진 문

청동기

명을 체득했기 때문으로 보인다.

　환웅 부족은 이 땅에 청동기 문화를 가져온 주인공이었을 가
능성이 높다. 남한에 비해 고조선 연구가 앞선 북한 학계에서는 청
동기 문화가 기원전 2천 년대에 들어왔을 것으로 추정하고 있다. 고
조선이 세워진 시점과 비슷한 시기에 들어왔을 것으로 여기는 것이
다. 또 『삼국유사』에 따르면, 환웅이 데려온 관리들 중에는 당시의
일반적인 산업인 유목뿐 아니라 '첨단 산업'인 농업을 담당하는 이
들이 있었다. 게다가 이 집단은 360여 가지나 되는 인간사를 처리하
는 분업 체계를 갖고 있었다. 이런 점들은 고조선 건국 세력이 상당
히 선진적이고 체계적인 집단이었을 가능성을 보여 준다. 이런 집단
이 외부에서 왔기에 곰 부족과 호랑이 부족이 통합을 결심할 수 있
었을 것이다.

　그런데 호랑이 부족은 환웅 부족의 요구 조건을 수용하지 못

하고 결국 변방으로 남았다. 『삼국유사』에는 그들이 어떻게 되었는 지를 알려 주는 기록이 더 이상 남아 있지 않다. 하지만 확실한 것은 그들이 기존 정착지에서 더는 살기 힘들었을 것이라는 점이다. 이처럼 우리 역사 최초의 파벌 투쟁은 오리엔트의 선진 문명을 조금이라도 더 경험한 환웅 부족의 승리로 결론을 맺게 되었다.

4 고조선을 이류 국가로 전락시킨 파벌 투쟁

1910년에 조선을 강점한 일본이 토지 조사 사업으로 조선인들의 토지를 빼앗는 것 말고 이 땅에서 벌인 또 다른 일이 있다. 그것 역시 무언가를 빼앗는 일이었는데, 다름 아닌 조선인들의 역사서를 가져가는 일이었다. 1910년부터 2년간 일본은 군인과 경찰을 동원해 약 20만 권의 고서적을 압수해 갔다. 이 중 상당수는 오늘날 일본 왕실도서관에 소장되어 있다. 그런 고서 가운데 하나를 손으로 베껴 온 인물이 역사학자 박창화로 그가 베낀 도서 가운데 하나가 바로 『화랑세기花郎世記』다. 하지만 이 책은 그의 필사 과정이 정확했는가를 둘러싼 위작 논란이 아직 끝나지 않았다.

일본의 조선 강점을 전후한 시기에, 군인이나 경찰이 아니면서도 서적을 함부로 가져간 이가 있었다. 2009년 8월 13일 자 MBC 〈후 플러스〉 보도에 따르면, 이토 히로부미가 바로 그 주인공이다.

제1장 창검의 시대

그는 조선통감이란 지위를 이용해 1,028권의 규장각 도서를 일본으로 가져갔다. 그는 대출 신청도 없이 도서를 빼내 갔는데 안중근 의사의 의거로 그가 가져간 도서를 되찾을 길도 요원해졌다. 이렇게 일본 군경들이나 이토 히로부미 같은 이들로 인해 우리 역사서들이 이래저래 일본 땅으로 많이 흘러가고 말았다.

일본이 우리 역사서를 대거 압수하기 전부터 고대사를 연구한 인물이 있었다. 조선 왕조 멸망 이전에 고대사 연구를 시작한 사람으로 왕조 막판에는 언론인으로 유명해 「황성신문」 기자와 「대한매일신보」 주필도 지냈다. 역사학자 겸 독립투사인 신채호가 바로 그 주인공이다. 1910년 이전부터 상고사를 연구한 그는 일본 제국주의에 맞서 독립 투쟁을 벌이다가 1928년 대만에서 체포됐다. 그로부터 8년간 수감 생활을 하면서 그가 열정을 바친 일이 바로 『조선상고사朝鮮上古史』 집필이다. 그런데 『조선상고사』는 감옥에서 집필이 이루어졌기 때문에 상당 부분을 기억에 의존할 수밖에 없었다. 참고 문헌을 인용할 때도 기억에 의존하지 않으면 안 되었다. 필자가 『조선상고사』를 현대어로 번역하면서 그가 인용한 참고 문헌들을 확인해 보니, 인용문의 상당 부분이 원문과 거의 일치했다. 그 정도로 신채호는 기억력이 좋았다. 어려서부터 암기 위주의 한학 공부로 단련된 까닭이었다.

신채호가 상당 부분을 기억력에 의존할 수밖에 없었던 데는 두 가지 이유가 있다. 우선 앞서 살펴본 대로 조국에서 멀리 떨어진 여순(뤼순) 감옥에 수감돼 있었기 때문이다. 다음으로 1910년 이후 한

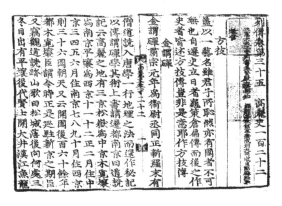

국 고서를 소장하는 게 힘들었다는 사실을 들 수 있다. 그는 1910년 이전부터 역사를 공부했다. 그때까지 그가 참고했던 책의 상당수는 그 후 일본으로 건너갔다. 그런데도 그는 1910년 이전에 본 책들을 토대로 『조선상고사』를 저술했다. 이는 일본이 압수해 간 고서 상당수가 그의 머릿속에 저장되어 있었음을 보여 준다. 현재 일본 왕실 도서관에 소장된 책의 상당수가 그의 머리에 입력되어 있었던 것이다. 이런 이유 때문에 『조선상고사』에는 현존하는 사료에서는 확인하기 힘든, 상당히 낯선 역사 지식이 많이 나온다. 특히 고조선과 관련하여 그렇다.

『조선상고사』에 따르면 고조선은 세 개의 부분으로 이루어져 있었다. 세 부분이란 것은 만주 서부 및 만주 동부와 한반도 북부를 가리킨다. 세 지역에서는 일종의 지방 자치가 인정됐다. 『고려사』「김위제열전」에 인용된 고조선 역사서인 『신지神誌』에도 같은 이야기가 나온다. 고조선이 세 곳에 도읍을 두었다는 것이다. 부소량·오덕지·백아강이 바로 그 세 개의 도읍이다. 신채호는 부소량을 만주 동부의 하얼빈, 오덕지를 만주 서부의 안시성, 백아강을 평양으로 고증했다. 고조선은 하얼빈·안시성·평양에 세 왕을 두고 대국을 다스렸던 것이다. 이 중에서 하얼빈에 주재한 왕은 고조선 전체 군주를 겸했다고 한다.

　　나라를 셋으로 나눌 수밖에 없었던 것은, 고대에는 중앙 정부가 광활한 범위를 통치할 기술이 없었기 때문이다. 교통·통신의 발달 수준도 뒷받침되지 않았다. 중국 역사에서 수많은 제후국이 등장하는 것도 그런 이유 때문이다. 고구려 같은 대국은 지방 세력에 광범위한 자치권을 인정하지 않을 수 없었다. 고구려뿐 아니라 외국의 대국도 마찬가지였다.

　　신라 같은 작은 나라마저 그랬다. 서기 6세기이면 신라가 아직 힘이 그리 크지 않을 때다. 이때 등장한 법흥왕이 지방 군사권을 빼앗기 전까지, 신라 중앙 정부는 수도 서라벌과 그 인근에 대해서만 직접적 통치권을 행사했다. 그 외 지역에 대해서는 지방 소국의 자율적 통치권에 맡기지 않을 수 없었다. 고려 때도 중앙 관료가 파견되지 않아 지방 귀족의 수중에 장악된 지역이 적지 않았다. 그래서 고려 역사에 '속현屬縣'이라는 용어가 등장하는 것이다. 중앙 관료가 없는 속현은 중앙 관료가 있는 주현主縣의 통제를 받았다. 중앙 정부가 한반도 전역에서 중앙 집권을 실시한 것은 조선 왕조에 들어서였다.

　　중앙 집권의 진전이 더뎠던 것은 교통과 통신이 미비했기 때문이기도 하지만, 중앙 정부의 재정이 뒷받침되지 않았던 탓도 있다. 고대로 갈수록 인구 밀도도 낮고 농업 생산성도 낮았기 때문에 국가가 조세를 거두기가 그만큼 힘들었다. 조선 시대까지도 자기 말이 있어야 기병이 될 수 있었던 것은 옛날 국가의 재정 형편이 그 정도로 안 좋았기 때문이다. 그런 이유로 고조선 시대에는 중앙 정부가 만주와 한반도 북부를 일원적으로 통치할 수 없었다. 그래서 세 지역에 자치권을 인정했던 것이다.

고조선이 세 지역에 배치한 왕의 칭호는 한자로 韓(한)이었다. 몽골어의 칸과 같은 뜻으로 韓이라는 한자 자체에는 별다른 의미가 없다. 汗(한)으로 표기해도 무방하다. 왕을 가리키는 고조선어 발음과 같은 글자를 찾다 보니, 韓으로도 표기하고 汗으로도 표기했을 뿐이다. 고조선이 임명한 세 명의 한이 바로 진한·변한·마한이었다. 신채호의 『조선상고사』에 따르면, 진한은 고조선의 중심부인 만주 동부를 관할하고, 변한은 중국과 경계를 맞댄 만주 서부를, 마한은 압록강 이남의 한반도 북부를 관할했다. 그러니까 진한은 하얼빈, 변한은 안시성, 마한은 평양에 주재했던 것이다. 셋 중에서 하얼빈의 진한이 나라 전체를 책임졌다. 우리가 알고 있는 삼한은 이렇게 시작했다. 삼한은 국가 명칭이 아니라 고조선 왕의 명칭으로 출발했던 것이다. 이것이 국명으로 바뀐 것은 후대의 일이다.

고조선 시대 사람들은 진한·변한·마한의 순으로 말했지만, 오늘날 우리는 마한·진한·변한의 순서로 부른다. 거기에는 이유가 있다. 고조선 시대에는 진한이 가장 우세하고 변한이 그다음이었던 데 반해, 후대에 가서는 마한이 가장 힘이 컸고 진한과 변한이 그 뒤를 이었기 때문이다. 순서가 이렇게 바뀌는 과정에서 한 차례의 파벌 투쟁이 있었다. 그리고 이런 변화를 겪는 와중에 고조선은 강국의 지위를 잃고 이류 국가로 전락하기 시작했다. 고조선 역사의 중대 기로에서 발생한 이 권력 싸움은 국교인 신선교에 대한 태도 변화와 관련이 있었다.

5 신선교 권력을 위협한 세계 사상계 변화

    고조선 전성기에 삼한의 중심은 진한이었다. 진한은 변한·마한과 동격이 아니었다. 진한은 자기 지역을 통치할 뿐 아니라 고조선 전체를 관할했다. 그래서 변한·마한에 대해 우위에 있었다.

    『삼국유사』에는 「왕력王歷」 편이란 부분이 있다. 왕들의 내력을 정리한 것으로 「왕력」 편에서는 고구려 시조 주몽을 두고 "단군의 자손이다"라고 말하고 있다. 주몽이 고조선 왕실의 혈통을 타고났다는 것이다. 그런데 주몽의 원래 성씨는 고씨가 아니라 해씨解氏였다. 『삼국사기三國史記』 「고구려본기」에 따르면, 고씨 성을 사용한 시점은 고구려 건국 직전이었다. 그전까지는 고씨가 아니었던 것이다. 주몽은 해모수의 아들이다. 주몽이 해씨의 아들이라는 기록과 주몽이 단군의 후예라는 기록을 종합하면, 고조선 왕실이 해씨였다는 것을 유추할 수 있다.

하얼빈에 주재하는 해씨 임금, 즉 진한의 우위 속에 삼한이 조화를 이루었다. 변한·마한이 진한의 권위를 인정하는 속에 고조선 삼한 체제가 유지된 것이다. 그런데 이 같은 삼한 질서에 변화가 생기게 된다. 신선교의 권위에 도전이 제기되면서부터였다.

단군이 신선이 됐

제자백가 가운데 한 명인 공자. 기원전 6세기가 지나면서 경제가 발달한 중국에서는 제자백가로 상징되는 사상적 혁신이 이뤄졌다.

다는 『단군고기』 및 『삼국유사』 기록에서 알 수 있듯이 고조선은 신선교를 숭배하는 나라로 제정일치 사회였다. 지도자가 제사장인 단군과 통치자인 왕검을 겸하는 형태였는데 이것은 삼한이 사제인 동시에 군주였음을 의미한다.

그런데 신선교 숭배를 위협하는 현상이 나타났다. 이것은 신선교 숭배를 기초로 고조선을 다스리는 진한의 지위를 위협하는 현상이기도 했다. 출발점은 기원전 6세기였다. 기원전 6세기면, 유목민이 동아시아에서 패권을 잡고 있을 때였다. 농경민인 중국이 주도권을 행사한 것은 한나라 무제武帝가 등장한 기원전 2세기부터였다. 그래서 기원전 6세기이면 농경민이 유목민한테 뒤처져 있을 때이다.

　　유목민에 뒤처져 있기는 했지만, 기원전 6세기 중국은 종래에 비해 현격하게 발달해 있었다. 기원전 8세기에 시작된 주나라 제후들의 각축 시대, 즉 춘추 시대에 이 나라의 농업 경제는 크게 발달했다. 이때는 주나라 천자의 위상이 약해지면서 제후들 간의 경쟁이 격화됐던 시기이다. 이로 인해 지역 경제를 살리기 위한 제후들의 노력이 심화되었다. 중앙 집권이 아닌 지방 분권이 경제 발전을 촉진시켰던 것이다. 일본 역사에서도 제후들의 할거가 심각했던 센고쿠 시대(1467~1573)에 경제 발전이 가속화되었다. 이런 발전의 결과로 1592년에 도요토미 히데요시가 내부 역량을 결집해 조선을 침략할 수 있었던 것이다. 기원전 8세기 이후의 중국에서도 지방 분권에 의한 경제 발전이 있었고, 이로 인해 기원전 6세기의 중국은 유목 지대인 몽골 초원이나 만주 평원보다는 못해도, 이전보다 상당히 발전한 단계에 있었다. 동아시아 이류 지대인 농경 지대에서 발생한 이 변화는 고조선의 신선교 숭배에 특히 영향을 미쳤다.

　　항상 그런 것은 아니지만 인간은 배가 고프면 책을 읽지 않는다. 먹고사는 문제가 다급하기 때문이다. 하지만 배고픈 단계를 탈출해 풍족한 상태에 진입하면, 책도 읽고 사색도 즐길 여유를 갖는다. 기원전 6세기 중국도 그랬다. 농업 발전으로 경제 성장을 이룩하면서, 철학자들의 소리에 귀를 기울이는 풍조가 나타난 것이다. 이런 풍토 속에서 그 후 2세기 동안 두각을 보인 인물들이 노자·공자·증자·묵자·장자·맹자 등이다. 제자백가諸子百家로 명명될 이들이 등장하면서 중국의 철학 수준은 한 단계 높아지고 중국은 미래를 고민하는 여유로운 나라가 되었다.

그런데 이런 현상이 중국만의 전유물은 아니었다. 유목민들에 밀려 비주류로 살던 여타의 농경 지대에서도 동일한 일이 나타났다. 그 같은 지역으로 그리스와 인도를 들 수 있다. 소크라테스·아리스토텔레스·플라톤·석가모니 등도 기원전 6세기에서 4세기 사이에 출현했다. 유라시아 농경 지대의 전반적인 경제력 상승을 타고 농경 지대 곳곳에서 새로운 사상적 도약이 일어났던 것이다.

농경 지대에서 출현한 새로운 사상적 조류의 공통점은 기존의 샤먼적 사고방식을 배척한다는 점이었다. 유목 지대의 정신세계를 지배한 샤먼들은 직관적이고 감성적인 방식으로 사유하고 세계를 해석했다. 이에 맞서 농경 지대의 새로운 사상가들은 합리적이고 이치적인 방식으로 철학 체계를 수립했다. 우리 시대의 합리주의와 완전히 부합하지는 않지만, 그리스 철학과 인도 철학에서 합리성이 느껴지는 것은 이런 사조가 유목민들의 샤머니즘에 대항하는 성격을 띠었기 때문이다.

그리스·인도 철학의 공통점은 중국 철학에서도 나타났다. 이 점은 공자 사상의 특징을 두고 『논어論語』「술이述而」 편에서 "선생님께서는 괴력난신怪力亂神을 말씀하시지 않았다"고 말한 데서도 드러난다. 이 부분에 대한 해설에서 주자는, 괴력난신을 괴이·용력勇力·패란悖亂·귀신으로 풀이했다. 한마디로, 괴력난신은 비정상적이고

일종의 샤먼인 무녀의 모자. 강원도 강릉
시의 강릉 단오 문화관에서 찍은 사진

비현실적인 것을 총칭하는 개념
이다. 공자는 이런 것들을 멀
리했다는 게 「술이」편의
취지다. 오로지 정상적이
고 현실적인 것만을 토대
로 철학 체계를 구축했다는
것이다.

유목 지대 지식인인
샤먼들은 신과의 대화를 무기로 민중을 지배했다. 그 같은 주류 지
성들에 맞서 농경 지대 신지식인들은 인간의 오감으로 이해할 수 있
는 것만을 다루었다. 그런 것들을 토대로 철학 체계를 구축한 것이
다. 오감도 활용하지만 그보다는 육감六感을 더 활용하는 샤먼들과
대조되는 측면이다. 기원전 6세기쯤 되면 신지식인들의 방식에 의
해 축적된 지식의 양이 많아졌다. 샤먼들이 다룰 수 있는 정보의 양
보다 신지식인들이 다룰 수 있는 정보의 양이 많아진 것이다. 그랬
기 때문에 농경 지대 신지식인들이 지배층과 민중의 공감대를 확보
할 수 있었다.

해마다 연초에 경제학자들이 방송에 나와 1년 경제를 예측할
수 있는 것은 경제적 데이터 및 그것의 처리 기법이 사회적으로 많
이 축적되어 있기 때문이다. 그런 정보가 축적되어 있기에 점쟁이도
아니면서 1년 경제를 예측할 수 있다. 만약 우리 사회에 그런 시스
템이 축적되어 있지 않다면, 연초에 방송에 나오는 사람들은 경제학

자가 아니라 점쟁이가 될 것이다. 기원전 6세기경의 중국·인도·그리스에는 다수의 보통 사람들이 가진 정보력이 소수의 샤먼들이 가진 정보력을 능가했고, 영적 능력 없는 지식인들이 이를 기초로 샤먼들을 누르고 지배층 및 민중의 존경심을 살 수 있었다.

샤먼에서 신지식인으로의 지적 권력 이동과 유사한 현상이 지금 우리 눈앞에서 벌어지고 있다. 대학이나 연구원 또는 언론 기관에 종사하는 기존 지식인들이 전업을 고려해야 할 만한 현상이 알파고로 대표되는 인공지능의 확산으로 번지고 있다. 인간이 공동으로 축적한 온갖 지식들을 저장하고 있는 인공지능만 활용할 줄 알면, 전문적인 지식인 훈련을 받지 않은 사람도 정보를 자유자재로 이용할 수 있는 단계로 우리는 급속히 달려가고 있다. 미래학자 박영숙과 제롬 글렌의 『세계미래보고서 2030-2050』 Part 1에서는 "가까운 미래에 인간은 어디서나 네트워크에 대한 초고속 접속이 가능해져 모든 정보를 공유할 수 있다"면서 "미래에는 데이터가 너무 방대해져서 인간은 더 나은 삶을 위해 그중 필요한 데이터를 찾는 방법을 학습해야 한다"고 했다. 누구나 모든 정보를 이용할 수 있는 시대가 되면 기존 지식인들은 설 자리를 잃고 새로운 모색을 해야 한다. 이런 변화가 기원전 6~4세기에도 있었던 것이다. 샤먼에서 전문적 지식인으로, 다시 일반 대중으로 지식의 헤게모니가 이동해 온 것이다.

기원전 6~4세기의 변화는 주요 농경 지대를 강화시키는 요인으로 작용했다. 이를 발판으로 농경 지대가 유목민 독주 체제를 흠

집 내기 시작했다. 그런 조류가 진한·변한·마한의 고조선 국가 체제에도 영향을 미쳤다. 그 결과 새로운 지적 흐름이 삼한의 파벌 투쟁을 부추기는 요인으로 작용했다.

제1장 창검의 시대

6 변한이 진한의 권위에 도전하다

중국의 경제 성장과 사상 혁신은 삼한 중에서 중국과 가장 인접한 변한 쪽에 영향을 줬다. 그 결과 변한에서 가장 빨리 변화가 나타났다. 변한과 인접한 중국 왕조는 춘추시대 연燕나라였다. 지금의 북경(베이징)이 청나라 때는 연경燕京이었다. 연나라의 도읍이 지금의 북경에 있었던 것이다.

이 연나라가 국력 성장을 배경으로 천자국인 주나라 왕실의 권위에 도전했다. 연나라 제후는 왕을 자칭했다. 사마천의 『사기史記』에 따르면, 연나라 제후가 왕이란 칭호를 사용한 시점은 기원전 323년이다. 중국에서 황제 칭호가 사용된 때는 진시황제가 중국을 통일한 기원전 221년 이후다. 황제 칭호가 사용되기 전에는 왕이란 표현이 황제란 표현과 같은 위상을 갖고 있었다. 그래서 왕을 자칭한다는 것은 중앙의 권위에 정면으로 도전한다는 의미였다.

연나라의 움직임은 고조선 서부 지역인 변한에도 영향을 미쳐 변한 역시 주나라에 도전한 연나라처럼 고조선 왕실에 도전하게 만들었다. 이때 변한을 다스리는 제후는 기씨 집안이었다. 앞서 언급했듯이, 변한은 제후 명칭으로 쓰이다가 나중에는 지역이나 나라 명칭으로 사용됐다. 이때 상황이 서기 3세기 후반에 편찬된 중국 역사서 『위략魏略』에 다음과 같이 기록되어 있다. 『위략』은 삼국 시대 위나라를 중심으로 기록된 사료다.

> 기자의 후손인 조선후朝鮮侯는 주나라 왕실이 쇠약해지는 것을 보았다. 이때 연나라가 스스로를 높여 왕이라 칭하고, 동쪽을 노리며 땅을 빼앗으려 했다. 조선후도 스스로 왕이라 칭하고 군대를 일으켜 연나라에 반격을 가함으로써 주나라 왕실을 높이고자 했다.

'조선후'는 고조선 제후란 뜻이다. 기자의 후손으로서 고조선 제후가 된 것은 변한이다. 기자가 지배한 영역은 고조선 서부였다. 『위략』에 따르면, 인접한 연나라가 왕을 자칭하며 위협하는 상황을, 변한은 진한으로부터 독립할 기회로 활용했다. 변한 역시 위기 상황을 틈타 왕을 자칭하며 연나라로부터 안보를 지킨다는 명분 하에 독립을 도모한 것이다. 이것은 변한과 진한의 분열을 의미하는 것이자 삼한의 내부 분열을 뜻하는 것이다. 연나라가 왕을 칭한 뒤에 변한이 왕을 자칭했다는 기록에 따르면 변한이 진한에게서 독립한 시점은 기원전 323년 직후로 봐야 할 것이다. 바로 이 시점부터 고조선의 삼한이 분열되고 각자의 길을 걸었던 것으로 보인다.

고조선의 분열은 동아시아의 정치 지형을 바꾸어 놓았다. 만주 지역의 고조선이 내부 분열로 약화되자, 또 다른 유목 지대인 몽골 초원이 상대적으로 강성해지기 시작했다. 이때는 흉노족이 몽골 초원을 지배하고 있었다. 고조선의 내분은 흉노족에게 유리한 국면을 조성했다. 동아시아 대결 구도를 흉노족 대 중국 한족의 양자 구도로 바꾸어 놓은 것이다. 중국이 유목민과 대등해진 것은 기원전 3세기 후반의 진시황제 때였다. 그렇기 때문에 기원전 4세기 후반에 고조선 분열로 흉노족 대 한족의 구도가 출현했다고 해서 한족이 흉노족과 대등한 힘을 가졌다는 뜻은 아니다. 다만 흉노족이 우세한 가운데 양자의 대결이 동아시아 최대 쟁점이 됐다는 의미다. 이렇게 몽골 초원과 중국 대륙의 양자 구도가 형성되는 과정에서 고조선은 소외되어 갔다.

삼한이 분열하고 고조선이 쇠망하는 과정에서 진한과 변한 땅은 정치적 격변에 노출됐다. 만주에 위치한 두 지역에서는 기존 정권들이 무너지고 새로운 권력들이 수립됐다. 한반도 북부의 마한을 제외한 두 지역에서 고조선 정치 체제가 해체의 길을 걸었던 것이다.

『조선상고사』에 따르면 고조선 도읍인 하얼빈은 부여로도 불렸다. 부여(扶餘·夫餘)라는 한자는 벌판이나 도읍을 뜻하는 우리 고어 '불'을 발음 그대로 표현한 것으로 우리 발음과 비슷한 한자를 찾다가 '부여'라는 글자를 선택한 것이다. 그래서 한자 자체로는 별 의

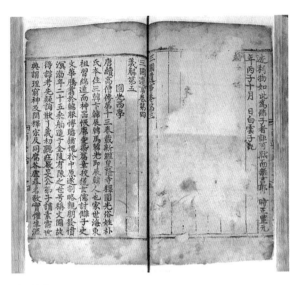

삼국유사

미가 없다. 부여·부리·불래·국내·불·벌·발 등의 글자는 모두 '불'에서 나온 것이다. 황산벌의 '벌'도 마찬가지다. 도읍이 부여로 불린까닭에 고조선은 부여로도 불렸다. 중국이 베이징으로도 불리고 미국이 워싱턴으로도 불리고 일본이 도쿄로도 불리듯이 고조선도 그렇게 불린 것이다. 부여가 고조선 도읍이라는 점을 간과했기 때문에 '고조선이란 나라도 있었고 부여란 나라도 있었다'는 식의 오류가생겼다. 후대의 역사 기록에서 고조선과 부여가 서로 별개의 국가처럼 취급된 것은 그런 이유 때문이다.

고조선과 부여가 동일한 존재라는 점은 고조선 왕실의 성씨도 해씨였고 부여 왕실의 성씨도 해씨였다는 사실에서도 드러난다. 앞서 설명했듯이, 『삼국유사』「왕력」편에 따르면 고조선 왕실은 해씨였다. 『삼국유사』 「기이紀異」 편에 따르면 부여 왕실 역시 해씨였다. 『삼국유사』 저자인 일연이 고조선과 부여가 동일한 존재라는 점을 간과하고, 고조선 왕실도 해씨로 기록하고 부여 왕실도 해씨로 기록했던 것이다.

삼한이 분열하고 고조선이 쇠락하는 속에서 고조선, 즉 부여 땅에서 반란 집단이 나왔다. 그것도 고조선 중심부인 진한 땅에서 그런 일이 벌어졌다. 이들은 고조선에서 이탈해 새로운 나라를 세웠다. 『삼국유사』 「기이」 편에 따르면, 이 나라는 수도가 기존의 고조선, 즉 부여의 수도보다 동쪽에 있다 하여 제삼자들에 의해 동부여로 불렸다. 동부여는 기존의 고조선 중심부로부터 동쪽에 세워진 또 다른 고조선이었다. 이들 역시 고조선이란 국호를 썼다. 그래서 부여로 불린 것이다. 이에 따라 기존의 고조선은 북고조선, 즉 북부여로 불리게 되었다. 두 집단 모두 스스로를 고조선·부여라 불렀지만, 제삼자들이 둘을 구분하고자 북고조선(북부여)·동고조선(동부여)로 구별하여 부른 것이다.

진한 땅에서 동부여를 세운 사람은 해모수의 아들인 해부루다. 진한 땅에서 동부여만 나온 게 아니다. 해부루 외에도, 해모수의 아들이 또 있었다. 해모수의 또 다른 아들도 진한 땅에서 나라를 세웠다. 바로 주몽이다. 주몽은 고구려를 세웠다. 그러므로 진한 땅에서 나온 신국新國은 동부여와 고구려 둘인 것이다.

삼한 분열은 변한 땅에서부터 시작되었지만 이로 인한 분열의 여파는 진한에만 미치지 않았다. 기원전 2세기 초반에는 분열의 진앙인 변한에도 여파가 미쳤다. 고조선 전체가 격랑에 휩쓸리는 시간이 길어지면서, 변한 땅에서 기씨 집안이 쫓겨나고 위씨 집안이 정권을 잡았다. 위만이 변한 정권을 탈취한 것이다. 이때는 기원전 194년에서 180년 사이이다. 변한 땅의 새로운 지배자가 다스린 고조선은 위만 고조선 혹은 위만조선이라 불린다. 위씨 집안은 변한 땅을 오래 지키지 못했다. 기원전 108년에 이 가문은 한나라 무제의 침공을 받고 멸망했다. 우리가 흔히 말하는 기원전 108년 고조선 멸망은 위만조선의 멸망을 말한다.

이렇게 만주 서부와 동부에서 고조선 체제가 붕괴하면서 대규모 유민이 발생했다. 고대 국가는 영토보다는 백성에 대한 장악을 우선시했다. 얼마나 많은 백성을 농토에 묶어 놓고 세금을 거두느냐에 고대 국가의 사활이 걸려 있었다. 그러자면 거주·이전의 자유를 제한해야 했다. 백성들의 이동을 제약하던 왕조가 멸망하면, 백성에 대한 통제 시스템도 약해질 수밖에 없다. 그 결과 고대 왕조가 해체되면 대규모 이민이 자연스럽게 발생했다. 고조선 유민들은 혼란을 피해 한반도로 이주해 갔다. 몽골 초원과 중국에는 부담스러운 상대들이 있었기 때문에 상대적으로 쉬운 한반도로 이동했던 것이다. 우리 역사서에 흔히 나오는 고조선 유민은 이렇게 발생했다.

한편, 한반도 북부의 마한은 중국 쪽의 직접적 공격을 받지는 않았다. 덕분에 중국발 강풍의 영향을 상대적으로 적게 받았다. 하지만 위씨에게 쫓겨난 변한의 기씨 가문이 한반도로 내려오자 상황이 달라졌다. 기준은 마한 쪽으로 도주했고 마한은 기준에게 밀렸

제1장 창검의 시대

다. 이에 따라 마한은 임진강 이남으로 거점을 옮기게 되었다. 임진강 이남을 영유하게 된 마한은 예전처럼 강력할 수는 없었다. 하지만 진한과 변한이 해체된 것에 비하면 상대적으로 사정이 나은 편이었다. 마한은 북에서 내려온 진한·변한 유민을 수용하고 이들을 관리했다. 진한·변한 유민들은 마한의 통제 하에서 자치 공동체를 꾸렸다. 진한 연맹체와 변한 연맹체는 마한의 지배 하에서 생존을 모색했다.

고조선 전성기 때만 해도 진한이 삼한을 영도했지만 진한·변한 유민들이 마한의 통제를 받게 되면서 마한이 우위에 서게 되었다. 고조선 백성들이 임진강 이남에 모인 뒤에는 마한이 주도권을 행사한 것이다. 오늘날 우리가 삼한의 순서를 마한·진한·변한이라고 부르게 된 것도 바로 이 때문이다.

만주 및 한반도의 지배자였던 고조선이 임진강 이남으로 축소된 것은 일차적으로 중국과 흉노족의 국력 증대 때문이다. 이차적으로는 기원전 323년 이후에 있었던 변한의 배반을 들 수 있다. 그런데 변한이 배신한 데는 약간의 종족적 차이도 작용했다. 변한은 고조선의 일부였지만, 변한의 지배 집단은 고조선 해씨 왕실과 약간 다른 세력이었다. 그에 관한 이야기가 다음 장에 이어진다.

7 은나라 일부가 한민족 파벌로 합류하다

　　역사를 대하는 현대 중국인들의 특성이 있다. 그중 하나는, 현재의 중화인민공화국 안에서 벌어진 모든 역사를 자국의 역사로 간주한다는 점이다. 한족인 그들은 중국을 점령했던 이민족의 역사까지도 자신들의 역사에 포함시키고 있다.

　　중국인들은 자신들의 정통 역사서로 인정하는 사료들을 25사史라고 부른다. 이 속에는 선비족 역사서인 『위서魏書』(북위 역사)도 있고, 거란족 역사서인 『요사遼史』(요나라 역사)도 있고, 여진족 역사인 『금사金史』(금나라 역사)도 있고, 몽골족 역사서인 『원사元史』(원나라 역사)도 있고, 만주족 역사서인 『청사고淸史稿』(청나라 역사)도 있다. 『청사고』는 아직 미완 상태에 있다. 그래서 稿(원고 고)를 붙여 청사고라고 부른다. 『청사고』를 『청사』로 바꾸는 작업은 현재 막바지여서

2015년 연말에 초고를 마치고 지금은 정리 단계에 있다. 선비족·거란족·여진족·몽골족·만주족은 모두 유목민으로 농경민인 한족과는 다른 민족이다. 그런데도 중국 한족은 이런 유목민의 역사까지도 자신들의 역사에 포함시키고 있다.

중국인들은 자신들을 정복한 민족의 역사도 자국 역사로 간주한다. 그러니, 자신들이 정복한 민족의 역사를 자국 역사로 인정하는 것은 아무것도 아니다. 중국인들의 생각에는 그것이 당연한 일이다. 피정복민의 정체성이 자신들의 정체성과 같았는지 여부는 고려하지 않는다. 그냥 자신의 역사로 편입하고 있는 것이다. 그런 사례 가운데 하나가 은나라 역사의 중국사 편입이다.

중국인들의 직접적 조상은 주나라 주체 세력이다. 이 주나라가 멸망시킨 나라가 바로 은나라다. 은나라는 황하 유역의 북중국을 지배했다. 이 은나라의 마지막 군주가 유명한 주왕紂王으로 중국인들이 폭군의 대명사로 거론하는 인물이다. 주나라가 은나라를 멸망시켰으므로 은나라 역시 중국 역사의 일부가 된다는 게 중국인들의 생각이다. 하지만 중국인들이 기록한 역사서를 보더라도 은나라는 중국보다는 한민족과 더 가까웠다.

오늘날 동아시아인들이 서기 연호와 양력을 쓰는 것은 서양 열강에 패했기 때문이다. 19세기 중반의 아편전쟁을 계기로 동아시아가 서양에 밀리면서부터 서양 연호와 달력이 동아시아에 침투했다. 여타 지역에서도 서양의 침략과 함께 그런 것이 유입됐다. 이런 일이 없었다면, 동아시아를 포함한 비非서양권에서 서기와 양력이 보편적으로 사용되기는 힘들었을 것이다.

　　어떤 달력을 쓰느냐는 어떤 시간관념을 갖느냐와 연결된다. 그리고 시간관념의 문제는 어떤 세계관을 갖느냐와 연결된다. 마호메트(무함마드)가 메카 귀족들의 박해를 피해 메디나로 이주한 서기 622년을 시간의 출발점으로 간주하는 세계와, 예수가 베들레헴의 마구간에서 출생한 서기 1년을 시간의 출발점으로 인식하는 세계가 서로 얼마나 다른지는 신문이나 텔레비전 뉴스에서 쉽게 확인할 수 있다. 어떤 시간관념을 가지며 어떤 세계관을 갖는가의 문제는 이처럼 민족의 정체성과도 직결된다.

　　그런데 은나라의 달력 체계는 중국과 같지 않았다. 한족이 세운 주나라와 비교할 때 오히려 이질적이었다. 사서오경 중 하나인 『서경書經』의 해설서로 송나라(남송) 채침蔡沈이 쓴 『서경집전書經集傳』이 있다. 이 책 「이훈伊訓」 편에서는 은나라의 달력 체계를 두고 12월을 정월로 삼았다"고 했다. 중국 달력으로 12월이 은나라 달력으로는 1월에 해당한다고 한 것이다. 이런 달력은 중국과 다른 동시에 한민족과 같은 것이었다. 『삼국지』 「동이열전東夷列傳」

ⒸPericlesofAthens

주나라 시대의 청동기 유물. 주나라가 멸망시킨 은나라는 한족보다는 오히려 우리 한민족과 연관이 더 깊었다.

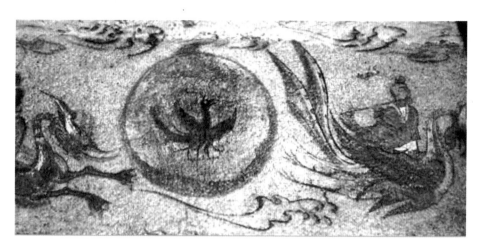
고구려 고분 벽화에서 볼 수 있는 삼족오

에서는 부여, 즉 고조선을 두고 "은나라 역법으로 정월에 제사 지낸다"고 했다. 은나라와 고조선의 역법 체계가 같았으며 제사를 지내는 시점이 같았다는 것이다. 이것은 은나라와 한민족이 같은 문화권이었다는 의미다.

양자의 유사성은 검은 새에 대한 숭앙에서도 나타난다. 『사기』「은나라본기」에 검은 새가 등장한다. 이 새가 알을 떨어뜨리자 여성이 그 알을 주워 삼킨다. 그 여성의 몸에서 아이가 태어난다. 이 아이가 은나라 시조 설契이다. 검은 새는 까치나 까마귀다. 검은 새에서 은나라 시조가 나왔으니, 은나라 사람들은 이 새에 대한 신앙을 갖지 않을 수 없었다. 그런데 동일한 신앙이 한민족에도 존재했다. 이를 보여 주는 게 고구려 고분이다. 평양의 진파리 고구려 고분이나 길림성 집안현의 고구려 각저총에서는 세 발 달린 까마귀, 즉 삼족오 신앙이 발견된다. 고구려도 검은 새 신앙을 갖고 있었던 것이다. 검은 새에 대한 숭배가 은나라와 한민족을 관통했던 것이다.

주목할 게 또 있다. 중국인의 직접적 조상인 주나라 이후의 역대 중국 왕조에서는 제사와 정치의 분리, 즉 제정 분리가 비교적 뚜렷했다. 중국 역대 왕조에서는 제사장이 군주를 겸하는 일이 없었다. 중국에서는 종교의 영향력이 한민족에서만큼 강력하지 않았다. 그런데 은나라는 고조선처럼 제정일치 경향이 강했다. 인간 중심주의의 경향을 보인 중국 왕조들과 달리, 은나라는 하늘을 숭배하고 하늘을 중심으로 살았다. 한민족과 닮았던 것이다. 고대에는 종교가 문화의 요체였으므로, 은나라의 종교 문화가 중국보다 고조선에 더 가까웠다는 사실은 은나라가 중국보다는 한민족에 더 가까웠음을 보여 준다.

그런데도 사마천의 『사기』에서는 은나라 역사를 중국 역사로 다루고 있다. 『사기』의 「은나라본기」는 사실 '은나라열전'이 되어야 한다. 은나라는 중국 입장에서 이민족이기 때문이다. 고조선 편도 「조선열전」이다. 흉노 편도 「흉노열전」이다. 그런데 '은나라열전'만 「은나라본기」로 되어 있으니, 역사적 실제와 동떨어져 있는 것이다.

은나라가 한민족과 가까웠다고 해서, 은나라가 한민족의 직계 조상이 되는 것은 아니다. 한민족에게는 은나라와 동시대에 존재했던 고조선이 직계 조상이다. 은나라는 고조선의 형제 국가와 같았다. 은나라와 현대 한민족의 관계는 직계가 아닌 방계의 관계다.

그렇게 한민족과 방계 관계인 은나라 일부가 한민족 역사에 편입되는 계기가 있었다. 은나라가 멸망한 뒤에 이러한 일이 벌어졌

행주 기씨 유허비. 경기도 고양시 행주산성에서 찍은 사진. 행주 기씨의 시조인 기우성은
기자의 48대손이다.

다. 은나라는 마지막 왕인 주왕 때 주나라 무왕에 의해 멸망했다. 그
때 주왕의 숙부인 기자는 주나라에 투항을 거부하고 고조선으로 망
명했다. 이렇게 은나라 왕족이 고조선에 합류함으로써 은나라 일부
가 고조선 역사에 편입되었다. 기자가 정착한 땅은 고조선 서부의
변한 땅이었다.

　그런데 주나라 무왕이 기자를 조선 제후로 책봉했다는 기록
이 있다. 무왕이 그렇게 하고 싶었는지는 모른다. 하지만 기자는 그
럴 마음이 없었다. 『서경집전』「홍범洪範」편에 따르면 기자는 무왕
의 신하가 될 뜻이 없음을 밝혔다. 그는 유민들을 이끌고 고조선으
로 넘어갔다. 『사기』에서는 무왕이 기자를 조선 땅에 책봉했지만 신

하로 삼지는 않았다고 했다. 책봉했다는 것은 제후, 즉 신하로 삼았다는 뜻이다. 따라서 제후로 삼았지만 신하로 삼지 않았다는 말은 있을 수 없다. 무왕이 기자를 조선 제후로 책봉한 것은 허울뿐이었던 것이다. 무왕과 기자 사이에 군신 관계가 없었다는 것은, 기자의 새로운 정착지에 무왕의 통치권이 미치지 않았음을 의미한다. 대한민국 정부가 이북5도 도지사를 임명하듯이 무왕의 임명에는 아무런 의미도 없었던 것이다.

기자 본인 때인지 아니면 후손 때인지 알 수 없지만, 기자 혈통은 고조선 변한에 정착해서 이곳 제후로 인정을 받았다. 『조선상고사』에서 신채호는 기자의 후손이 변한 제후로 책봉됐다고 했다. 고조선 진한 왕실에 의해 책봉을 받았다는 것이다. 은나라 일부가 고조선 역사에 정식으로 편입된 순간이었다.

하지만 기씨 가문은 고조선을 배반했다. 서기 323년 연나라 제후가 왕을 자칭하는 정세 변화를 틈타 기씨 가문은 진한 왕실에 반기를 들었다. 기씨 가문은 연나라 제후를 모방해 왕을 자칭하며 진한의 권위에 도전했다. 고조선 역사에 편입된 은나라 후예들이 독자 세력을 표방한 것이다. 이로써 기씨 가문은 고조선 중앙을 부정하고 독자적 파벌이 되었다. 하지만 이 가문은 훗날 위만에게 땅을 빼앗기고 한반도 북부로 도주하고 말았다.

곳곳에서 나타난 외래인과 토착인의 대결

고조선 건국 과정에서는 이주민과 토착민이 합세했다. 토착민들은 강력한 이주민들에 맞서기보다는 '손님들'에게 공간을 내주고 공존을 모색했다. 이주민들이 만만하면 당연히 투쟁했겠지만, 신문화를 갖고 도래한 이주민들은 정중히 대우했다. 그러면서도 한민족 토착민들은 자기 땅을 지키는 일에서만큼은 애착이 강했다. 그래서 아무리 힘센 이민족도 이 토착민을 전쟁으로 제압하지는 못했다. 이로 인한 힘의 균형이 연합 건국의 결과를 도출했다. 이런 양상은 이후에도 끊임없이 나타났고 한민족의 왕조 건설 과정에서 하나의 패턴으로 굳어졌다.

천마天馬가 갖고 온 알에서 태어났다는 신라 박혁거세 신화를 살펴보면 천天이 상징하는 '북방'의 이미지, 마馬가 상징하는 유목민 이미지에서 느낄 수 있듯이, 그는 북방 유목민 출신으로 보이는 외

경북 경주시 황남동의 천마총. 신라왕의 무덤인 이곳에서 천마가 그려진 말 장식품이 나왔다.

래인이다. 박혁거세는 서라벌 6촌의 촌장들과 연대해 나라를 세웠다. 동부여, 즉 동고조선을 세운 해부루도 그랬을 가능성이 높다. 그는 원래의 고조선 도읍지에서 동쪽으로 이동해 동부여를 세웠다. 그랬기 때문에 현지 토착민들과의 관계 설정을 위한 노력이 필요했을 것이다. 이처럼 동부여 역시 이주민과 토착민의 연합이란 기반 위에서 건국될 수밖에 없었다. 고구려도 마찬가지였다. 주몽은 동부여 대소 왕자의 탄압을 피해 압록강에서 약 56킬로미터 떨어진 졸본으로 도주했다. 거기서 계루부 족장의 딸인 소서노와 손잡고 고구려를 세웠다. 주몽이 끌고 간 세력은 이주민 집단이고, 소서노가 거느린 세력은 토착민 집단이었다. 백제는 고구려에서 이탈한 소서노·비류·온조 모자가 한강 유역 토착민들과 함께 세운 나라다. 고구려를 세울 때는 토착민이었던 소서노 모자가 이번에는 이주민이 됐던 것이다. 가야도 비슷했다. 가야 시조 김수로는 이주민이고, 그를 왕으로 인정한 9간, 즉 9대 추장은 토착민이었다.

이렇게 이주민과 토착민의 연합으로 나라가 세워지다 보니, 한민족의 권력 투쟁에서는 두 세력이 양대 파벌로 작용할 수밖에 없었다. 세부적으로 살펴보면, 물론 더 많은 파벌이 활약했다. 하지만 크게 보면 이주민과 토착민이 한국 고대 왕조들의 파벌 투쟁을 이끌었다. 그런 사례 가운데 하나가 위만조선이다.

진시황이 중국을 통일하면서 중국은 거대 농경 제국으로 급부상했다. 농업 지대가 통합을 통해 거대 제국으로 거듭난 것이다. 이를 바탕으로 진시황은 유목 지대를 압박했다. 그런데 통일 제국 진나라는 단명으로 끝났다. 물론 진나라 자체는 단명으로 끝나지 않았지만, 통일 이후만 보면 그렇다. 그 뒤 유방이 한나라를 세웠다. 그는 흉노족과의 대결에서 패배했다. 진시황 때 유목민을 압박했던 중국은 한나라가 들어서면서 흉노족에게 밀렸다. 그러다가 제7대 황제인 한무제가 등극하면서 상황이 바뀌기 시작했다. 중국이 주변 세계를 향해 본격 팽창을 시작한 것이다. 유명한 한사군 설치도 이때 있었다. 한무제는 변한 고조선, 즉 위만조선과의 대결에서 승리했다. 이 결과, 낙랑군·임둔군·현토군·진번군이 고조선 땅에 설치되었다.

그런데 기원전 109년부터 108년까지 벌어진 위만조선과 한나라 사이의 대결에서는 양국의 군사력이 아닌 다른 요인에 의해 승부가 결정됐다. '다른 요인'은 이주민과 토착민의 분규다. 두 세력의 파벌 투쟁이 위만 고조선 멸망의 결정적 요인이었던 것이다.

반고班固가 지은 한나라 역사서인 『한서漢書』의 「조선열전」에 따르면, 이 전쟁은 한나라의 선공으로 시작되었다. 한나라의 위만조선 원정군은 양방향으로 출동했다. 양복楊僕 장군이 이끄는 5만 병력은 산둥반도에서 함선을 띄웠다. 이 부대는 서해 위쪽 바다인 발해를 지나 위만조선으로 진격했다. 순체荀彘 장군이 지휘하는 병력은 요동에서 출발했다. 이 부대는 육로로 진격했다. 수륙 양방향에서 공격을 개시한 것이다. 이 중에서, 양복 장군은 한반도 서해안에 상륙한 뒤 5만 명 중에서 7천 병력만 뽑아서 위만조선 수도로 먼저 진격시켰다.

위만조선의 임금인 위우거衛右渠는 양복의 병력이 나눠진 틈을 타서, 도성 밖으로 병력을 급파해 양복의 군대를 대파했다. 한편, 순체 장군은 패수(압록강 혹은 청천강) 서쪽에서 위만조선군과 격돌했으나, 승리를 거두지 못했다. 위만조선 군대가 양방향에서 한나라 군대를 제압했던 것이다. 그만큼 위만조선의 군사력은 결코 녹록지 않았다. 이런 보고를 받고 전황이 불리하다고 깨달은 한무제는 전략을 급히 변경했다. 그는 위산衛山을 위만조선에 보낼 특사로 선정했다. 위산을 통해 위만조선에 항복을 권유하고자 한 것이다.

이런 경우에 위만조선을 포함해 역대 한민족 왕조들이 취한 대응 전략 중 하나는, 항복 권유를 받아들이는 척하면서 상대방을 안심시켜 적군을 일단 돌려보내는 것이다. 살수대첩의 주역인 고구려 을지문덕 때도 이런 방식을 사용했다. 을지문덕은 항복 문서를 갖고 적진에 들어가서 적군의 속사정을 파악했다. 그렇게 적을 안심시킨 다음 소규모 전투를 벌여 적군을 지치게 만들고서 적장 우중문에게 시를 보내 "전승의 공 이미 높고 높으시니, 만족함을 아시고 그대 돌아가시기를 원하노라"라며 상대방을 조롱했다. 이런 사례가 누적되다 보니 중국 위정자들 사이에는 '한민족은 신의가 없어 믿을 수 없다'는 인식이 누적되었다. 이런 불신감이 조선 초기에는 정도전과 명나라 태조 주원장의 갈등을 증폭시키기도 했다.

군사력으로 상대방을 압도할 수 없을 때 거짓 항복으로 침략군을 돌려보내는 방식을 위우거도 구사했다. 위우거는 특사 위산에게 "항복하고 싶었지만, (한나라) 장수들이 나를 죽일까 봐 무서웠다"며 엄살을 부렸다. 그러고는 사죄 사절로 태자를 파견해 5천 필의 말을 조공하고 돌아오라고 명령했다. 조공을 하면 반대급부인 회사(回賜, 답례)를 받아오는 게 관행이었다. 일종의 무역이 이루어졌던 것이다. 그러니까 태자에게 내린 위우거의 명령은 한나라에 항복도 하고 이참에 무역도 하고 오라는 뜻이었다.

위만조선의 태자는 조공을 하고 오라는 왕명을 따르지 않았다. 그는 패수 앞에서 발길을 돌려 그냥 되돌아왔다. 한나라 측이 자신을 죽일지도 모른다는 두려움 때문이었다. 결국 위산은 빈손으로 귀국했고, 격분한 한무제는 위산을 죽여 버렸다. 자기 특사를 자기 손으로 죽였으니, 한무제의 속이 쓰라렸을 것이다.

위만조선의 태자가 보인 돌출 행동으로 화친 무드가 깨지자,

한나라 군대는 총공세를 재개했다. 일선 지휘관인 순체와 양복이 다시 행동에 나섰다. 순체 장군은 패수 유역에서 위만조선군을 깨뜨리고 도성으로 진격했다. 양복 장군도 도성으로 진격해서 순체 장군과 더불어 성을 포위했다.

두 군대가 도성에 접근함으로써 갑작스레 위기가 가중되자, 위만조선 내부에 분열이 생겨났다. 위씨 정권 역시 이주민과 토착민의 연합으로 운영되었다. 이런 구조가 위기 상황에서 파열음의 원인이 됐다. 이주민을 대표하는 친왕파와 토착민을 대표하는 재상파 사이에 분열과 대립이 발생했다. 위우거와 신하들이 적전 분열 양상을 보인 것이다. 양측은 항전이냐 화친이냐를 놓고 알력을 빚었다. 친왕파는 항전, 재상파는 화친을 지지했다.

왕실 입장에서는, 항전을 주장할 수밖에 없었다. 잘못하면 왕실이 없어질지 모른다는 두려움 때문이었다. 위씨가 정권을 잡은 때로부터 이 전쟁이 발생한 때까지 대략 1세기 정도가 경과했지만 위씨 정권은 현지에 깊이 뿌리내리지 못했다. 이랬으니 외래인 집단으로서는 또 다른 외래인 집단인 한나라 군대를 어떻게든 몰아내고 싶었을 것이다. 반대로, 귀족 신하들은 토착 기반을 갖고 있었다. 이들은 위씨 왕실이 망해도 한나라와 제휴해서 토지와 노비에 대한 영향력을 유지할 수 있었다. 이들 입장에서는 위씨도 외래인이고 한나라도 외래인이었다. 그래서 상황을 파국으로 몰고 갈 필요가 없었다.

위만조선 진영에서 분열이 발생했을 때에 한나라 군영에서도 의견 대립이 일어났다. 패수에서 고조선을 격파한 경험이 있는 순체 장군은 계속 전쟁하기를 희망했다. 하지만 그런 경험이 없고 대패 경험만 있는 양복 장군은 화친으로 마무리하기를 원했다. 화친파인 양복 장군은 고조선 재상파와 은밀히 접촉했다. 양복 장군은 위만조선 재상파가 위우거를 죽이면 재상파의 기득권을 보장해 주겠노라 약속했다.

이런 상태에서 한무제가 새로운 특사를 파견했다. 공손수公孫遂라는 인물이었다. 공손수를 현지에 파견한 것은 한나라 군영의 문제점을 시정하고 전쟁을 조기에 종결하기 위해서였다. 현장에 도착한 공손수는 두 장군의 갈등을 알게 되었다. 그는 순체 장군을 지지했다. 강공을 주장하는 순체의 손을 들어준 것이다. 그러면서 공손수는 "양복 장군이 위만조선과 손잡고 배반할 가능성이 있다"는 순체의 말을 신뢰했다. 그래서 양복 장군을 억류하고, 휘하 부대를 순체 쪽에 편입시켰다.

양복의 양 날개를 눌러 버린 공손수의 조치는 손쉽게 항복을 받아 낼 수 있는 가능성을 없애 버린 것이었다. 공손수가 현장 분위기를 제대로 파악하지 못했던 것이다. 위만조선 재상파가 내응할 가능성이 있다는 점을 고려하지 못한 결과였다. 이런 상태에서 공손수는 본국으로 돌아가 자신의 활동 내역을 황제에게 보고했다. "이러저러한 이유 때문에 양복을 억류했습니다"라고 보고한 것이다. 그 소리를 듣고 한무제는 격노해서 공손수를 죽여 버렸다. 한무제는 양복과 위만조선 재상파의 밀월이 한나라를 배반하기 위한 게 아니라 위만조선을 멸망시키기 위한 것이라고 판단했던 것이다. 한무제가 보기에 공손수는 빈손으로 돌아온 것이나 마찬가지였다. 그래서 두 번째 특사마저 죽인 것이다.

지지부진한 상태로 시간이 좀 더 흘렀다. 어느 쪽 군대도 우위를 잡지 못했다. 그러다가 결국 승부를 가리지 못한 채, 위만조선의 내분으로 상황이 종결되고 말았다. 위만조선 재상파가 위우거를 죽이고 백기를 꽂은 것이다. 재상파는 항복하는 대신, 기득권을 보장받았다. 휘하에 있던 토지와 백성에 대한 지배권을 그대로 인정받은 것이다. 이것을 인정하는 전제 위에서 한나라가 위만조선 땅에 네 개의 군을 설치했다. 외형상으로는 한사군을 설치했지만, 토착 세력의 지배력이 그대로 보존되었으니 한사군은 유명무실한 기구였다.

이 전쟁의 실질적 승자는 한나라가 아니라 위만조선 토착 세력이었다. 그들은 손해 본 게 없었다. 한나라는 위만조선의 왕실만 멸망시켰을 뿐, 이 땅에 실질적 지배력을 획득하지 못했다. 네 개의 군에 파견된 한나라 태수(군수)의 지배력은 자기를 둘러싼 읍성 안에서만 유효했다. 그 외의 지역에 대해서는 토착 귀족의 자치권을 인정해야 했다. 한나라 입장에서는 실익이 없는 승리였다. 게다가 점령지에 읍성을 세우고 점령지와 본국을 잇는 도로를 연결해야 했다. 그만큼 점령은 돈이 드는 일이었다. 이렇게 돈 드는 일을 시작했지만, 작동도 하지 못할 원격 지배 기구를 설치하느라 돈만 썼을 뿐 실익이 없었다.

한무제 역시 기분이 좋지 않았다. 위만조선을 무력으로 제압하는 데 실패했기 때문이다. 위만조선의 '자살골'로 전쟁이 끝났던 것이다.

한무제는 '승리'하고 돌아온 한나라 장군들에게 상이 아니라 벌을 주기로 결심했다. 그는 순체 장군을 소환해서 참수형에 처한 다음 그 목을 일반인들에게 공개했다. 양복에게도 예외를 인정하지 않았다. 그에게도 사형이 선고됐다. 그런데 양복은 속죄금(벌금)을 물고 사형을 면했다. 그 뒤 작위를 뺏기고 평민으로 전락했다. 위산·공손수를 포함해 전쟁과 관련된 한나라 최고위층이 모두 비참한 종말을 맞이한 것이다. 한나라의 승리가 군사력에 의한 게 아님을 보여 주는 대목이다.

한편, 위만조선 재상파의 주역들은 '표창장'을 받았다. 한무제로부터 제후의 지위를 인정받은 것이다. 한나라 장수들은 사형 선고를 받고 위만조선 고위층은 포상을 받았으니, 참으로 아이러니한 일이 아닐 수 없다. 위만조선의 패배가 실력이 아닌 내분으로 일어난 일이었기에 가능한 일이었다. 토착 세력이 그처럼 쉽게 왕실을 버릴 수 있었던 것은 왕실이 자신들과 정치적 이해관계를 달리하는 집단이었기 때문이다. 토착민과 외래인의 결합으로 이루어진 한민족 고대 왕조의 내부 구조를 보여 주는 대목이다.

9 한민족에 스며든 흉노족의 후예들

몽골 초원과 만주 초원은 유목민들의 공간이었다. 여기서 활약한 민족들은 언어나 습속 면에서 비슷했다. 그래서 이들 중에는 같은 민족으로 분류될 수 있는 부류가 있었다. 이 가운데 일부가 고조선을 형성하고 또 다른 일부가 흉노족을 형성했다. 그런데 그렇게 갈라진 뒤에, 흉노족에 속했던 세력 일부가 한민족에 편입됐다. 은나라 왕족 일부가 그랬던 것처럼 흉노족 일부가 하나의 파벌로 한민족에 자리한 것이다. 한무제의 흉노족 공격으로부터 이야기는 시작된다.

중국은 흉노족의 만성적 위협에 시달렸다. 오늘날까지도 중국인들이 북방 민족에 대한 모종의 거부감을 갖고 있는 것은 이런 역사 때문이다. 17세기에 시베리아 서쪽에서 밀려오는 러시아를 중국인들이 혐오했던 것도 그 때문이다. 러시아인들은 서쪽에서 동쪽

제1장 창검의 시대

으로 이동한 것이지만, 중국인들이 보기에는 북방에서 남하하는 사람들 같았다. 그래서 17세기 중국인들에게 러시아는 흉노족을 연상시켰다. 이처럼 오래도록 공포심을 남길 정도로 흉노족은 고대 중국인들을 괴롭혔다.

쟈상현에서 발견된 묘군석에 새겨진 김일제 (왼쪽)와 휴도왕(오른쪽)

이런 상태를 끝내기로 한 군주가 바로 한무제다. 위만조선과 최종 대결을 벌이기 전인 기원전 122~117년 사이 한무제는 곽거병霍去病 장군을 파견해 흉노족 일파에 대한 공격을 단행했다. 이 전투에서 곽거병 부대는 흉노족 휴도왕休屠王의 태자를 사로잡았다. 이때 붙들린 태자가 일제日磾였다.

한나라 수도인 장안, 즉 서안으로 끌려온 태자 일제는 탈출보다는 적응을 선택했다. 그는 치욕을 무릅쓰고 한나라 황궁에서 말을 관리했다. 그것도 황제의 말이었다. 마부의 길을 선택한 일제는 특유의 성실성을 발휘했다. 덕분에 한무제의 신임을 얻어 투후秺侯라는 제후의 신분을 얻었다. 그가 받은 영지는 훗날의 산둥 성 지역이었다. 중국 대륙과 서해를 연결하는 땅을 받은 것이다.

성실한 흉노족 태자에 대한 신임의 표시로, 한무제는 선물 한

가지를 더 하사했다. 바로 성姓이었다. 사성賜姓을 한 것이다. 그 성이 바로 김金이었다고 『한서』「김일제열전」은 전한다. 한무제가 김씨 성을 하사한 이유에 관해 이 열전은 이렇게 말하고 있다.

> 본래 휴도休屠에서는 금인金人을 만들어 천신에게 제사를 지냈다. 그래서 김이라는 성을 내리게 되었다고 한다.

흉노족은 천신에게 제사 지낼 목적으로 사람 모양의 금상金像을 제작했다. 이렇게 금인金人을 숭상하는 종족의 후예라 하여 태자 일제에게 김씨 성을 하사했다는 것이다.

이렇게 해서 김씨 성을 갖고 한나라에 정착한 일제의 후예들은 훗날 한나라의 실권을 장악했다. 적어도 기원전 66년 이후로는 한나라 조정이 김일제의 후예들에 의해 장악되었다. 이들의 권세는 왕망이 한나라를 멸망시키고 서기 8년에 신나라를 세운 이후에도 계속되었다. 그러다가 서기 23년 신나라가 망하고 2년 뒤인 서기 25년 한나라 후예인 후한後漢이 들어서면서, 김일제의 후예들은 왕망과 함께 중국사의 무대에서 완전히 퇴장했다.

흥미로운 것은 김일제 후손들이 중국에서 사라진 시점과 한반도에 흉노족 후예가 출현한 시점이 거의 비슷하다는 점이다. 가야 건국 세력의 출현과 거의 비슷한 시점에 김일제 후손들이 중국에서 자취를 감췄던 것이다. 왕망의 신나라가 멸망한 때는 서기 23년이다. 그 뒤에 김일제 후손들이 후한 땅에서 사라졌다. 그리고 가야가

제1장 창검의 시대

건국된 때는 서기 42년이다. 중국에서 김씨 일족이 사라지고 얼마 지나서 가야 땅에 김씨 집단이 출현한 것이다.

가야 땅에 출현한 김수로는 김일제의 후예이자 흉노족 혈통이었다. 이 점은 문헌이나 비문 자료 등을 통해 쉽게 증명된다. 『삼국사기』 「김유신열전」에 다음과 같은 기록이 있다.

> 김유신은 왕경王京 사람이다. 12대조인 김수로는 어떤 사람인지 알수 없다. (…) 신라인들은 스스로 소호금천씨少昊金天氏의 후예라 했다. 그래서 성姓을 김씨로 삼은 것이다. 김유신의 비문에도 '헌원軒轅의 후예, 소호少昊의 후사'라고 기록되어 있으니, 남가야의 시조 김수로는 신라와 동성同姓이었던 것이다.

이 기록에 따르면 김해 김씨, 즉 가야 김씨의 시조 김수로는 신라와 동성이었다. 신라 김씨, 즉 경주 김씨와 가야 김씨가 소호금천씨의 후예로서 같은 혈통이었다고 인식된 것이다. 소호금천씨의 정체성을 두고, 대만 고고학자 쉬량즈는 『중국전사사화中國前史史話』에서 "소호금천씨는 동이족의 최대 맹주"라고 보았다. 신라 김씨와 가야 김씨는 본래 같은 혈통이며 그들의 공동 조상은 동이족 최대 맹주인 소호금천씨였던 것이다.

위의 『삼국사기』 기록을 염두에 두면서 검토해야 할 또 다른 자료가 있다. 1954년 중국 서안에서 발견된 '대당고김씨부인묘명大唐故金氏夫人墓銘'이라는 비문이다. 비문의 명칭은 '당나라에 거주한

경남 김해시 서상동의 수로왕릉(김수로 왕릉)

신라 사람 김씨 부인의 비문'이라는 뜻이다. 이 비문에 다음과 같은 기록이 있다.

태상천자太上天子는 나라를 태평하게 하고 가문을 드러낸 분이다. 이름을 소호금천씨라고 했다. 이분은 우리 가문이 성씨를 갖도록 만든 시조다. 그 후에 파가 나뉘고 가지가 갈리며 번창하고 훌륭해 졌다. 사방 천하에 퍼지고 많아져서 집단을 이루게 되었다. 먼 조상의 이름은 김일제라 한다. 용정龍庭에서 귀순하여 한나라 무제를 섬겼다.

이 기록에 따르면 신라 김씨의 원래 시조는 소호금천씨이며 중간 시조는 김일제이다. 김일제가 용정에서 귀순했다는 것은 그가

제1장 창검의 시대

흉노족이었음을 의미한다. 용정이라는 말은 흉노족 정부의 대명사였다. 이로써 알 수 있는 것은, 신라 김씨들이 자신들을 흉노족의 후예로 인식했다는 점이다. 신라 김씨가 흉노족의 후예라는 점은 경주시 앞바다 물속에서도 확인할 수 있다. 이곳의 수중 능인 문무대왕릉 비문에서도 그 점이 확증된다. 이 비문에서는 신라 김씨의 조상이 "투후(산둥 성 제후)의 후예"라고 말하고 있다.

이제 '대당고김씨부인묘명'을 앞의 『삼국사기』와 종합하여 이해할 필요가 있다. 『삼국사기』에서는 신라 김씨와 가야 김씨가 동성이라고 했고, '대당고김씨부인묘명'에서는 신라 김씨가 흉노족 김일제의 후예라고 했다. 이는 가야 김씨 역시 흉노족 출신임을 의미하는 것이다. 즉, 가야 김씨의 시조인 김수로도 흉노족이었던 것이다.

신라에 등장한 최초의 김씨는 김알지다. 김알지는 경주 김씨의 시조로서 석탈해의 양자가 되어 신라 왕실의 일원이 된 사람이다. 위의 점들을 종합하면, 흉노족 김일제의 후손들 중에서 김알지를 따르는 세력은 신라 왕권을 차지하고, 김수로를 따르는 세력은 가야 왕권을 차지했음을 알 수 있다.

가야가 세워지기 전에 그곳을 지배한 세력은 변한 연맹 귀족들이었다. 이들은 변한의 멸망 뒤 마한 왕의 승인 하에 한반도 동남부에 정착해 변한 연맹을 꾸린 이들이다. 이들이 가야 토착 세력이었다. 이런 토착 세력과 연합해 가야를 세운 집단이 바로 흉노족 김일제의 후예들이다. 가야는 흉노족 일파가 이주민이 되고 고조선 유민들이 토착민이 되어 건설한 나라였던 것이다. 『삼국유사』에 실린

대가야 금관과 장신구

『가락국기駕洛國記』에 따르면, 건국 당시의 김수로는 500척의 전함을 보유하고 있었다. 산둥 성에서 건너왔기 때문에 이런 함대를 보유할 수 있었던 것이다. 그는 이러한 군사력을 바탕으로 가야 토착 세력의 협력을 얻어 왕국을 세웠다.

가야 역시 이주민과 토착민의 연합으로 세워진 까닭에 양대 세력의 갈등이 나타났다. 그런데 이들의 갈등은 다소 재미있게 전개됐다. 가야 토착 세력의 수장들은 9간이라 불렸다. 아도간我刀干·여도간汝刀干·피도간彼刀干·오도간五刀干·유수간留水干·유천간留天干·신천간神天干·오천간五天干·신귀간神鬼干이 그들이다. 이주민인 김수로에게 왕권을 내준 이들은 북쪽 신라에서 벌어진 일이 가야에서는 재현되지 않기를 바랐다. 북쪽 신라에서 토착 세력을 약화시키는 결혼식이 거행됐기 때문이다.

가야는 서기 42년에 세워지고 신라는 기원전 57년에 세워졌다. 신라의 건국 과정에서는 두 개의 이주민 세력이 출현했다. 박혁거세 세력과 알영 세력이 바로 그것이다. 양대 세력은 토착민들의

제1장 창검의 시대

추대로 각각 왕족과 왕비족 지위를 차지했다.

신라 왕실의 결혼은 박혁거세 혈통과 알영 혈통 안에서 이루어졌다. 훗날 석탈해와 김알지 혈통이 이 결혼 시스템에 들어갔지만, 이들은 박혁거세 혈통의 서양자(婿養子, 사위 겸 양자)나 양자의 지위였다. 석탈해는 서양자 지위로, 김알지는 양자 지위로 신라 왕실에 들어갔다. 그렇기 때문에 법적으로 보면 신라 왕실의 모든 결혼은 박혁거세 혈통과 알영 혈통 사이에서만 이루어졌다. 나중에 김춘추가 김유신의 꼬임에 빠져 김문희와 결혼하기 전까지는 그러했다.

신라 왕실의 근친혼은 왕족이 왕비족하고만 결혼하는 제도에서 생겨났다. 이렇게 왕실 안에서 폐쇄적으로 결혼이 이루어지면, 토착 세력이 소외될 수밖에 없다. 왕조 국가에서는 왕실이 권력의 원천이다. 그런데 박혁거세 혈통과 알영 혈통이 왕실을 독점하다 보니, 토착 세력이 외척이 되어 권력을 나눠 가질 가능성이 없게 되었다. 그래서 신라에서는 왕족이 아닌 귀족은 최고 6두품의 지위밖에 차지할 수 없었다.

이웃 나라 신라의 그 같은 사정을 가야 토착 세력은 지켜봤다. 그들은 가야 왕실에서도 그런 일이 벌어지는 것을 원치 않았다. 왕비족이 생기는 것을 바라지 않았던 것이다. 이들은 자신들도 왕실의 일원이 될 수 있는 여지를 남기고 싶었다. 그래서 나온 것이 『가락국기』에 나오는 결혼 동맹 제의다.

음력으로 가야 건국 7년째 되는 해인 7월 27일, 양력으로는 서기 48년 8월 25일이었다. 토착 세력인 9간이 김수로에게 결혼 동맹을 제의했다. 그때까지 김수로는 왕비를 두지 않았다. 음양의 화합을 중시한 고대 동아시아 국가에서 군주가 독신으로 지내는 것은 정치 불안정의 요인이었다. 백성들 사이에서 "우리 임금은 왜 저래?"라는 수군거림이 생길 수 있었다. 그렇기 때문에 9간은 김수로에게 자신 있게 결혼 문제를 꺼낼 수 있었다.

9간은 자신들의 딸 가운데에서 하나와 결혼해 달라고 요청했다. 『가락국기』에 따르면, 9간은 자신들의 딸 중에서 가장 아름다운 사람과 결혼해 달라고 말했다. 정상적인 경우라면 이주민 군주가 토착 세력의 결혼 제의를 흔쾌히 수락하는 게 상례다. 신라처럼 두 개의 이주민 집단이 왕족과 왕비족을 차지하는 것은 드문 사례에 속한다. 이런 특수한 경우를 제외한다면 현지 정착에 성공하기 위해서라도 이주민 군주가 토착 세력과의 결혼 동맹을 추진하기 마련이다. 하지만 김수로는 그 같은 일을 원치 않았다. 그는 "경들은 염려 말라"며 일언지하에 거절하고는 이렇게 말했다.

> 짐이 이곳에 내려온 것은 천명 때문이다. 짐에게 짝을 지어 왕후를 만들어 주는 것 역시 하늘의 명이다. 경들은 염려 말라.

김수로는 결혼 문제를 하늘의 뜻에 맡기겠다며 토착 세력의 제안을 거부했다. 당장에는 결혼에 관심 없는 듯한 모습이지만 『가락국기』에 나타난 정황으로 볼 때, 김수로는 9간의 제의가 있기 전에 이미 결혼을 준비하고 있었던 것으로 보인다. 그 준비는 토착 세력 모르게 은밀히 이루어졌다. 토착 세력의 제안이 있은 직후 김수로는 갑자기 결혼 문제를 전격적으로 거론했다. 결혼을 하늘에 맡기겠다고 말한 사람이 갑자기 결혼 문제를 끄집어낸 것이다. 그러더니 번갯불에 콩 볶아 먹듯이 일사천리로 결혼을 진행했다. 신부 쪽과 은밀하게 결혼을 추진하다

경남 김해시 봉황동의 수릉원에 있는 허황옥 상

가, 준비가 끝나자 전격적으로 발표하고 서둘러 진행했다. 왕의 결혼은 권력을 나누는 것이기에, 토착 세력이 이의를 제기할 새도 없이 일을 저질러 버린 것이다.

그렇게 해서 등장한 가야 초대 국모가 바로 허황옥이다. 잘 알려져 있듯이 허황옥은 인도 혈통이다. 김수로에게 자기네 딸들 중 하나와 결혼해 달라고 말했던 아홉 귀족은 신부가 자신들 딸이 아니라는 데도 놀랐겠지만, 저 멀리 인도 혈통을 갖고 있다는 사실에도 놀랐을 것이다. 임금은 흉노 혈통이고 왕비는 인도 혈통이었으니, 가야 귀족들은 자신들의 나라가 신속하게 국제화되어 간다고 느꼈

을지도 모르겠다.

배를 타고 가야에 온 신부 허황옥은 신랑 김수로를 만난 자리에서 "부모님의 꿈에 상제上帝가 나타나 당신과의 결혼을 명했습니다"라고 말했다. 이것은 김수로가 비공식 루트를 통해 사전에 허황옥과의 결혼을 추진했음을 보여 준다. 허황옥 부모의 꿈에 나타났다는 상제는 실제로는 김수로가 비밀리에 파견한 특사였을 것이다. 김수로가 즉위 이후로 왕후 후보를 밖에서 물색하다가, 가야 건국 7년경에 이르러 허황옥이라는 여인과 결혼하기로 결심하고 비밀리에 작업을 벌였음을 보여 주는 대목이다. 이는 김수로가 토착 세력과 왕권을 나누기 싫었기 때문이다. 그래서 가야에 아무런 연고도 없는 이국 여성을 왕비로 들인 것이다.

김수로는 비밀리에 결혼을 준비했지만, 완전한 비밀 보장은 힘들었던 모양이다. 임금한테서 뭔가 이상한 낌새를 느꼈기에, 9간이 단체로 김수로에게 가서 결혼 이야기를 꺼냈을 수도 있다. 결혼 동맹을 제의하는 기회에, 김수로의 비밀 작업이 뭔지 떠보려 했을 것이다.

토착 세력은 김수로에게 결혼 동맹을 제안한 뒤 퇴짜를 맞았다. 그랬는데도 허황옥과 김수로의 결혼을 지지했다. 이것은 김수로의 권력이 그만큼 막강했음을 반영한다. 가야 초기에 이주민 집단의 위상이 그만큼 강력했던 것이다.

가야에서 이주민이 강했다는 점은 허황옥 집단의 여성 후손들이 대대로 왕비가 된 사실에서도 드러난다. 허황옥의 아들 10명

중 2명은 김씨 성을 쓰지 않고 허씨 성을 씀으로써 어머니의 허씨 가문에 편입됐다. 그의 인도인 수행원들도 이 땅에서 허씨 가문을 구성했다. 가야 연맹의 중심인 금관가야의 왕비 자리는 대대로 허씨 가문의 차지로 돌아갔다. 이 점은 허황옥 혈통이 왕비족이 됐다는 뜻이다. 금관가야 제6대 좌지왕坐知王 때 토착 세력이 왕비 자리를 차지하려고 시도한 적이 있었지만, 결국에는 허황옥의 여성 후손이 왕비족 지위를 지켜냈다.

이것은 가야 왕실의 혼인이 김수로 계통의 왕족과 허황옥 계통의 왕비족 사이에서만 이루어졌음을 뜻한다. 이는 신라뿐 아니라 가야 왕실에서도 근친혼이 이루어졌음을 보여 주는 것이다. 왕족이 여러 귀족들과 골고루 결혼하는 나라에서는 근친혼이 생기지 않는다. 왕실에서 근친혼이 생기느냐 여부는 왕비족이 있느냐 여부에 달린 것이다.

9간은 가야가 신라처럼 되지 않도록 자신들의 딸을 왕비로 만들고자 했다. 하지만 9간은 신라에 이어 가야에서도 왕비족이 등장하는 것을 지켜봐야 했다. 그것도 왕비족과 왕족 모두 이주민들이었다. 신라에서 벌어진 일이 가야에서도 똑같이 벌어진 것이다. 토착민이 귀족의 지위를 넘어 국가 경영의 핵심을 논할 수 있는 기회가 차단된 것이다. 이 정도로 가야에서는 이주민 파벌의 압도적 우위 속에 국가 경영이 이루어졌다.

10 신선교에서 불교로의 종교 개혁

고대 한민족 사회는 신선교 사상을 중심으로 형성되었다. 이렇다 보니 이주민이든 토착민이든 신신교를 믿지 않고는 발을 붙일 수 없었다. 『가락국기』에 따르면, 허황옥도 가야 해안에 상륙한 직후에 신선교 신앙 속의 산신령에 대한 제사부터 지냈다. 가야 귀족들이 보는 앞에서 그랬으니, 이방인 허황옥을 대하는 토착민들의 시선도 상당히 부드러워졌을 것이다. 그만큼 한민족 고대 사회에서 신선교의 영향력은 절대적이었다. 유교가 조선 시대를 지배했듯이, 고대에는 신선교가 그런 역할을 했다. 신선교는 기원전 4세기 무렵부터 약해졌다. 그것이 고조선 해체의 원인이 되었다. 그렇지만 신선교를 대체할 새로운 사상이 곧바로 등장하지는 않았다. 그 결과 신선교는 기원전 4세기 이전보다 약해진 상태로 오랫동안 한민족의 정신과 삶을 지배했다.

제1장 창검의 시대

그런데 고대 왕국이 체제 정비를 하는 과정에서 또 한 번의 사상적 탈바꿈이 일어났다. 그것은 신선교에서 불교로의 전환이었다. 고구려에는 소수림태왕 때인 372년에, 백제에는 침류왕 때인 384년에 불교가 전래되었다. 종교를 중심으로 운영되는 고대 국가에서는 두 개 이상의 종교가 공존할 수 없었다. 한 나라에 종교가 두 개 있다는 것은 국교가 두 개 있다는 말과 마찬가지였다. 그런 모순은 나라를 분열로 빠뜨릴 뿐이었다. 그래서 새로 들어온 불교가 기존의 신선교와 잠시 공존할 수는 있어도 오랫동안 그럴 수는 없었다. 고구려와 백제에 불교가 전파되고 이 나라들에서 석가모니의 사상이 정착했다는 것은, 372년과 384년 이후의 어느 시점에 불교가 신선교를 누르고 두 나라에서 각각 국교로 인정되었음을 뜻한다. 신라의 경우에는 법흥왕 때인 527년에 이차돈의 순교를 계기로 불교가 공인되었다. 그러니까 신라에서는 527년에 국교가 불교로 바뀐 것이다.

한편, 가야의 경우에는 고구려보다 일찍 불교가 전파됐을 가능성이 있다. 경남 김해시 구산동의 수로왕비릉은 김수로의 부인인 허황옥의 무덤이다. 이곳에는 아주 오래된 석탑이 있다. 『삼국유사』 제4권 「탑상塔像」 편을 보면 허황옥이 그 탑을 갖고 한반도에 왔다고 쓰여 있다. 이때가 서기 48년이다. 이 탑을 불교 석탑으로 해석하는 견해가 있는데 만약 그것이 맞는다면, 가야가 고구려보다 먼저 불교를 받아들였다는 의미가 된다. 그런데 『가락국기』에서는 허황옥이 가야에 입국할 때 신선교 의식을 거행했다고 했다. 가야에 불교가 도래한 시점에 대해서는 좀 더 논의가 필요하다.

하나의 종교만을 국교로 인정한 고대 왕국들이 외래 종교를 공인한 것은 이를 이용해 국가 체제를 개조하기 위해서였다. 새로운 종교를 수입한다는 것은 기존 종교와 연결된 기득권 세력을 견제하거나 탄압한다는 의미였다. 고대 사회는 종교를 중심으로 운영됐기 때문에 국교의 개편은 정치 체제 전반을 바꾸는 일이었다. 따라서 한민족 왕조들이 불교를 공인했다는 것은 불교와 연관된 파벌들이 신선교를 옹호하는 기득권 파벌에 맞서 승리했음을 뜻하는 것이다. 이는 신선교를 바탕으로 권력을 행사해 온 파벌들이 비주류 세력으로 밀려났음을 의미하는 것이기도 했다. 이 점을 실증하는 것이 6세기 신라 왕국이다. 신라의 불교 수용은 국가 체질을 전면적으로 바꾸는 과정 중에 벌어진 일이었다. 5세기 이래의 국가적 위기를 타개하기 위한 국가 개조의 과정에서 그런 일이 벌어졌던 것이다.

신라는 고구려·백제에 비해 체질이 약했다. 6세기 초중반까지도 신라는 경상북도에 국한된 작은 나라였다. 거기다가 소국 연맹 체제로 운영됐다. 소국 연맹 체제 그러니까 연방제나 국가 연합체 식으로 운영됐다는 증거는, 그때까지도 지방 소국들이 독자 군대를 갖고 중앙의 병권에 복종하지 않았다는 점을 들 수 있다. 그러니 신라 중앙 정부는 약할 수밖에 없었다. 그 결과 신라는 주변 나라들에게 괴롭힘을 당했다. 제5대 파사왕 때는 가야의 속국이 된 적도 있었다. 그랬던 나라가 6세기 중반부터 가야를 흡수하고 몸집을 불려나가더니, 7세기에는 당나라와 연합해 백제·고구려까지 멸망시켰다. 이런 일이 벌어진 데는 6세기 초반부터 진행된 일련의 체질 개

경북 경주시 진현동의 불국사

선 작업이 밑바탕이 되었다. 그리고 그 작업이 불교와 연관되어 있었다.

　5세기에 들어 신라는 미증유의 외부적 시련에 직면했다. 그 전까지 고구려는 기본적으로 북중국 진출을 추구했다. 그래서 고구려·백제·신라·가야의 상호 항쟁이 치열하지 않았다. 그런데 5세기 들어 북중국 최강인 북위가 맹위를 떨치자, 장수태왕은 북중국보다는 한반도 쪽으로 창칼을 돌렸다. 그가 압록강 이북의 국내성에서 이남의 평양성으로 도읍을 옮긴 것은 그런 이유 때문이었다. 장수왕이라 하지 않고 장수태왕이라 한 것은 국수주의적 역사 의식에 기인한 게 아니다. 광개토태왕릉 비문이나 충주 고구려비 등에 나타난 고구려 군주의 한자 명칭은 태왕이다. 그래서 장수태왕이라 부른 것이다. 장수태왕이 창칼을 돌리면서 한반도 정세는 한층 더 긴박해졌고, 이런 상황에서 백제는 신라에 대한 공세를 강화하는 방법으로 돌파구를 찾으려 했다. 여기에다가 바다 건너 왜국은 신라한테 항상 위협적이었다. 그래서 신라의 존립이 한층 더 힘들어져 갔다.

이러한 위기가 가중되던 6세기에 등장한 신라 왕들이 지증왕·법흥왕·진흥왕이다. 이들은 외부의 위기가 내부의 분열로 연결될 가능성을 경계했다. 체질이 약한 사람이 추위에 장시간 노출되면, 면역력이 약해져 감기에 걸리고 다른 질병에 걸릴 가능성도 높아진다. 신라처럼 체력이 약한 나라가 '외부 추위'에 장기간 노출되면, 내부의 귀족들이 반란을 일으키거나 일반 백성들이 문제 제기를 할 가능성이 높아진다. 그러다 보면 왕조가 존망의 위기에 처할 수도 있다. 6세기 전반의 신라 왕들은 그 점을 경계했다.

신라 왕들이 내린 판단은 나라의 체질을 개선하는 것이었다. 날씨가 추우니 과도한 외출을 삼가고 체력 증진에 주력하자는 쪽으로 국가 개조의 방향을 잡은 것이다. 이들이 문제 해결책을 '안'이 아닌 '밖'에서 찾았다면, 신라 역사는 우리가 아는 것과 다른 방향으로 전개됐을 가능성이 높다.

이들이 택한 체질 개선 방식 중 하나는 512년(지증왕 13년)의 우산국(울릉도) 침공처럼 성공 가능성 높은 군사 행동을 통해 중앙의 군사력을 강화시키면서 지방의 병권을 빼앗고 이를 중앙으로 흡수하는 것이었다. 이 일은 법흥왕 집권 4년차인 517년에도 있었다. 군

제1장 창검의 시대

사권을 통일함으로써 신라는 소국 연합 체제를 극복하고 중앙 집권 국가로 발전할 수 있었다.

군사권을 통합한 뒤에 벌어진 일이 종교 개혁, 즉 불교의 국교화다. 왕실이 지방의 칼을 다 거둔 뒤에 백성들의 의식을 개조했던 것이다. 이런 일이 군사권 통합 뒤에 벌어졌다. 그때까지 신라 지방 세력은 신선교를 신봉하고 있었다. 그들에게서 병권을 회수한 뒤에 국교를 불교로 바꿨던 것이다. 이것은 불교의 국교화가 국가 개조 차원에서 이루어졌음을 보여 준다. 불교라는 새로운 외래 신앙을 이용해 권력 구도와 파벌 구도를 바꾸었던 것이다.

이렇게 해서 한민족 왕조들의 국교가 신선교에서 불교로 바뀌었지만, 그렇다고 해서 신선교의 힘이 완전히 약해진 것은 아니었다. 신선교의 여성 성직자인 선녀, 즉 무녀들이 오늘날까지 명맥을 유지하는 사실에서도 느낄 수 있듯이, 오랫동안 한민족을 지배해 온 신선교의 영향력은 즉각적으로 사라지지 않았다. 조선 왕조가 멸망한 지 100년이 지났지만 유교적 생활 양식이 여전히 힘을 발휘하는 것과 같은 일이다. 정치권력의 상실에도 불구하고 신선교는 사회적으로는 계속해서 막강한 영향력을 행사했다.

일례로, 신선교 수행자들인 조의선인皂衣仙人들은 고구려 사회에서 지도자 역할을 수행했다. 고조선 때의 신선교 무사단에서 기원한 조의선인들은 비상시에는 나라를 위해 전쟁터에 나갔다. 『고려사』「최영열전」에 따르면, 최영은 고구려가 당나라 태종의 군대를 이긴 원동력으로 3만 명의 승군을 꼽았다. 최영이 말한 승군은 조의

민화 산신도. 산신에 대한 숭배 의식은 아직도 남아 있는 신선교의 영향력을 보여 준다.

선인을 가리켰다. 오늘날에는 승僧이 주로 불교 승려를 연상시키지만 고대에는 종교 성직자 전반을 지칭했다.

『고려도경高麗圖經』은 고려를 방문한 송나라 사절단이 작성한 현지 조사 보고서라 할 수 있는데, 이 책에 재가화상在家和尙이란 사람들이 등장한다. 송나라 사람들이 이들을 재가화상으로 부른 것은 이들이 종교 건물이 아닌 집에서 수행했기 때문이다. 검정 옷을 입고 무예를 단련하고 비상시에 나라를 위해 싸우는 이들은 조의선인의 후손들이었다. 이들은 정치 일선에는 나서지 않았지만, 신선교의 옛 영광을 바탕으로 사회 지도층의 역할을 수행했다.

조의선인이나 재가화상들처럼 사회적 지도력을 갖지는 못했지만, 조선 시대의 승군들 중 상당수는 외형상으로는 불교 승려로 살면서도 내적으로는 신선교 교직자의 모습을 많이 함유했다. 한국

제1장 창검의 시대

불교 사찰에 산신각이 있는 점이나, 살생을 금해야 할 승려들이 창검을 쥐고 외적과 싸운 점, 상당수의 조선 시대 승려가 무당처럼 점을 친 점 등은 이들 중 일부가 석가모니의 가르침 못지않게 고대 신선교의 영향도 받았음을 보여 주는 일례이다.

그렇게 오랫동안 사회적 영향력을 갖기는 했지만, 신선교는 서기 6세기에 신라에서 정치권력을 빼앗김으로써 정치 무대에서 공식적으로 내려갔다. 정치 파벌로서의 기능은 그때 끝난 것이다. 이 같은 신선교에서 불교로의 종교 개혁 아니 정치 개혁이 한반도의 4대 왕국인 고구려·백제·신라·가야에서 모두 일어났다. 이 중에서도 최약체인 신라에서의 종교 개혁이 가장 인상적이었다. 앞서 소개한 대로 신라의 종교 개혁은 신라의 중앙 집권화로 연결되고 결국에는 가야·백제·고구려의 멸망으로 이어졌다. 불교 세력의 헤게모니 장악이 이런 결과로 연결됐던 것이다.

비선 실세
1

백제의 경국지승傾國之僧,
도림

권력 투쟁은 파벌을 배경으로 하기 마련이다. 하지만 최순실 사례에서 나타나는 것처럼, 공식적인 정치 파벌과 전혀 무관해 보이는 인물이 막후에서 영향력을 행사하는 일이 이따금 있다. 정치적 권력을 행사할 만한 내적 역량은 갖췄지만 '정치 면허 증'을 구비하지 못한 인물들이 종종 있었던 것이다. 그런 '무면 허 정치'를 했던 인물들을 이 책에서는 비선 실세로 묶었다.

비선 실세로서 이 책에서 맨 먼저 소개하는 인물은 승려 도 림이다. 만약 도림이 군주와 다른 성性을 갖고 태어났다면, 그 는 한국판 서시西施, 한국판 경국지색傾國之色으로 불렸을지도 모른다. 나라를 기울게 할 정도의 결과를 산출했기 때문이다. 선 덕여왕·진덕여왕·진성여왕 때 활약했다면, 충분히 그렇게 불 릴 만했다. 하지만 그는 남자였고 남자가 군주일 때 활약했다. 그래서 경국지색은 그에게 부적절한 표현이다. 그 대신, 나라를 기울게 한 것은 사실이므로 경국지승傾國之僧 정도로 불릴 수는 있을 것이다. 국적은 백제인이 아니지만 그는 백제의 경국지승이었다.

고구려와 백제에 불교가 전파된 시점은 4세기 후반이다. 도림은 이로부터 1세기가 좀 안 된 5세기 후반에 백제 파벌 정치의 막후에서 활약했다. 5세기 후반이었으니, 불교 승려들의 위상이 한창 높아지고 있을 때였다. 이런 흐름에 편승해서 도림은 승려의 지위를 이용해 실세가 되었다. 그는 파벌 정치에 영향을 미쳤을 뿐 아니라 백제의 운명에까지 영향을 미쳤다.

도림은 대단한 인물이었다. 그렇게 격찬할 만한 이유가 있다. 단순히 비선 실세였기 때문만은 아니다. 소속된 파벌이 없으면서도 막후 실세가 되었다는 이유 때문만도 아니다. 최순실도 정당인이 아니면서 권력을 잡았다. 그러므로 그런 점을 갖고 도림을 대단한 인물로 칭송할 수는 없다.

도림이 대단한 진짜 이유는 그가 백제인이 아니었다는 사실에 있다. 백제 사람도 아니면서 백제 정치의 비선 실세가 됐던 것이다. 『삼국사기』「백제본기」에 따르면, 도림은 백제를 무너뜨릴 목적으로 고구려 장수태왕이 파견한 첩자였다. 도림은 고구려에서 죄를 짓고 망명하는 것처럼 위장해 백제에 정착했다. 고구려에서 암약하는 백제 첩보원들이 인지할 수 있을 정도의 대형 범죄를 도림은 거짓으로 저질렀다. 그런 뒤에 백제로 도주한 탓에 그는 백제의 환대를 받았다. 도림이 환영을 받은 데는 또 다른 이유가 있다. 그의 주특기 때문이었다. 도림은 바둑을 매우 잘했는데, 개로왕도 바둑에 푹 빠진 사람이었다. 도림은 자신의 실력을 한번 구경이나 해 보라면서 개로왕에게 접근했다. 도림의 실력은 개로왕을 감탄시켰다. 개로왕은 그를 국수國手로 떠받들었다. 도림을 너무 늦게 만났다고 후회하기까지 했다. 그 정도로 푹 빠졌다. 개로왕은 도림을 신하가 아닌 상객上客으로 대우했다.

　도림은 개로왕이 자신과의 바둑 경기에 빠진 점을 최대한 활용했다. 도림은 개로왕의 손에서 백돌이 하나 둘 떨어지는 틈을 타서, 검고 음흉한 데이터를 왕의 머릿속에 하나 둘 주입시켰다. 도림이 주입한 것은 허영심이었다. 도림은 자기가 받은 은혜는 너무나도 많은 데 비해 자신이 해 드린 것은 너무 적어 괴롭다고 말했다. 그러면서 무슨 말인가를 할 듯 말 듯했다. 궁금해진 개로왕은 "말을 해 보라"며 재촉했다. 그제야 도림은 마지못해 하는 척하며 입술을 떼었다.

　도림이 말한 요지를 정리하면 이렇다.

　"이웃 국가들이 감히 범접할 수 없는 천혜의 요새에서 나라를 다스리고 계신 분이라면, 이에 걸맞게 위엄과 권위도 갖추셔야 하는 것 아닙니까? 그런데 성곽도 제대로 짓지 않고 궁궐도 제대로 짓지 않는 데다가 백성들의 주택을 홍수 피해에 방치하

남진정책을 추진한 장수태왕의 능

고 계시니, 이렇게 해서 어떻게 왕의 체면을 살릴 수 있겠습니까? 대규모 토목공사를 벌여 왕의 체면도 세우고 홍수 피해도 막아야 하지 않겠습니까? 가만히 계시니 제 마음이 아픕니다."

바둑 선생의 간절한 충언은 개로왕의 마음을 움직였다. 개로왕은 도림의 말대로 해서 위엄과 권위를 갖춘 군주가 되고 싶었다. 결국 개로왕은 백성들을 동원해 대규모 토목공사를 벌여 도성과 궁궐, 제방 공사를 했다. 화려함을 보여 줄 목적으로 그는 최대 규모로 일을 벌였다. 이로 인해 국고는 텅 비고 민간 경제는 파탄이 났다. 농사 현장에 있어야 할 백성들을 토목공사에 동원했으니 민간 산업이 피폐해지는 것은 당연했다. 귀족과 신하들의 반발이 극심했을 이런 사업을 단시간에 해치운 것을 보면, 개로왕의 강도 높은 추진력 앞에서 백제 정치 파벌들이 제동을 걷지 못했던 것으로 보인다. 파벌 정치에 필요한 견제와 균형의 원리가 마비됐던 것이다.

결국 백제의 국고는 텅 비고 말았다. 국고가 빈다는 것은 신하들의 봉급을 주기 힘들어지고 군대를 운용하기 어려워진다는 것을 의미했다. 왕에게 충성을 바칠 인재들이 줄어드는 것은 당연했다. 또 국고가 비면 백성들에게서 세금을 더 거둘 수밖에 없었다. 이런 경우에는 세금 징수에 강제성과 무리수가 동반될 수밖에 없다. 백성들의 분노를 부채질할 가능성이 커지는 것이다. 이렇게 개로왕이 관료 집단과 군대를 마음대로 거느리기 힘들어지고 민심의 지원도 얻기 어려워진 틈을 타서 장수태왕은 행동에 나섰다. 475년, 그는 백제 침공을 단행하였다.

도림은 장수태왕이 군대를 움직이기 직전에 고구려로 도주했다. 그제야 개로왕은 자신이 벌여 놓은 일들을 보면서 도림한테 속았다는 것을 깨달았다. 하지만 이미 너무 늦은 뒤였다. 백제의 국력은 피폐해져 있었다. 개로왕은 장수태왕의 공격을 막지 못했고, 고구려 장수들에게 죽임을 당했다. 이로써 한성을 빼앗긴 백제는 웅진으로 천도해야 했다. 고구려 국적의 비선 실세가 백제 도읍을 한성에서 웅진으로 옮기게 만든 것이다.

도림은 정치적 야망이 있었던 것 같다. 그렇기에 장수태왕 앞에 나가 첩자를 자원했을 것이다. 첩자라는 어려운 경로를 통해 정치적 야망을 실현하려 한 사실을 보면, 그가 승려 지위만 갖고는 정치 무대에 뛰어들기 힘든 처지에 있었음을 알 수 있다. 승려 지위만 갖고도 정치적 영향력을 발휘하기 쉬운 시대에 살았지만, 그는 정상적 방법으로는 그렇게 하기 힘들었던 것이다. 승려가 되기 이전의 사회적 지위가 낮아서 정상적인 방법으로는 정치 무대에 들어가기 힘들었을 가능성도 있다. 그 결과 첩자가 되어 백제의 비선 실세가 되는 방법으로 세속적 꿈을 실현시킬 수밖에 없었던 듯하다.

신라의 팜므 파탈,
미실

　신라 사람 미실은 팜므 파탈이란 표현에 조금도 부족함이 없다. 좋게 말하면 치명적 매력을 가졌고, 나쁘게 말하면 이상한 힘을 뿜어내는 요부였다. 위작 논란이 있는 필사본 『화랑세기』에 따르면, 그는 5세기 중반 신라에 존재하는 두 개의 왕비족 가운데 하나인 대원신통大元神統 소속이었다.

　신라 왕실은 조선 왕실처럼 단일 계통의 왕실이 아니었다. 조선 왕실은 이성계의 후손들로 이루어졌지만 신라 왕실은 달랐다. 외형상으로는 신라 왕실도 하나의 계통으로 보였다. 이 왕실의 구성원들은 형식상으론 알영 부인과 박혁거세의 후손이었다. 하지만 실제로는 세 지파의 왕족과 두 지파의 왕비족으로 구성되었다. 박혁거세 혈통과 석탈해 혈통, 김알지 혈통이 섞인 왕족에다가, 진골 정통과 대원신통으로 나뉜 왕비족이 이 왕실을 구성했다.

왕족의 경우에는 석탈해·김알지가 각각 서양자 및 양자 자격으로 가세했다. 박씨 왕족끼리만 결혼하는 왕실이었기 때문에, 박씨 이외의 남자가 왕실에 들어올 가능성은 없었다. 하지만 석탈해와 김알지라는 이방인 세력이 너무나 강력한 힘을 갖고 들어왔기에, 그들에게 나라를 빼앗길 수는 없으니까 그들을 서양자·양자로 받아들이는 결단을 내린 덕에 신라 왕실은 연명할 수 있었다.

　똑같은 동기에서 출발한 일은 아니지만, 박씨 이외의 여인을 왕실 일원으로 받아들인 일로 왕비족에도 지파가 생기게 되었다. 원칙상으로는 왕족끼리만 결혼해야 했으므로 박씨가 아닌 남자는 물론 박씨가 아닌 여성도 왕실 일원이 될 수 없었다. 하지만 『삼국사기』 「신라본기」와 『화랑세기』를 종합하면, 2세기 후반에 조문국召文國과의 협력 체제를 구축해 낙동강 라인을 넘을 필요성에서 신라 왕실은 조문국 공주를 며느리로 맞이했다. 서라벌의 신라 왕궁에서 볼 때, 조문국은 낙동강 라인을 넘기 직전에 있었다. 그래서 조문국과 결혼 동맹을 맺었던 것이다. 이 동맹의 결과로 옥모라는 공주가 출생했다. 외부의 피가 섞인 공주가 출생한 것이다. 신라 왕실로서는 이례적인 일었다. 그 결과 왕실 여성 중에서 새로운 계통이 생겨나게 되었다. 이 옥모가 진골 정통이란 왕비족의 시초가 되었다. 알영의 피와 조문국 왕실의 피를 함께 가진 왕비족이 등장했던 것이다.

5세기에 동아시아 질서가 요동을 치면서 신라는 고구려에 의존했다. 내물왕의 아들인 복호가 고구려에 인질로 간 것은 그 때문이다. 복호는 나중에 신라 충신 박제상 덕분에 고구려에서 나오게 된다. 『삼국유사』와 『화랑세기』를 종합하면, 복호가 고구려를 나올 때 데려온 여성이 보인다. 이 여성은 첩의 신분으로 신라 왕실에 편입되었다. 하지만 그가 죽은 뒤에 어떤 이유에서인지 여자 후손의 지위가 격상되면서 대원신통이라는 새로운 왕비족의 시조가 되었다. 대원신통은 알영의 피, 조문국 공주의 피, 복호의 고구려인 첩의 피가 모두 섞인 왕비족이었다. 이처럼 신라가 나라를 지키거나 넓히고자 중대한 결단을 하는 과정에서 왕족과 왕비족의 혈통에 변화가 생겼고, 그로 인해 진골 정통과 대원신통 같은 왕비족도 등장했던 것이다.

왕비족도 있고 왕족도 있는 신라 왕실에서, 임금이 되려면 까다로운 조건을 구비해야 했다. 왕비족인 어머니와 왕족인 아버지의 혈통을 타고난 뒤 왕비족인 여성과 혼인을 해야 했다. 이래야 왕의 자격을 획득할 수 있었다. 이런 전통은 7세기 때 김춘추에 의해 깨졌다. 김춘추의 왕비는 가야 출신이자 김유신의 동생인 김문희였다. 김문희는 본래 왕비족이 아니었다. 그 자신은 왕비가 되었지만, 왕비족을 이루지는 못했다. 그래서 김문희의 왕비 책봉을 계기로 왕비족 전통은 깨지고 말았다. 하지만 미실이 전성기를 보낸 6세기 때만 해도, 왕비족과 결혼하지 않으면 왕이 될 수 없었다. 그 결과 미실 같은 사람이 왕실 안에서 영향력을 가질 수 있었다. 다만 미실은 여성이라서 관직을 가지지는 못했다. 그렇기 때문에 미실이 정치적 영향력을 가지려면 왕후나 태후가 되어야 했다. 그런 게 될 수 없다면, 공식적인 정치 투쟁에는 참여하기 힘들었다. 그런 경우에는 비선 실세의 길을 가는 수밖에 없었다.

미실은 대원신통 혈통으로 진흥왕의 후궁이 되었다. 여기서 그치지 않고 진흥왕의 아들인 진지왕의 후궁도 되고, 더 나아가 진흥왕의 손자이자 진지왕의 조카인 진평왕의 후궁도 되었다. 3대 연속으로 후궁이 된 것이다. 미실은 출중한 외모를 가졌을 뿐 아니라 애교까지 겸비했다. 『화랑세기』에 따르면 남자 왕족을 자기편으로 만드는 육체적 기술 또한 대단했다. 이것이 미실을 세 왕의 후궁으로 만든 비결이었다.

미실은 왕비족 혈통을 타고난 것에 더해 왕들의 총애까지 받았다. 이런 조건은 그가 왕후나 태후가 되지 않고도 정치적 영향력을 가질 수 있도록 만들었다. 정치 파벌이나 조정 관직을 통하지 않고도 영향력을 행사할 수 있게 된 것이다. 그런 조건들에 힘입어 그는 비선 실세로서 신라 정치를 좌지우지했다.

미실이 비선 실세였다는 점은 진흥왕·진지왕·진평왕 시대의 주요 사건을 이해하는 데 도움이 된다. 진흥왕의 장남인 동륜 태자가 왕위를 승계하지 못한 것도 미실과 관련이 있었다. 동륜 태자가 왕이 되지 못한 것은, 태자 시절인 572년 맹견에 물려 사망했기 때문이다. 『화랑세기』에 따르면, 맹견은 경호원들의 틈을 뚫고 들어가 동륜 태자만 물어 죽였다. 그동안 경호원들은 별다른 조치를 취하지 않았다. 그들 속에는 미실의 부하들이 많았다. 미실이 동륜 태자 살해 사건의 배후 조종자였던 것이다.

미실이 동륜 태자를 제거한 것은 동륜 태자의 외교 노선 때문이었던 것으로 보인다. 동륜 태자는 진흥왕을 대신해서 국정을 대행했다. 진흥왕은 말년에 국정에 대한 흥미를 잃어 승려복을 입고 살았다. 그래서 태자가 대리청정을 했던 것이다. 동륜은 불교 문화를 수입해 왕권을 강화할 목적으로 남중국 진陳나라에 접근했다. 이런 노선은 여타의 왕실 구성원들에게 위기감을 주었다. 동륜이 왕권 강화를 명분으로 자기 힘을 강화하면 그들은 불리해질 수밖에 없었다. 미실이 개를 풀어 동륜 태자를 죽인 것은 그것을 견제할 목적이었던 것으로 보인다.

진지왕이 재위 3년 만에 죽은 것도 미실 때문이었다. 물론 미실의 단독 행동은 아니었다. 진흥왕의 왕비인 사도 태후와 함께 벌인 일이었다. 미실은 동륜 태자를 죽이고 진지왕을 진흥왕의 후계자로 만드는 데 결정적으로 기여했다. 그런 그가 진지왕 폐위에 가담한 것이다. 이는 진지왕이 애초의 밀약을 깼기 때문이다. 둘 사이에는 미실을 왕후로 만들어 주겠다는 약속이 있었다. 진지왕이 이 합의를 깨자 미실은 진지왕을 폐위시키고 동륜

태자의 아들인 진평왕을
왕위에 앉혔다는 게 『화랑
세기』의 설명이다. 이렇게
미실은 왕들을 몇 번이나
갈아 치울 정도의 위력을
발휘했다. 비선 실세라는
표현에 부족함이 없는 인
물이었다.

미실은 김유신이 두각
을 나타내는 데도 기여했
다. 김유신이 서라벌에 상
경했을 당시, 화랑 수장은
제14대 풍월주인 호림이

1926년에 발간된 조선명현초상화사진첩
(朝鮮名賢肖像畵寫眞帖)에 실린 김유신의 초
상화

었다. 2인자인 부제는 미실의 아들 보종이었다. 관례대로라면
제15대 풍월주 자리는 보종의 몫이 되어야 했다. 보종의 어머니
가 미실이었으므로 그것은 기정사실이나 마찬가지였다. 그런
데 『화랑세기』에 따르면, 보종은 부제 자리를 김유신에게 양보
했다. 자기 스스로 차기 풍월주 지위를 포기한 것이다. 보종의
이런 행동은 어머니인 미실의 권유 때문이었다. 미실이 김유신
을 배려했던 것이다. 여기에는 김유신의 외할머니인 만호 태후
와의 협력을 강화할 목적이 숨어 있었다. 이러한 동기에서 미실

은 김유신의 출세를 도왔고, 김유신이라는 역사적 인물의 등장에 기여하게 된 것이다.

김유신에게 차기 풍월주 지위를 양보한 보종은 김유신을 이어 제16대 풍월주가 되었다. 『화랑세기』에 따르면, 미실이 죽은 뒤에 보종은 어머니의 수기 700권을 입수해서 직접 베꼈다. 붓으로 쓴 700권 분량은 지금으로 치면 100권이 안 될 것이다. 물론 100권이 안 된다 해도 상당한 분량임에는 틀림없다. 그 100권 속에 미실은 자신의 일대기를 기록했다. 그 일대기가 오늘날까지 전해졌다면, 비선 실세 미실의 이모저모에 대해 좀 더 많은 지식을 얻을 수 있었을 것이다.

11 서진파와 남진파의 파벌 투쟁

기원전 2세기에 한무제가 등장한 이후, 한민족과 중국의 관계는 역전됐다. 한민족이 중국에 대해 수세적 자세가 된 것이다. 이때부터 한민족은 본격적으로 밀리기 시작했다. 그러다 한나라와 후한(서기 25~220)이 다 망하고 위·촉·오의 삼국시대(220~280)도 끝나면서 상황이 달라졌다. 한민족에 유리한 상황이 조성되기 시작한 것이다.

304년부터 북중국에서는 5대 유목 민족이 순차적으로 16개 왕국을 세웠다. 이른바 5호 16국 시대의 개막이었다. 기원전 29년부터 동아시아 기온이 온난기에서 한랭기로 바뀌었다. 날씨가 추워지면서 유목 지대의 목초지가 감소하자 삶의 터전을 잃은 유목민들이 북중국으로 이주했다. 이들이 북중국에서 세력을 형성한 결과로 나타난 것이 5호 16국 시대다.

유목민들이 북중국을 차지함에 따라, 기존에 북중국을 차지했던 중국 한족은 남중국으로 밀려났다. 한족은 지금의 상하이 쪽을 흐르는 양자강 유역을 거점으로 왕조를 세웠다. 기존에 양자강 유역에 있던 월족들은 훨씬 더 남쪽으로 밀려났다. 이들이 베트남인들의 조상이다.

5호 16국 시대는 한민족 왕조들에게 기회를 제공했다. 특히 고구려와 백제가 가장 큰 이득을 보았다. 중국 대륙이 시끄러워졌으니, 스스로를 보호할 역량이 있는 나라가 중국 대륙과 가까이 있다면 중국의 혼란을 자국의 이익으로 변환시킬 수 있었다. 고구려는 중국과 붙어 있어 그 혼란을 활용할 수 있었다. 반면 백제는 붙어 있지 않았는데도 그 혼란을 국가 발전에 이용했다. 바다 위를 육지 다니듯이 할 수 있는 해상 능력이 있었기 때문이다. 그런 의미에서 백제도 중국과 붙어 있는 나라였다.

평안도 서쪽에 요동반도가 있다. 다시 요동반도 서쪽으로는 요동만이 있다. 요동만이 육지와 닿는 곳에서 서북쪽으로 길게 이어지는 강이 요하라는 강이다. 청나라가 만주와 중국을 통일하기 전인 17세기 전반까지 요하의 동쪽은 만주 땅, 서쪽은 중국 땅으로 인식되었다.

중국 대륙이 혼란해진 틈을 타서 고구려는 요하 동쪽인 요동, 즉 만주 땅을 차지했다. 백제는 중국 역사서인 『송서宋書』·『양서梁書』·『남사南史』에 따르면, 지금의 베이징에서 가까운 요하 서쪽 지역을 점령했다. 고구려가 만주를 차지한 시기에, 비록 일시적이나마 백제가 중국과 만주의 중간 지대를 점령했던 것이다.

고운 최치원의 글을 정리한 『고운집孤雲集』이란 책이 있다. 이 책에는 최치원이 당나라 태사시중에게 제출한 '상태사시중장上太師侍中狀'이란 글이 있다. 이글에서 최치원은 백제와 고구려의 전성기에 두 나라가 양자강 지역, 요서 지역, 산둥반도 쪽을 침공하고 동요시켰다고 말했다. 최치원 같은 대학자가 당나라 관리에게 보내는 글이었으니, 허무맹랑한 내용이 담기지는 않았을 것이다. 양자강과 산둥반도를 공략한 나라는 고구려보다는 백제였을 것이다. 두 지역을 공략하자면 함대를 이용한 해상 공격이 필요했다. 그러자면 고구려보다는 백제가 더 유리했을 것이다.

고조선이 몰락한 이래로 한민족이 이렇게까지 팽창을 성공시킨 적은 없었다. 이런 팽창의 선두에 고구려가 있었다. 백제도 해상을 통해 맹활약했지만, 적어도 기록상으로는 고구려만한 강렬한 인상은 남기지 못했다. 이 시기에 고구려는 서쪽에 있는 중국을 향한 팽창을 기본 전략으로 삼았다. 서진주의가 고구려의 국가 정책이었던 것이다. 이런 전략을 극대화시킨 군주가 5세기 초반인 413년까지 집권한 광개토태왕이었다.

그런데 아들인 장수태왕이 즉위한 뒤로 고구려는 변화를 꾀하지 않으면 안 되었다. 4세기 후반인 386년에 세워진 선비족 국가 북위가 북중국을 통일하고 동아시아 최강국으로 등극했기 때문이다. 이로 인해 고구려는 더 이상 서쪽으로 팽창하기 힘들어졌다. 이런 상황 변화에 적응하고자 장수태왕은 국가 전략을 180도 수정했다. 중국 쪽 진출을 자제하고 서진주의를 폐기하기로 한 것이다.

지금이건 그때건 국가는 백성들의 조세 수입에 의존한다. 공업 시대가 되기 전에는 농산물에 대한 세금이 국가의 주된 수입원이었다. 국가가 지속적으로 유지되려면 농민들이 안정적으로 농사를 지을 수 있도록 하든지, 아니면 새로운 농민이나 새로운 농토를 해외로부터 빼앗아야 했다. 고구려 때만 해도 국가들은 후자의 방법을 선호했다. 새로운 농민이나 영토를 끊임없이 빼앗는 방법으로 조세 수입을 증대시키고자 했다.

　　서진주의를 폐기한 고구려로서는 서쪽이 아닌 다른 방향에서 새로운 조세 수입원을 찾아야 했다. 그 대상으로 선택된 곳이 남쪽 한반도였다. 북쪽이나 동쪽은 가 봐야 이익이 없었다. 인구도 적고 경제적으로도 저발전 상태였다. 고구려로서는 남쪽으로 갈 수밖에 없었다. 그래서 고구려는 남진주의를 새로운 국가 전략으로 선택했다. 427년에 장수태왕은 만주 국내성에서 한반도 평양으로 천도를 단행했다. 이것은 앞으로는 서쪽이 아닌 남쪽에서 활로를 모색하겠다는 의지의 표현이었다. 이때부터 한반도 4국 간에는 긴장과 대결이 치열해졌다. 앞서, 고구려 출신의 백제 비선 실세인 도림이 거짓 망명으로 백제 개로왕에게 접근한 것도 장수태왕이 남진주의로 정책을 전환한 결과 나타난 일이었다.

　　그런데 5세기 전반에 채택된 남진주의는 2세기 뒤인 7세기 전반에 도전을 받게 되었다. 고구려가 서진주의냐 남진주의냐의 고민을 해야 할 사정이 7세기 전반에 생긴 것이다. 4세기 전반에 시작된 중국 대륙의 혼란은 북중국의 북위에 의해 5세기 전반부터 수습됐다. 그러다가 북중국 출신인 수나라에 의해 6세기 후반에 완전히 수습되었다. 589년에 수나라가 중국을 재통일했던 것이다.

수양제

진나라 및 한나라 사례에서 드러나는 것처럼, 중국 대륙을 통일한 왕조들은 다음 단계로 주변 세계 침공에 착수했다. 수나라 역시 마찬가지였다. 수나라는 서북쪽에 위치한 강국 돌궐족을 공격했다. 그 결과 돌궐은 동서로 분열됐다. 그런 뒤 수나라는 고구려와의 전쟁에 온 국력을 쏟아부었다. 수나라 양제는 612년·613년·614년에 연달아 세 차례나 고구려를 침공했다.

제1차 고구려 침공 때 수양제가 동원한 군사력은 전투원만 해도 최소 113만 명이었다. 비전투원은 그보다 훨씬 더 많았다. 수나라 역사서인 『수서』의 「양제본기」에서는 총 병력 규모에 관해 "합계 113만 8,300명이었다. 그래서 2백만 명이라고 불렀다. 군량을 운송하는 사람은 곱절이 되었다"고 했다. 이에 따르면 보급 부대는 전투원의 2배였다. 실제의 전투원 병력은 『수서』 기록보다 많았을 것으로 보인다. 그래서 '최소 113만'이라 한 것이다. 보급 부대가 이것의 2배였다면, 적어도 250만은 됐다는 말이 된다. 그렇다면 전투원과 비전투원을 합친 전체 규모가 4백만에 육박하게 된다. 중국 역사상 최대의 군대 동원이었던 것이다.

당나라 재상 두우杜佑가 중국의 역대 제도를 정리한 책이 『통전通典』이다. 또 송나라(남송) 말기에서 몽골 제국 때까지의 역사가인 마단림馬端臨이 역대 제도를 정리한 책이 『문헌통고文獻通考』다. 『통전』 제7권 및 『문헌통고』 제10권과 더불어 『구당서舊唐書』의 경제 기록들을 종합하면, 제1차 침공 6년 전인 606년에 수나라 인구는 대략 4,600만 명이었다. 그런데 6년 뒤에 수양제는 4백만 명 정도를 고구려 침공에 동원했다. 인구의 10퍼센트 가까이에 해당하는 어머어마한 숫자다.

하지만 수나라의 기세는 제1차 때 일찌감치 꺾였다. 역사상 가장 많은 대군을 동원했지만, 요동 지역에서 성과가 나지 않았다. 마음이 급해진 수양제는 30만 5천 명을 따로 뽑아 평양성부터 직공하도록 했다. 고구려 전방 지역을 놔둔 상태에서 수도부터 공격하도록 한 것이다. 『삼국사기』 「을지문덕열전」에 따르면, 30만 5천 명의 별동대는 을지문덕의 거짓 후퇴 작전에 속아 압록강과 살수(청천강)를 거침없이 넘어서 남하했다. 이 과정에서 힘이 빠진 수나라 군대는 뒤늦게야 사태를 파악하고 후퇴를 서둘렀다. 그러다가 살수에서 고구려 군에 대패했다(살수대첩). 30만 5천 중에서 목숨을 건진 병사는 2,700명에 불과했다. 동아시아 최강이었던 수나라 군대가 청천 강에서 치욕적인 참패를 당한 것이다. 이런 패배를 당한 뒤에도 수 양제는 이듬해와 그 이듬해에도 연달아 고구려 침공을 시도했다. 그 결과 스스로 국력을 고갈시키고 말았다. 수나라가 618년에 멸망한 것은 바로 이런 이유 때문이다.

이때의 상황이 역사학자 신성곤과 윤혜영의 『한국인을 위한 중국사』에는 아래와 같이 묘사되어 있다.

> 양제는 613년에 다시 침략을 명했으나 부담을 느낀 병사들의 도망 은 계속되었고 (…) 국내의 보급 기지였던 여양에서 침략을 위해 식량을 준비하던 예부상서 양현감이 반란을 일으켰고, 이 반란 때 문에 양제는 고구려 침략을 포기하고 말았다. (…) 이 난을 계기로 도적 때의 봉기가 전국적으로 확산되었고, 수양제의 권위는 심각 하게 손상되었다.

이렇게 2차·3차 침공 계획이 좌절되었는데도 수양제는 불굴 의 의지를 보였다. 의지가 아니라 집착이었을 것이다. 제4차 침공 계획을 세웠지만 이 역시 병사들의 탈영으로 좌절되고 말았다.

만약 이런 상황에서 고구려가 승리의 여세를 몰아 수나라를 침공했다면 어땠을까? 수나라는 무너지기 쉬운 상황이었다. 고구려 로서는 고조선의 영광을 회복할 수 있는 절호의 기회였다. 그런데 이상한 현상이 나타났다. 승리한 고구려에서는 가만히 있고, 패배한 수나라가 계속해서 재침을 시도한 것이다. 공세를 강화해야 할 고구려는 오히려 수세를 유지하고, 수세에 내몰려야 할 수나라가 되려 공세를 강화했던 것이다. 더 이상한 것은 살수대첩의 영웅인 을지문덕이 이듬해부터는 역사 기록에 나타나지 않는다는 점이다. 수나라를 꺾고 동아시아 명장 반열에 오른 인물이 갑자기 역사 기록에서 사라지는 미스터리한 일이 벌어졌다.

실학자 안정복은 정조 때인 1778년에 『동사강목東史綱目』을 완성했다. 이 책에서 그는 이 미스터리를 다루었다. 그는 당시의 임금인 영양태왕이 명장 을지문덕을 실각시켰기에 그런 일이 일어났다고 말했다. 임진왜란 때 선조가 이순신을 홀대했듯이, 영양태왕도 을지문덕을 그렇게 대했던 것이다. 그런 상황을 안정복은 안타까워했다. 『동사강목』3권에서 그는 "안으로는 을지문덕 등 여러 신하를 등용하고 밖으로는 신라·백제와 연합하고 말갈의 무리와 합세하여 수나라의 뒤를 쫓아가 죄를 폭로하고 토벌"했어야 했다고 아쉬움을 토로했다. 그랬다면 역사가 바뀌었을 수도 있다는 게 그의 탄식이었다.

그렇다면, 영양태왕이 을지문덕을 실각시킨 이유는 무엇일까? 명장 을지문덕이 왕권을 위협할까 봐 그랬을까? 그렇지는 않다. 문제의 실마리는 안정복도 읽었을 가능성이 있는 고대 역사서 『해상잡록海上雜錄』에 나온다. 지금은 전해지지 않는 이 책의 내용은 신채호의 『조선상고사』에도 많이 소개되어 있다. 『해상잡록』에 따르면, 수나라 군대를 물리친 직후에 을지문덕은 중국 침공을 주장했다. 승리의 여세를 몰아 중국 본토로 밀고 들어가자고 외친 것이다.

『해상잡록』을 근거로 집필한 수필 형식의 『을지문덕전乙支文德傳』에서 신채호는 을지문덕이 "강토를 개척하는 주의"를 회포로 품었다고 말했다. 그러나 영양태왕은 그럴 생각이 없었다. 영양태왕은 을지문덕 같은 회포를 품지 않았다. 그 결과 이 문제로 을지문덕과 영양태왕이 갈등을 빚었을 수도 있다. 그로 인해 을지문덕이 실각됐을 가능성이 있는 것이다.

이런 점을 보면, 수양제의 제1차 침공 뒤 고구려 내부에서 을지문덕을 중심으로 서진주의를 주장하는 파벌이 형성되었을 가능성이 있다. 이들은 장수태왕 이래의 남진주의를 폐기하고 이참에 중국을 고구려 땅으로 만들자고 주장했을 것이다. 역사상 최대 규모의 중국 군대를 격파하고 수나라를 회생 불능의 상태로 몰아넣었으니 그런 주장을 할 만도 했다. 하지만 영양태왕은 그렇게 큰 뜻을 품은 인물이 아니었다. 안정복은 『동사강목』에서 영양태왕 고원을 두고 "고원 같은 용렬한 인물이야 오직 죽음에서 빠져나와 목숨을 보존할 꾀를 짜낼 겨를도 없었을 것"이라고 말했다.

기세가 당당했을 을지문덕파를 제압하자면, 영양태왕 역시 보수적 여론을 조성해 자기 파벌을 형성해야 했을 것이다. 이 때문에 고구려에서는 도전 세력인 서진주의 파벌과 기득권 세력인 남진주의 파벌 사이에 대립이 생겨날 수밖에 없었다. 이 대결에서 을지문덕 파벌이 패배했기에 을지문덕이 갑자기 역사 기록에서 사라진 것이라고 해석할 수밖에 없다. 이로 인해 수양제는 패전의 결과를 무시하고 고구려 침공을 재개했을 것이다.

고구려가 동아시아 최강 수나라를 격파했으니, 적어도 이때는 고구려가 최강이었다. 물론 전반적인 경제적 역량에서는 수나라가 여전히 우세했다. 이런 시각으로 보자면 을지문덕이 좀 지나쳤다는 느낌이 들 수도 있다. 하지만 국제 질서가 과도기일 때 중요한 것은 경제력이 아니라 군사력이다. 외나무다리에서 부딪힌 두 원수 간 싸움의 승패를 결정짓는 것은, 그들의 주머니에 돈이 얼마나 들었는가가 아니라 그들의 완력이 얼마나 센가에 달려 있다. 17세기 초반에 만주족이 세운 청나라도 경제력은 별로였지만, 군사력이 우세했기에 국제 질서의 과도기를 이용해 동아시아 최강이 될 수 있었다. 그렇기 때문에 을지문덕의 주장은 결코 과하지 않았다. 패배한 수나라가 동원할 만한 군사력이 별로 없었으니, 을지문덕파가 주장한 대로 서진주의로 돌아섰다면 고구려 역사, 아니 동아시아 역사가 바뀌었을 수도 있다.

하지만 실권을 잡은 영양태왕이 반대했다. 그리고 을지문덕은 갑자기 사라지고 말았다. 고구려는 장수태왕 이래의 남진주의를 다시 고수하게 되었다. 이것은 중국이 힘을 추스르는 기회가 되었다. 이런 기회를 틈타 이세민(훗날의 당태종)이 아버지와 함께 당나라를 세우고 중국을 재통일했다. 당나라는 수나라의 뒤를 이어 팽창 정책을 다시 추구하며 고구려를 압박하고 들어왔다.

제1장 창검의 시대

12 연개소문, 슈퍼 정권을 세우다

  살수대첩 이후로도 고구려는 남진주의를 고수하며 중국 쪽으로는 가급적 창칼을 돌리려 하지 않았다. 그렇다고 중국과의 관계가 개선된 것도 아니다. 단명한 수나라에 이어 당나라가 618년에 중국을 재통일했다. 당나라는 수나라보다도 더한 압박을 가했다. 고구려는 수나라와의 전쟁에서 승리한 것을 기념하여 경관京觀이란 기념물을 세웠다. 631년 고구려를 방문한 당나라 사절단은 이 경관을 파괴했다. 수나라든 당나라든 중국에 대한 도전은 허용하지 않겠다는 의지의 표현이었다. 626년에 황제에 등극한 당태종 이세민의 야심이 그런 식으로 고구려에 위협을 주었다.

  당나라의 위협이 가중되는 와중에 고구려 내에서는 반反당나라 기운이 고조되었다. 을지문덕의 서진주의를 추종하는 분위기도 뜨거워졌다. 이런 분위기 속에서 부각된 인물이 조의선인 출신의 귀족인 연개소문이다. 고구려판 화랑인 조의선인에서 경력을 쌓은 연개소문은 고구려 5부 중 하나인 서부에 속했다. 그는 을지문덕의 서진주의를 지지하는 것으로도 유명했다. 연개소문의 주장이 많은 공감을 받았음을 보여 주는 사례가 있다.

『조선상고사』에 따르면, 당태종은 고구려 사정을 염탐할 목적으로 스리비자야 왕국에 도움을 청했다. 한자로는 三佛齊(삼불제)로 표기하는 나라다. 인도네시아 수마트라 섬에 있었던 스리비자야 왕국은 7~11세기에 번영을 누렸는데, 스리위자야로도 발음한다. 당태종은 스리비자야 사신이 고구려를 방문해 내정을 염탐한 뒤 자국에 알려줄 것을 요청했다. 그 말대로 사신은 고구려를 방문하고 나서 곧바로 귀국하지 않았다. 해상에서 당나라 쪽으로 뱃머리를 돌린 것이다. 이 배의 수상한 움직임은 고구려 해상 순시선에 발각되었다. 결국 사신은 고구려 수군에 나포되었다.

그런데 고구려 해상 순시선의 함장인 해라장海邏長이라 불리는 관원이 엉뚱한 일을 저질러 버렸다. 상부에 보고도 없이, 스리비자야 사신이 작성한 첩보 문서를 바다에 던져 버린 것이다. 이것도 모자라 해라장은 사신의 얼굴에 먹으로 글자를 새기고는 당나라 쪽으로 보내 버렸다. "나의 어린 꼬마 이세민에게 말을 전한다. 만약 금년에 조공하지 않으면 내년에 죄를 문책할 군대를 일으킬 것이다"라는 글귀였다. 일개 해라장이 당태종에게 선전포고문을 보낸 것이다. 그런 뒤에 그는 "연개소문의 졸병인 아무개가 쓰다"는 문구를 달았다. 스스로를 연개소문의 부하로 자처한 것이다. 해라장은

　　　　　　　　　　　　　제1장 창검의 시대

그 글자를 종이에도 똑같이 옮겨 적은 뒤 그 사신 편으로 당나라에 보냈다. 해라장이 엄청난 외교적 분란을 조장한 것이다.

당태종

해라장은 고구려 태왕의 신하이지 연개소문의 신하는 아니었다. 그런데도 스스로를 연개소문의 부하로 자처하고 당태종에게 경고 메시지를 보낸 것은 연개소문이 그만큼 인기를 끌었다는 증거이자 그가 주장한 서진주의가 공감대를 일으켰음을 보여 주는 증거다.

이 일 이후 해라장은 당연히 체포되었다. 영류태왕 입장에서는 당연히 체포할 수밖에 없었다. 일개 해라장이 남진주의를 무시하고 서진주의를 표방했다는 점도 용납할 수 없었겠지만, 수군 장교가 자신이 아닌 연개소문의 부하를 자처했다는 점도 용납할 수 없었을 것이다.

이렇게 수군 장교까지 위험을 무릅쓰고 지지하는 분위기에 힘입어 연개소문은 642년 쿠데타를 일으켰다. 연개소문은 영류태왕을 죽이고 보장태왕을 옹립함으로써 자신의 시대를 열었다. 그가 정권을 잡는 데 직접적인 도움이 된 것은 부족의 힘이었다. 그는 서부 귀족 출신이었다. 서부의 원래 명칭은 소노부였다. 연노부나 비류나

부로도 불렸다. 서부는 지금의 평안도 위쪽에 있었다. 북위 42도 이남, 동경 125도 이동이 서부의 거점이었다. 동·서·남·북·중 다섯 가운데에서 서부였다는 사실에서, 이곳이 중국과 가장 가까운 곳이었음을 느낄 수 있다. 그래서 수나라와 당나라의 팽창에 대해 특히 민감할 수밖에 없었다. 이렇게 해서 형식상으로는 중부(계루부) 출신의 보장태왕이 보좌에 앉고, 실질적으로는 서부 출신의 연개소문이 실권을 잡는 구도가 고구려에 출현하게 되었다.

정권을 잡은 연개소문은 고구려 역사에서 보기 드문 철권 통치자가 되었다. 전통적으로 고구려에서 태왕은 권위는 있었지만 어느 정도의 권력을 재상과 나눠 가졌다. 태왕은 입헌군주제의 왕 같은 존재는 아니었지만, 그렇다고 대통령제 하의 대통령 같은 존재도 아니었다. 절대적인 권력자가 아니었던 것이다. 재상도 마찬가지였다. 재상 역시 권력을 갖고 있었지만, 의원내각제의 총리 같은 존재는 아니었다. 권력을 행사하되, 태왕을 존중해야 했다. 그런데 연개소문 시대에는 이런 전통이 무너졌다. 연개소문이 권위와 권력을 전부는 아니더라도 상당 부분 통합했던 것이다. 연개소문 사후에 아들이 정권을 세습한 것만 봐도 연개소문이 어느 정도의 위상을 보유했었는지 짐작할 수 있다. 자기 생애에 실컷 쓰고도 남을 만큼의 권력이 있었기에 아들 대에까지 그 자리가 세습되었던 것이다.

이게 가능했던 최대 요인은 서쪽 당나라에 있었다. 경쟁국인 당나라가 위협적인 분위기를 연출했기 때문이다. 거대 중국의 위협에 맞서자면 고구려 역시 특단의 대책을 취해야 했다. 1인에게 힘을 집중시킬 필요가 있었던 것이다. 이런 기반 위에서 연개소문은 절대 권력을 구축했다. 중국의 위기를 이용해 '슈퍼 정권'을 세운 것이다. 이 와중에 연개소문의 출신 지역인 서부 소노부를 중심으로 한 서진주의 파벌이 정권을 차지했다. 이런 상태에서 고구려는 645년 당태종의 침공을 물리치고 그 후 20년 넘게 당나라와 대립각을 형성했다.

　이 시기에는 고구려가 백제를 끌어들여 연합 전선을 형성했다. 신라만 당나라와 동맹을 체결했다. 그러므로 한민족의 중심 세력은 고구려라 할 수 있었다. 그런 고구려의 중심이 서진주의 파벌이었으므로 이 시기 한민족을 이끈 것은 서진주의 파벌이었다고 할 수 있다. 하지만 연개소문이 세상을 떠나면서 이러한 정치 구도가 급속히 와해되었다. 연개소문이 죽으면서 고구려·백제 동맹이 위태로워지고, 이것이 660년 백제 멸망과 668년 고구려 멸망으로 연결되었다. 『삼국사기』 「연개소문열전」에서는 연개소문이 666년에 사망했다고 말하고 있다. 하지만 중국 허난 성에서 발견된 '천남생 묘지명'에 따르면, 연개소문은 657년 이전에 사망했을 가능성이 높다. 천남생은 당나라에 망명한 연개소문의 장남인 연남생이다. 이 묘지명에 따르면 연남생은 24세에 아버지의 지위를 승계했다. 묘지명에서는 그가 679년에 46세였다고 했다. 따라서 24세 때는 657년이다. 657년에 아버지의 지위를 승계했다는 것은 그해에 연개소문이 죽었을 가능성을 보여 준다. 『삼국사기』 저자 김부식보다는 연남생을 장사 지낸 사람들이 연남생 아버지의 사망 연도를 더 정확히 알았을 것이다. 그러므로 연개소문은 666년이 아닌 657년에 세상을 떠났을 가능성이 높다.

연남생은 아버지 사후에 정권을 잡았다가 동생 남건·남산에게 정권을 빼앗긴 뒤 당나라에 망명했다. 거기서 성을 연淵에서 천泉으로 바꾸었다. 성을 바꾼 것은 당태종의 아버지인 당고조가 이연李淵이란 이름을 썼기 때문이다. 군주의 이름을 피하는 것을 피휘避諱라고 하는데 이런 피휘 제도 때문에 당나라에서는 '연'이란 성을 쓸 수 없었다. 그래서 연못 '연'과 뜻이 비슷한 샘 '천'을 성으로 쓰게 된 것이다. 668년 나당 연합군이 평양성을 함락할 때 그도 이 대열에 가담했다. 고국을 멸망시키는 데 앞장섰던 것이다.

연개소문이 657년에 사망함에 따라 그를 중심으로 형성된 고구려 체제는 급격히 약해졌고 이는 다시 고구려·백제 동맹의 약화로 이어졌다. 그 결과 연개소문의 사망은 의자왕 정권을 동요시켰다. 이것이 백제와 고구려의 연이은 멸망을 초래했다. 이로써 한민족에는 을지문덕과 연개소문의 서진주의를 계승할 만한 파벌이 한동안 나타나지 않게 되었다. 고구려가 멸망한 뒤에 대조영이 발해를 세웠지만, 고구려 고토를 회복하는 데만 중점을 두고 중국 본토를 공략하는 데는 주력을 기울이지 않았다.

제1장 창검의 시대

13 한민족의 역사를 바꾼 비주류 연대

김춘추는 우리 역사에 부정적 영향을 끼쳤다. 그의 시대에도 삼한三韓 통일에 대한 사회적 열망이 있었다. 『삼국유사』 「기이」 편에 따르면, 고려 왕건의 통일 때도 그런 의식이 있었다. 삼한은 세 개의 나라가 아니라 한민족 전체를 상징했다. 고조선이 세 개의 '한'으로 구성되어 있었기 때문이다. 즉, 삼한은 우리 민족 전체를 상징하는 표현이었다. 그런 열망이 있었기에 고구려·백제·신라·가야가 수백 년간 통일 전쟁을 벌인 것이다. 이런 삼한 의식이 김춘추 시대에도 있었다. 이것은 그 시대 사람들도 고구려·백제를 동족으로 생각했다는 뜻이 된다. 그런데 김춘추는 외세의 힘을 끌어들여 두 나라를 멸망으로 밀어 넣었다. 그의 선택은 우리 민족의 강역을 축소시키는 결과를 초래했다.

연개소문과 의자왕의 연합으로 구축된 서진주의는 당나라 패

태종무열왕릉비. 태종무열왕인 김춘추는 여러모로 신라의 비주류에 속한 인물이었다.

권주의에 맞서는 보루였다. 김춘추는 그런 서진주의를 외세의 힘으로 분쇄하고 당나라의 영향력을 강화시켜 놓았다. 한민족이 살아 있는 한, 김춘추는 대대로 비판을 면할 수 없을 것이다.

그런데 그런 부정적인 면만 보고 김춘추에 대한 고찰을 끝낼 수는 없다. 그가 역사에 끼친 영향도 심대하지만, 그가 그것을 이루는 과정도 독특했다. 그렇기 때문에 그의 과오를 단호하게 비판하되, 그가 어떻게 그런 일을 성취했는지를 살펴보고 넘어갈 필요가 있다.

김춘추는 654년에 등극하기는 했지만, 본래 불리한 입장에 놓여 있었다. 할아버지 진지왕이 폐위를 당했기 때문에 그는 비주류 왕족으로 살 수밖에 없었다. 따라서 정상적인 경우에는 왕이 되기 힘들었다. 이런 그가 신라 왕권을 차지한 데는 비주류들의 연합이 크게 작용했다. 그는 가야 출신으로서 왕족이 아닌 김유신과 손을 잡았다. 비주류 귀족을 동지로 선택한 것이다. 또 그는 여성인 선덕여왕을 보좌했다. 신라 사회에서는 여성의 지위가 높았지만, 여성이 왕이 되는 것에 대해는 약간의 부정적 시선이 있었다. 김춘추는 그런 선덕여왕을 보좌했다. 그래서 선덕여왕·김춘추·김유신 조합은 완전히 비주류들의 연합이었다.

비주류는 주류의 사고에 의존하지 않는다. 김춘추는 여러 모로 발상의 전환을 했다. 백제가 자기 딸 부부를 죽이고 신라의 존망까지 위협하는 상황에서 그는 백제를 물리칠 생각으로 전혀 엉뚱한 발상을 해냈다. 고구려와 일본에 차례로 동맹을 제안한 것이다. 김춘추는 신변의 위험을 무릅쓰고 하필이면 백제와 가까운 나라들만 골라서 찾아갔다. 대담하고도 엉뚱한 행동이었다. 두 곳에서 모두 퇴짜를 맞은 그는 결국 당나라를 동맹으로 끌어들이는 데 성공했다. 이것을 기반으로 그는 백제에 대한 한을 풀었다. 이러한 기반을 닦고 죽음으로써 아들 문무왕이 당나라와 합세해 고구려를 멸망시킬 수 있도록 해 놓았다. 이렇게 해서 신라는 한반도에서 가장 강력한 나라가 되었다. 비주류였던 김춘추가 신라 역사의 신기원을 연 것이다.

김춘추는 또 다른 면에서도 신기원을 이룩했다. 그때까지 신라에서는 왕비족과 결혼해야만 왕족이 될 수 있었다. 그런데 그의 부인인 김문희는 가야 혈통으로 신라 왕실 사람이 아니었다. 김춘추는 그런 김문희와 결혼해서 왕이 되고 부인을 왕비로 만들었다. 혈통 면에서 김춘추는 완전히 새로운 왕이었던 셈이다.

『삼국사기』「신라본기」에 따르면, 말기의 신라인들은 역대 임금들을 성골과 진골로 분류했다. 마지막 성골 임금은 진덕여왕이고 최초의 진골 임금은 김춘추였다. 성골과 진골의 분류 기준을 놓고 학설이 많지만, 김춘추의 혈통과 결혼 관계를 놓고 보면 문제가 간단해진다. 김춘추가 이전 왕들과 다른 것은 부인이 왕비족이 아니라는 점이었다. 왕비족인 어머니와 왕족인 아버지 사이에서 태어나 왕비족과 결혼한 사람이 왕이 되는 게 신라의 법도였다. 김춘추 이전의 왕들은 이런 법도에 부합했다. 김춘추는 이런 법도를 깼다. 그래서 김춘추 이후의 왕들도 자동적으로 그 법도와 무관하게 됐다. 이런 점을 보면 김춘추 이전에는 '왕비족 어머니, 왕족 아버지, 왕비족 아내'라는 조건을 갖춰야 성골로 인정되고 그렇지 않으면 진골로 인정됐음을 알 수 있다. 이렇게 김춘추는 사회적 조건과 정치적 선택에 이어 혈통마저도 비주류였던 것이다.

고구려·백제는 당나라의 위협에 맞서 슈퍼 정권을 탄생시켰다. 연개소문 정권뿐만 아니라 의자왕 정권도 슈퍼 정권이었다. 『삼국사기』「백제본기」에 따르면 멸망 3년 전인 657년에 의자왕은 자기 아들 41명을 한꺼번에 장관급인 좌평에 임명했다. 이 정도로 그는 막강한 권력을 행사했다. 멸망 5년 전까지 그는 신라와의 전쟁에서 100개 정도의 성을 빼앗았다. 이만한 군사적 성과가 있었기에 아들 41명을 좌평에 기용하는 권세도 부렸을 것이다.

이에 비해 신라에서는 상대적으로 약한 정권이 출현했다. 비주류들의 연대로 조합된 약체 정권이 등장한 것이다. 김춘추·김유신이 떠받치는 선덕여왕·진덕여왕 정권이 가고, 654년에는 김춘추 정권이 탄생했다. 이전의 성골 정권들과 다른 진골 정권으로 약체 정권이 분명했지만, 이 정권은 대담하고도 엉뚱한 발상으로 위기 극복에 나섰다. 그것이 우리 민족의 강역 축소를 불러오기는 했지만, 적어도 신라인의 입장에서 보면 나라를 살린 발상이었다. 이 같은 비주류들의 등장이 신라 역사뿐만 아니라 고구려·백제의 역사까지 바꾸어 놓는 결과를 초래했다. 중국을 위협하는 고구려·백제의 서진주의가 엉뚱하게도 신라 내부의 비주류 조합에 의해 깨지고 말던 것이다.

14 사대파의 집권과 쟁장 논란

고구려·백제가 사라진 뒤로 한민족은 중국 진출을 시도하지 않았다. 중국 진출을 시도하는 정치 파벌도 뚜렷이 나타나지 않았다. 발해도 마찬가지였다. 732년에 발해는 당나라의 등주를 공격했다. 등주는 인천 맞은편인 산둥 성의 북부 지방으로 만주·한반도·일본과 중국을 이어 주는 곳이었다. 발해의 등주 공격은 중국 정복을 위한 것은 아니었다. 외교적 목적을 노린 군사 행동인 동시에, 왕실 내부의 분규를 해결하기 위한 것이었다.

유득공은 『발해고勃海考』에서 732년 등주 공격의 경위를 설명했다. 발해 동북쪽에는 흑수말갈족이 있었다. 동아시아 동쪽 끝이라 외교 관계를 맺기 불편했던 흑수말갈은 발해를 통해 이 문제를 해결했다. 발해의 중개를 매개로 서쪽 당나라나 돌궐족과 교류한 것이다.

그랬던 흑수말갈이 발해 제2대 무왕 때인 726년에 발해를 통

제1장 창검의 시대

하지 않고 단독으로 당나라와 교류했다. 무왕은 동생 대문예에게 흑수말갈을 응징하도록 했다. 하지만 대문예는 말을 듣지 않았다. 당나라에서 인질 생활을 한 적이 있는 그는 당나라와의 충돌을 꺼려 했다. 당나라 사람들이 그에게 당나라의 국력을 보여 주었기 때문이다. 그는 흑수말갈을 공격하면 당나라가 발해를 침공할 거라며 무왕을 만류했다. 무왕은 이를 무시하고 대문예에게 진군을 명령했다.

확신을 갖지 못한 상태에서 대문예는 군대를 끌고 출정했다. 흑수말갈과의 국경에 도달한 그는 진군을 멈추었다. 무왕에게 다시 한 번 재고를 요청하기 위해서였다. 대문예의 요청을 받은 무왕은 안 되겠다는 생각이 들었다. 그래서 사령관을 사촌형 대일하로 교체하고 대문예를 소환했다. 처벌을 겁낸 대문예는 그 길로 당나라로 망명했다. 당나라 현종은 발해를 견제할 목적으로 대문예를 감싸 주었다. 이 때문에 발해와 당나라의 관계가 악화되고 이것이 732년 등주 침공으로 연결되었다. 이처럼 발해의 당나라 침공은 서진주의에 입각한 게 아니었다. 당나라와 흑수말갈의 연계를 견제하는 동시에 대문예로 인한 발해와 당나라의 갈등을 해결하기 위한 것이었다.

등주 침공 같은 사건은 발해와 당나라 관계에서 예외적인 현상이었다. 이런 예외를 제외하면 양국 관계는 대체로 평화적이었다. 이 점은 발해가 당나라를 제압하려 하기보다는, 신라와 당나라를 이간하고 당나라를 자기편으로 만들려 했다는 점에서도 드러난다. 이것을 상징적으로 보여 주는 것이 897년 발해 경왕 때의 쟁장爭長 사건이다.

최치원

쟁장은 윗자리를 놓고 쟁탈한다는 의미의 사건이다. 『동사강목』 제5권에 따르면, 이 일은 당나라를 방문한 발해 사신 대봉예가 당나라 정부에 문제를 제기한 데서 발단했다. 대봉예는 "발해 사신이 신라 사신보다 상석에 앉을 수 있도록 해 달라"고 요구했다. 당나라가 주관하는 외교 모임에서 발해보다 작은 신라가 상석을 차지해서는 안 된다고 주장한 것이다. 당나라를 자기편으로 끌어들이려고 외교적 경쟁을 벌였던 발해와 신라의 분위기를 보여 주는 대목이다.

그 요청에 대해 당나라 황제 소종은 '기각 결정'을 내렸다. 당나라 입장에서는 발해보다는 신라가 동맹국으로서 더 소중했다. 그래서 당나라는 신라를 발해보다 상석에 놓는 입장을 고수했다. 이런 조치에 대해 신라 정부는 감사의 뜻을 표하지 않을 수 없었다. 이때 신라 희강왕이 당나라 소종에게 보내는 감사 편지를 작성한 사람이 최치원이다. 제후가 황제에게 올리는 문서인 표문表文 형식으로

제1장 창검의 시대

작성된 이 서신의 제목은 '사불허북국거상表謝不許北國居上表'다. 북국, 즉 발해가 윗자리에 앉는 것을 불허한 데 대한 감사의 표시로 올리는 표문이라는 뜻이다. 이 글에서 최치원은 발해를 소꼬리 정도의 나라로 폄하하면서 "그들은 소의 꼬리가 된 것을 수치로 알고 용의 머리가 되겠다는 엉뚱한 꿈을 꾸고 처음부터 아무 거리낌 없이 함부로 지껄여 댔습니다"라고 말했다.

대봉예의 요청이나 최치원의 글에서 느낄 수 있는 것처럼, 신라와 발해가 남북국을 이룬 시대에서 서진주의를 기치로 정권을 잡거나 유력 파벌을 형성하는 일은 생기지 않았다. 이 시대에는 중국에 대해 사대적 입장을 취하는 세력만이 주도권을 잡을 수 있었다. 발해와 신라 두 나라는 당나라의 패권을 인정했다. 이런 가운데서 두 나라는 당나라와의 무역 관계를 중시했다. 이를 통해 경제 발전을 도모한 것이다. 발해 때는 만주 지역의 농업 경제가 비약적으로 성장했다. 동아시아 질서가 당나라를 중심으로 안정됐기에 경제 개발에 전념하는 게 가능했다. 풍토가 이랬던지라 이 시기에는 한민족 내부에서 서진파 같은 그룹이 정치적 영향력을 갖기 힘들었다. 이런 분위기 속에서 사대파의 집권은 이어졌다.

　　백제와 고구려의 멸망 이후 사대파가 전체적으로 한민족 사회의 정권을 잡았지만, 남북국 시대가 저물면서 변화가 생기기 시작했다. 우선, 신라는 견훤과 궁예의 도전을 받게 되었다. 발해는 거란족의 공격을 받았다. 이런 상황이 변화를 낳았다. 백제와 고구려를 멸망시킨 신라가 약해지자, 두 나라를 계승해서 새로운 시대를 열어야 한다는 생각이 사람들의 마음을 사로잡기 시작했다.

　　867년 경상도 상주 세력가의 아들로 출생한 견훤은 15세에 아버지와 결별했다. 그렇게 가출한 뒤에 신라군에 입대해 직업 군인의 길을 걸었다. 그러다가 26세 때인 892년 지금의 전라도 광주에서 정부를 수립하고 왕위에 올랐다. 신라군 졸병으로 입대해 자기가 세운 나라의 총사령관이 되는 데 걸린 시간은 불과 11년이었다. 계속해서 세력을 확장한 그는 8년 뒤인 900년, 지금의 전라도 전주에 도

경기도 안성시 죽산면의 칠장사에서 찍은 궁예 상상화

읍을 설치하고 후백제 건국을 선포했다. 이로써 전라도 곡창 지대를 장악한 견훤은 한반도에서 가장 강력한 지배자로 떠올랐다. 경상도 출신인 견훤이 전라도에 가서 후백제를 세웠으니, 그것만으로도 대단한 이력의 소유자라 할 수 있다.

견훤의 후백제 건국은 신라를 급격히 분열시키는 결과를 초래했다. 후백제가 수립되자, 이듬해 901년에 후고구려가 등장했다. 이렇게 해서 한민족 천하는 발해·후백제·후고구려·신라의 사국 시대로 재편되었다. 고구려·백제 멸망 이전의 시대로 회귀한 것이다. 견훤의 건국은 한반도뿐 아니라 동아시아 전체에도 영향을 줬다. 후백제·후고구려의 등장으로 한반도가 분열된 뒤, 중국에서는 907년 당나라가 망하고 5대 10국 시대로 돌입했다. 5개의 중앙 왕조와 10개의 지방 정권이 대립하는 시대로 들어선 것이다. 더불어 북방 초원 지대에서는 거란족이 강해지면서 발해를 위협하고 나섰다. 이처럼 견훤의 후백제 건국 당시 동아시아는 격동의 수렁에 빠져 있었다.

궁예는 고려란 국호를 사용했다. 고려는 고구려와 통용됐다. 역사가들은 그의 나라를 주몽의 나라와 구별할 목적으로 후고구려라고 부른다. 고려라는 국호를 사용함으로써 궁예는 고구려의 영광을 회복하겠다는 의지를 천명했다. 중국을 상대로 진취적 태도를 취하던 옛 제국의 영광이 대중의 가슴속에서 향수로 자라나도록 한 것이다.

물론 고려 국호를 사용하고 고구려 계승 의식을 표방했다 해서, 곧바로 중국 대륙으로 진출을 시도한 것은 아니다. 하지만 멸망 당시를 포함한 대부분의 기간 동안에 고구려는 중국 대륙에 대한 지향성을 표출했다. 그렇기 때문에, 고구려 계승 의식을 표방한 것은 궁예가 을지문덕과 연개소문의 정신적 계승자임을 보여 주는 것이었다. 을지문덕이나 연개소문 때는 중국이 고구려의 서쪽에 있었지만, 궁예의 시대에는 중국에 가려면 일단 북쪽으로 올라가야 했다. 그래서 고구려 때의 서진주의는 궁예 때 북진주의로 변형되어 있었다.

궁예의 의식은 그를 배반하고 권력을 찬탈한 왕건에게도 이어졌다. 송악, 즉 개경 호족 출신인 그는 지역 기반인 황해도 귀족들을 토대로 하고, 독립적 성향을 띤 후고구려 지방 세력들을 끌어들여 정권 기반을 구축했다. 호족 연합 정권을 세운 것이다. 이런 토대

제1장 창검의 시대

위에서 그는 북진주의 성향을 띠는 파벌을 구성했다. 이 세력이 고려의 중심 세력으로 자리 잡았다. 그 세력을 토대로 왕건은 견훤에 대한 우위를 확보했다. 후백제의 우세로 전개되던 한반도 질서는 왕건에 의해 확실하게 고려의 우세로 전환됐다.

북진주의 입장에 선 왕건이 신라와 후백제를 흡수했지만, 북진주의가 실천으로 옮아갈 수는 없었다. 북쪽에는 발해를 멸망시키고 신흥 최강자로 떠오른 거란족이 버티고 있었다. 그래서 신중하지 않을 수 없었다. 왕건은 절충적 방법을 택했다. 서경을 한반도 북부인 평양에 설치함으로써 북진주의를 표방하되, 왕궁은 한반도 중심부인 개경에 둠으로써 북진주의를 미래의 과제로 유보하는 것이었다. 이념적으로만 북진주의를 표방하고 나라의 안정에 주력하는 전략을 구사한 것이다.

이념적으로라도 북진 정책을 추진하는 상황은 이를 모티브로 사람들이 조직될 수 있는 여지를 남겼다. 그런데 그런 정책이 현실이 될 수는 없었다. 그러다 보니 북진을 모티브로 사람들이 뭉친다 해도, 그들은 왕조의 비주류가 될 수밖에 없었다. 그렇게 뭉친 사람들이 나중에 승려 묘청을 중심으로 결집했다. 서경에 거점을 둔 북벌파가 바로 그들이었다. 1120년대 후반의 일이었다.

1120년대 후반, 서경에서 새로운 힘이 모아졌다. 건국한 지 약 200년 이상 지난 고려 왕조의 전환점을 모색하는 힘이었다. 이런 힘이 모일 수 있었던 것은 당시 인종 임금 시대의 정치적 혼란 때문이었다.

인종 시대에는 살육전이 유난히 심했다. 왕실 사돈인 이자겸이 관료 세력의 리더인 한안인을 제거했다. 그 뒤 척준경 장군과 손잡고 왕권을 유명무실하게 만들었다. 그러자 인종의 측근들인 지녹연·최탁 등이 군대를 동원했다. 이자겸·척준경 세력을 공격한 것이다. 그러자 이자겸·척준경은 수십만 군대를 동원해 왕궁을 포위하고 인종의 측근 세력을 제거했다.

인종은 장인인 이자겸에게 왕권을 내줄 뻔한 상황까지 내몰렸다. 이자겸은 왕권을 받으려 했지만 신하들의 반대로 실현되지 않았다. 이자겸의 권세가 역성혁명을 가능케 할 정도는 아니었던 것이다. 왕씨의 종묘사직은 지켰지만, 이자겸 등쌀에 왕권을 행사할 수 없었던 인종은 상황 돌파를 위해 승부수를 던졌다. 인종은 이자겸과 척준경 사이의 경쟁심을 이용해 척준경을 끌어들인 뒤 척준경과 손잡고 이자겸을 제거했다. 그런 다음에는 척준경까지 무너뜨렸다. 서경에서 새로운 힘이 생기고 있을 때, 개경에서는 이런 대혼란이 벌어지고 있었다.

개경에서 살육전이 이어지자 "개경 땅의 덕이 다 됐다"는 말이 입에서 입을 건너 퍼져 나갔다. 인종도 개경 땅과 개경 귀족들에게 싫증을 내기 시작했다. 이런 분위기 덕에 서경 천도론이 힘을 얻었다. 도읍을 서경으로 옮기자는 목소리가 갈수록 힘을 받기 시작했다. 그 중심에 승려 묘청이 있었다. 묘청이 새로운 흐름을 주도한 것이다.

바로 이때 중국 대륙에서는 여진족이 세운 금나라가 급부상하는 중이었다. 여진족은 말갈족의 업그레이드판이었다. 말갈족은 발해에 속한 종족이었다. 발해가 926년에 멸망하자, 위기의 말갈족을 여진족으로 개편한 신라인이 있었다. 금나라 역사서 『금사』에 따르면 신라인 김함보였다. 김함보가 말갈족으로 간 것은 왕건의 꼴이 보기 싫어서였다. 하지만 그의 아버지 김행은 왕건을 좋아했다. 김행은 안동 지방의 세력가로 고려군이 안동에서 후백제군을 대파하는 데 조력을 베풀었다. 이를 통해 대세가 고려 쪽으로 기우는 데 기여했다. 그 공로로 김행은 권씨 성을 하사받고 안동 권씨의 시조가 됐다. 하지만 김함보는 왕건을 거부하고 말갈족으로 망명한 뒤 이 종족을 여진족으로 재편했다.

여진족이 금나라를 세운 뒤 김함보는 시조 황제로 추대되었다. 김함보의 7대손인 금나라 태종 때 여진족은 동아시아 패권국이 되었다. 금태종의 재위 기간인 1125년 금나라는 송나라(북송)와 연합해 요나라를 멸망시키고, 1127년에는 북송마저 멸망시킴으로써 무적의 강국이 되었다. 이 과정에서 여진족은 과거의 상국上國인 고려를 신하국으로 만들었다. 한민족과의 전통적 관계를 역전시킨 것이다.

이런 상황은 고려인들의 자존심을 긁었다. 전통적으로 한민족을 떠받들던 여진족에게 허리를 숙여야 했기 때문이다. 그런 상황은 동시에 고려인들의 마음을 흔들었다. 여진족이 북중국의 주인이 되는 모습은 고려인들의 마음에 '우리도 할 수 있다'는 자신감을 심어 주었다. 그런 자신감이 묘청을 중심으로 하는 서경 사람들을 단결시키는 작용을 했다. 이들의 가슴에 북벌의 봄바람을 심어 준 것이다. 개경에 싫증을 내던 고려 인종은 이런 서경의 분위기에 힘을 실어 주었다. 묘청의 서경 천도 운동과 북벌 운동을 응원한 것이다.

태조 왕건은 943년 7월 4일 세상을 떠났다. 『고려사』에 기록된 음력 날짜는 5월 29일이다. 죽기 한두 달 전인 음력 4월에 왕건은 훈요십조訓要十條를 남겼다. 그 제5조가 바로 서경에 대한 것이다. 『고려사절요高麗史節要』「태조신성대왕」편을 근거로 제5조의 전문을 수록한다.

제1장 창검의 시대

짐은 삼한 산천의 보이지 않는 도우심에 힘입어 대업을 성취했다. 서경은 수덕水德이 순조로워 우리나라 지맥의 근본이 되니, 사계절의 중간 달에는 반드시 행차하여 100일이 넘도록 머묾으로써 나라의 안녕을 이루도록 하라. 심중에 이를 간직하라.

건국 시조가 유언을 남기면서까지 서경을 중시할 것을 당부했으니, 인종이 묘청의 운동을 지원하는 것은 명분상으로도 합당한 일이었다. 상황이 이대로 흘러갔다면, 고려는 건국 2세기 만에 서경으로 도읍을 옮기고 북방 진출을 추진하는 나라가 되었을 것이다.

하지만 인종은 서경으로 천도할 듯한 움직임만 보였을 뿐 신속한 행동을 보이지는 못했다. 이러는 사이에 김부식을 비롯한 사대주의 세력이 서경 천도 반대 운동을 벌였다. 이들은 금나라가 새로운 최강국이 된 현실을 인정하고 싶어 했다. 고려가 과거의 영광에 젖어 대륙 진출을 도모하는 것은 위험하다고 판단한 것이다.

이 무렵 서경 천도에 재를 뿌리는 사건들이 발생했다. 악재들이 터진 것이다. 서경에 새로 건설한 왕궁인 대화궁이 준공된 직후였다. 이 궁전에 벼락이 떨어졌다. 인종이 서경에 행차할 때는 갑자기 폭풍우가 몰아쳐 이로 인해 인명 손실이 발생했다. 불길한 일들이 터지자 서경 천도 반대론이 힘을 얻었고, 결국 인종은 여론에 밀려 천도론을 백지화시켰다.

서경 천도를 굳게 확신했던 묘청은 마음이 조급해져 급한 나머지 행동에 나섰다. 1135년 그는 서경에서 새로운 나라를 선포했다. 천도가 아니라 건국으로 방향을 튼 것이다. 국호는 대위大爲였다. 북진을 국시로 내건 나라를 묘청은 이렇게 성급하게 선포했다. 개경 정부도 가만히 있을 수 없었다. 김부식을 중심으로 토벌대를 꾸렸다. 묘청 세력은 결국 김부식에 의해 종말을 맞이했다. 북진파가 사대파의 공격을 받고 사라진 것이다.

묘청과 김부식의 대결에 중대한 의미를 부여한 역사학자가 바로 신채호였다. 『조선사 연구초』에 실린 논문에서 그는 둘의 대결을 '조선 역사상 1천 년 이래의 최대 사건'으로 평가했다. 논문 제목도 따옴표로 묶인 그대로였다. 신채호는 이렇게 말했다.

이 전쟁은 화랑·불가佛家 대 유가儒家의 싸움이고 국풍파 대 한학파의 싸움이고 독립당 대 사대당의 싸움이고 진보 사상 대 보수 사상의 싸움이었다. 묘청은 전자의 대표이고 김부식은 후자의 대표였다. 이 전쟁에서 묘청이 패하고 김부식이 이겼으므로 조선 역사가 사대적·보수적·굴종적 사상, 곧 유교 사상에 정복된 것이다. 만약 이와 반대로 김부식이 패하고 묘청이 이겼더라면 조선 역사는 독립적·진보적 방향으로 전진하였을 것이니, 이 전쟁을 어찌 1천년 이래 최대 사건이라 하지 않겠는가.

여기서 묘청을 '불가'의 편이라 하지 않고 '화랑·불가'의 편이라고 칭한 점에 주목할 필요가 있다. 이는 그가 완전한 불교 승려는 아니었기 때문이다. 옛날 한국 승려들의 상당수가 그랬던 것처럼 그도 절반은 불교 승려, 절반은 신선교 교인이었다.『고려사』「묘청열전」에 따르면 그는 서경에 팔성당이란 신선교 건물을 세운 뒤 여덟 선인仙人인 팔선의 초상화를 안치했다. 이렇게 신선교 신앙을 갖고 있었고 그것이 화랑도에도 있었기에 신채호가 묘청을 화랑의 편에 넣은 것이다.

묘청은 연개소문 이후로 근 500년 만에 등장한 서진파·북진파였다. 하지만 묘청은 김부식에게 패배했다. 이 패배를 계기로 이 땅에서는 한동안 북진파를 찾아보기 힘들게 되었다. 이런 분위기를 반영한 이 시대의 역사서가 김부식의『삼국사기』다. 이 책에서는 고조선 역사를 우리 역사에서 제외했을 뿐만 아니라, 고구려의 중국 점령을 최소한으로 소개하는 한편, 백제의 중국 점령은 아예 소개하지도 않았다. 중국 역사서에도 소개된 백제의 요서 지역 점령을 아예 감추어 버린 것이다. 김부식이 이렇게 한 것은 묘청의 대륙 진출을 꺾고 정권을 잡은 자신을 합리화하려면, 한민족은 한반도에서 살아야 한다는 관념을 퍼뜨려야 했기 때문이다. 이로써, 훗날 정도전이 요동 정벌을 추진할 때까지는 북벌을 모티브로 뭉치는 정치 파벌이 등장하지 않게 되었다.

17 무사 파벌의 헤게모니 탈환, 1170년 무신 정변

　한국인들은 자기 나라를 선비의 나라로 생각하는 경향이 있다. 글 읽는 선비들이 지배해 온 민족으로 생각하는 것이다. 흔히 사무라이로 불리는 무사들이 지배했던 일본과는 전혀 다른 민족이라고 인식한다.

　『조선상고사』에 따르면, 선비란 표현은 선배라는 우리말에서 나왔다. 선배는 고조선 국교인 신선교의 교도를 지칭했다. 선배를 이두로 표현한 글자가 선인仙人 혹은 선인先人이었다. 선仙과 선先은 '선'이란 음에 근거한 것이고, 인人은 '배'의 뜻에 근거한 것이다. 선배들은 신선교 수행자들인 동시에 무사들이었다. 선배의 후예인 조의선인과 화랑, 재가화상도 무사였다. 이렇게 신선교 수행자를 지칭했던 표현이 나중에는 유교 수행자를 가리키는 표현으로 바뀌었다. 그렇기 때문에 선비는 원래는 문인이 아니라 무인을 가리키는 말이었다.

우리는 '선비' 하면 신선교 선비가 아니라 유교 선비를 연상한다. 유교적 개념의 선비들이 전통적으로 우리 민족을 이끌었다는 게 우리의 관념이다. 그래서 1170년에 고려 장군 정중부가 일으킨 무신 정변을 우리 역사 속의 일탈 정도로 생각한다. 그로부터 1세기 동안 연속된 무신 정권을 우리 역사 속의 예외적 기간으로 평가하는 것이다.

하지만 1170년에 그 일을 목격한 사람들도 그랬을까? 그들도 무신들의 세상을 아주 낯설게 받아들였을까? 물론 그 시대 사람들도 어려서부터 문신의 지배를 경험했다. 그렇기 때문에 그들도 무신 정권을 생애 최초로 체험했다. 하지만 무신의 지배가 그들의 관

「사인시음(士人詩吟)」, 강희언 그림. 우리가 흔히 생각하는 선비의 모습은 이 그림과 비슷하다. 하지만 애초에 선비란 말은 신선교 수행자를 가리키는 말이었다.

념 속에서 낯선 것은 아니었다. 그들은 "2백 년 전까지만 해도 무사들이 세상을 지배했다"는 말을 듣고 자랐을 것이다. 그렇기 때문에 1170년 무신 정변이 아주 이질적으로 느껴지지는 않았을 것이다.

우리 역사에서 과거 시험 제도가 본격 시행된 것은 고려 광종 때인 958년이다. 이때부터 시행된 것은 문과 시험이다. 무과 시험이 법제화된 것은 고려 말인 1390년이다. 이성계가 추대한 공양왕이 임금이었을 때였다. 하지만 무과가 실제로 시행된 것은 조선 시대에 들어서였다. 그렇기 때문에 광종 이후로 실시된 것은 문과 시험뿐이었다.

과거 시험이 시행되기 전에는 주로 가문의 지위를 이용해 관직을 받았다. 군주의 전격적 결단이나 전쟁 공로 덕에 신인 관료가 등장하는 예도 없지 않았지만, 일반적인 경우는 아니었다. 지금은 가문이 혈연 단체의 기능밖에 하지 못하지만, 조선 시대까지만 해도 그에 더해 기업·정당·학교의 역할까지 겸했다. 이런 기능을 구비한 가문은 귀족 가문일 수밖에 없었다. 귀족 가문 내에는 정치나 행정을 할 사람들이 있었다. 옛날 사람들의 눈에는 군주가 주요 가문에서 신인 관료를 뽑는 게 이상한 일이 아니었다.

그렇게 관료로 선발된 사람들은 주로 무사의 모습을 띠었다. 과거제 시행 이전만 해도 한국의 귀족은 기본적으로 무사였다. 지금 우리는 파벌 투쟁 방식의 3단계 중 첫 번째인 창검의 시대를 살펴보고 있다. 창검의 시대라는 명칭에 걸맞게 고려 초기까지만 해도 이 땅의 지배층은 창검을 잘 다루는 사람들이었다. 이들은 경제적으로

제1장 창검의 시대

는 노비와 토지를 대규모로 보유한 상류층이었다. 이런 점에서는 조선 시대 지배층과 별반 다를 바 없다. 하지만 이들은 붓과 종이보다는 활과 칼을 잘 썼다. 무사의 외형을 갖고 있었던 것이다.

귀족들이 무사가 되는 것은 당연했다. 과거 제도가 없던 시절에는 귀족 자제가 장기간의 수험 생활을 할 필요가 없었다. 가문을 배경으로 관직을 얻었기 때문에, 가문 내에서 인정을 받는 게 중요했다. 귀족 가문에는 노비들로 형성된 사병 부대가 있었다. 가문 내에서 인정을 받으려면 이런 사병들을 잘 다스려야 했다. 사병들을 거느리자면, 책보다는 칼을 더 많이 잡을 수밖에 없었다.

또 958년 이전에는 무사의 길이 엘리트가 되는 가장 유력한 길이었다. 고구려에서는 조의선인 출신들이, 신라에서는 화랑 출신들이 장군이나 관료가 되는 첩경이었다. 백제나 가야의 경우에는 정확한 자료가 없지만, 이 나라들도 고구려·신라와 같은 문화권이었기 때문에 사정이 다르지 않았을 것이다. 따라서 광종 이전에는 무사들이 사회를 이끌어 나갈 수밖에 없었다. 그랬던 무사들이 과거 시험의 정착을 계기로 영향력을 잃었다. 문신의 시대가 도래한 것이다.

광종의 과거 시험 실시는 목숨을 건 도박이었다. 이것은 고려 지배 체제의 근간을 뒤흔드는 혁신적 사건이었다. 고려는 호족 연합 정권이었다. 왕건은 물론 그 이전 궁예 때부터 그랬다. 중앙의 왕이 지방의 호족들을 살살 받들어야 했다. 왕건의 제4왕자이자 제4대 주상인 광종은 이런 현실을 타개하지 않고는 왕실이 제 기능을 할 수 없다고 판단했다. 호족들을 제압해 왕실이 위상을 찾도록 하고자 벌인 일이 바로 과거 시험 실시였다.

그런데 그것은 쉬운 일이 아니었다. 광종도 그 점을 잘 알았다. 그는 25명의 왕자 틈에서 왕이 됐다. 호족들의 지원이 없으면 불가능한 일이었다. 광종은 호족의 힘을 잘 알고 있었고, 호족에 대한 고마움도 있었다. 그래서 과거 시험을 섣불리 시행할 수 없었다. 그는 949년에 시작해 975년에 끝난 27년간의 집권 기간 중에서 처음 7년간은 본심을 숨겼다. 집권 7년차까지는 호족들을 잘 대우하며 그들이 부와 권력을 늘릴 수 있도록 배려해 주었다.

그러다가 8년차부터는 호족의 힘을 단계적으로 빼는 작업을 전개했다. 8년차인 956년에 벌인 일이 노비안검법奴婢按檢法이다. 부당하게 노비가 된 사람들을 원래 신분인 양인良人으로 되돌려 주는 조치였다. 불쌍한 노비들을 구제한다는 명목을 내세웠지만, 실은 호족들이 보유한 노비 숫자를 감소시키기 위한 것이었다.

이를 통해 호족의 힘을 어느 정도 빼놓은 뒤에 벌인 게 과거 시험 실시이다. 숨어 있는 유능한 인재를 발굴해 낸다는 명목이었지만, 이 역시 호족들을 견제하기 위한 방안이었다. 호족들이 차지한 관직이 중하위 귀족이나 평민에게 돌아가도록 하기 위한 방편이었다.

또 다른 의도도 있었다. 지배층의 색깔을 무사에서 문사로 바꾸기 위한 동기도 있었다. 왕실 입장에서는 귀족들이 칼을 들고 다니기보다는 붓을 들고 다니는 게 안전했다. 귀족의 옷에 피보다는 먹이 묻는 게 나았던 것이다. 물론 붓의 힘이 사실은 더 위대하지만, 당장에 정권을 지키는 데는 칼을 줄이고 붓을 늘리는 게 유리했다.

귀주대첩을 승리로 이끈 명장 강감찬도 무신이 아닌 문신이었다.

무신 정권의 등장으로 명목상 군주로 추락한 1185년경 이후의 일본 왕들을 생각하면, 광종의 조치는 고려 왕실을 위한 선제적 예방 조치였던 셈이 된다.

광종의 시대는 창검의 시대였다. 창검의 시대에 태어난 광종은 창검을 잘 다루는 사람보다는 붓을 잘 다루는 사람이 엘리트가 될 수 있도록 배려했다. 그런 의미에서 과거 시험 실시는 역사적인 사건이었다. 광종에게는 일생일대의 모험이었다. 결국 그의 도전은 성공했다. 처음 7년간 광종을 극찬했던 호족들은 그 후에는 '저런 나쁜 놈은 없을 것'이라는 식으로 광종을 욕했다. 광종이 죽은 뒤에 최승로가 올린 상소문에 따르면, 고려 귀족들은 집권 12년차 이후의 광종 시대를 사람 사는 세상이 아니었다는 식으로 비판했다. 그만큼 호족들이 수난을 겪었던 것이다. 다른 말로 하면, 노비안검법과 과거 시험을 통한 호족 견제가 성공했다는 뜻이 된다.

정중부는 광종보다 2세기 뒤에 활약했다. 정중부 시대에는 이미 문신 지배가 확립되어 있었다. 심지어는 군대에서까지도 문신의 지위가 우월했다. 문신이 사령관이 되어 무사 부하들을 거느리는 게 관행이 된 것이다. 거란족을 상대로 귀주대첩(1019년)을 승리로 이끈 강감찬, 여진족을 상대로 동북 9성의 개척(1108년)을 이룩한 윤관도 무사가 아니라 문신이었다. 이렇게 정중부 시대는 이미 문인천하였다.

하지만 200년 전만 해도 무사가 세상을 지배했었다. 무사의 길을 걷는 사람들에게는 그만큼 과거에 대한 향수가 남아 있었을 것이다. 게다가 그들은 현재의 설움도 함께 느껴야 했다. 문신들로부터 이래저래 차별을 받아야 했기 때문이다. 승진상의 차별은 기본이고, 가끔은 육체적 치욕도 참아야 했다.

키가 7척이나 되었던 정중부도 초급 문신 김돈중에게 수모를 당했다. 김돈중이 촛불로 그의 수염을 불태운 것이다. 격분한 정중부는 김돈중을 흠씬 두들겨 패주었다. 이 일로 정중부는 김돈중의 아버지를 피해 한동안 숨어 살아야 했다. 김돈중의 아버지는 김부식이었다. 정중부는 인종 임금의 총애를 받았지만 인종도 김부식의 분노로부터 정중부를 지켜 줄 수 없었다. 인종이 해 줄 수 있는 일은 정중부를 도피시키는 것뿐이었다. 정중부도 이 정도였으니, 다른 무인들이 어떠했을지는 쉽게 짐작할 수 있다.

제1장 창검의 시대

무신 차별에 대한 불만은 오랫동안 무신 내부에 축적되었다. 그로 인한 분노는 무신들을 하나의 정치 파벌로 결집시켰다. 이들의 힘으로 1170년 무신 정변은 성공할 수 있었다. 무신 정변이 성공함에 따라, 문신 정계 내부에 존재하던 기존의 파벌 구도는 의미가 없게 되었다. 무신들이 문신 전체를 적대시함에 따라 무신 파벌과 문신 파벌이라는 양대 구도가 등장했고, 이 속에서 문신들이 일방적으로 핍박을 받았다. 이런 구도가 약 100년간 이어졌다. 무신 정권이 몽골과의 전쟁에서 패배함에 따라 그런 파벌 구도는 사라졌다. 이때가 1270년이었다. 한국사에서 무신 파벌이 정권을 잡은 것은 그로부터 정확히 691년 뒤다. 1961년 박정희가 쿠데타로 정권을 잡기 전까지 한국에서는 무신 세력이 정권을 잡지 못했다.

왕을 탄핵시킨 거세한 남자,
고용보

텔레비전 사극에서는 왕 옆의 내시들이 거세된 남자들로만 묘사된다. 엄밀히 말하면 '거세된'이 아니라 '거세한'이다. 궁에 들어가고자 남성성을 자발적으로 거세한 남자들이 드라마 속의 내시 자리를 차지하고 있다. 드라마에서는 목소리나 태도를 통해 그들의 남성성 상실을 암시한다.

그런데 자발적으로 거세한 남자들이 내시가 된 것은 한국에서는 천 년도 안 된다. 13세기 후반에 몽골의 간섭을 받은 뒤부터 그런 남자들이 내시로 충원됐다. 출세를 목적으로 스스로 고자가 되어 몽골 황궁에 들어가는 남자들이 많아지면서, 고려 왕궁에서도 이런 남자들을 내시로 고용하게 됐다. 『고려사』「환관열전」에서는 이렇게 적고 있다. 다음의 인용문에서 '그것들'은 몽골에 가서 고자가 된 남자들을 지칭한다.

잔인하고 요행을 바라는 자들이 '그것들'을 부러워하여, 아버지는 아들을 거세하고 형은 동생을 거세했다. 강포한 자들은 좀 분한 일이 생기면 스스로 거세했다. 거세한 사람들이 불과 수십 년 만에 매우 많아졌다.

'해외 취업'을 목적으로 고자가 되어 몽골로 이민 가는 이들이 많아지면서 고려 남자들 사이에서 거세가 유행했다. 이런 유행이 고려 왕궁의 내시를 고자로 바꾸어 놓은 것이다. 「환관열전」에 따르면, 유행이 바뀌기 전에는 '거세된' 남자들이 내시로 충원되는 예가 많았다. 어릴 때 개에 물려 비자발적으로 남성성을 상실한 사람들이 궁에 들어갔다. 하지만 이런 남자들로 내시 자리를 채우기에는 '사고'를 당한 남자들이 너무 적었다. 그래서 일반 남성들도 내시로 충원했다. 몽골 간섭 이전의 내시는 개에 물린 남자이거나 아니면 일반 남성이었다. 그러다가 몽골의 거세 문화가 들어온 뒤로 자발적 고자들이 내시 자리를 점거하게 된 것이다.

남자들이 몽골 황궁으로 몰려간 것은 벼락출세를 위해서였다. 몽골에서 기반을 잡은 뒤 그걸 바탕으로 집안 살림을 늘리려는 목적이었다. 이 시대의 비선 실세로 소개하고자 하는 고용보도 그런 사례에 속한다. 『고려사』 「고용보열전」에 따르면, 그는 본래 광산 노동자였다. 출세를 목적으로 그는 스스로 고자가 되는 결단을 내렸다. 그렇게 몽골 황궁에 들어간 그는 황제의 총애를 받아 권세를 움켜쥐게 되었다. 몽골 황자나 재상들까지도 그에게 굽실거렸다고 전해진다. 바로 이 고용보의 추천을 받아 몽골 궁녀가 된 사람이 기황후였다.

고용보는 몽골 조정 소속이었다. 그런데도 몽골과 고려의 종속적 관계를 이용해 고려 정치에 개입했다. 고려 내부의 정치 파벌에 속하지 않고도 몽골 황제의 총애를 바탕으로 영향력을 행사한 것이다. 그가 고려 정치에 개입한 대표적 사례로 충혜왕 탄핵을 들 수 있다.

충혜왕은 1330년 열여섯 살 나이로 왕이 됐다가 2년 뒤 폐위당했다. 1339년 스물다섯 살 나이로 다시 왕위에 올랐다가 5년 뒤에 재차 폐위되었다. 그는 국가 재정을 튼실하게 했지만, 그것을 무색케 하는 실정들을 저질렀다. 백성들의 집과 재산을 함부로 빼앗고, 신하들의 아내와 아버지의 후궁에 대해서까지 성폭행을 일삼았다. 또 하루가 멀다 하고 연회와 사냥, 공연 관람을 즐겼다.

이런 왕을 그냥 뒀다가는 고려에 대한 자국의 영향력까지 약해질지 모른다는 게 몽골 정부의 판단이었다. 그래서 충혜왕을 탄핵하기로 결정했다. 이때 고려에 미리 파견돼 충혜왕을 안심시키면서 탄핵을 도운 인물이 바로 고용보다. 그의 임무는 충혜왕을 체포할 몽골 사신들을 충혜왕이 아무런 경계심 없이 맞이하도록 분위기를 잡는 것이었다. 그는 임무를 성공시켰다. 충혜왕은 직무가 정지된 채 몽골에 끌려가 재판을 받았다. 그리고 재판 결과에 따라 귀양을 가던 도중에 목숨을 잃었다. 고용보는 충혜왕의 직무가 정지된 뒤에 고려에 남아 정국을 수습했다. 그 정도로 그는 고려 정치에 막강한 영향력을 발휘했다.

흥미롭게도 고용보가 충혜왕을 몽골 사신에게 넘기고 충혜왕의 직무를 정지시킨 날은 박근혜 대통령의 직무가 정지된 날로부터 정확히 673년 전이다. 국회 탄핵소추로 박근혜의 직무가 정지된 날은 2016년 12월 9일이다. 충혜왕의 직무가 정지되고 고용보가 직무를 대행하게 된 날은 계미년 11월 22일이다. 양력으로 하면 1343년 12월 9일이다. 황교안 총리가 대통령 권한 대행이 되기 673년 전에 고용보가 주상 권한 대행이 됐던 것이다.

18 사병 혁파와 문인의 주도권 확보

958년 과거 제도 시행을 계기로 성립된 문신 지배는 1170년 무신 정변으로 무너졌다. 무신 정권이 몰락한 1270년 이후로 문인 지배는 형식상 회복됐다. 하지만 몽골 간섭기에는 몽골과의 연줄로 출세하는 비非문인이 많았다. 그래서 문인의 지배가 전면적으로 회복됐다고는 말할 수 없다. 몽골 간섭기에 형성된 기득권층은 '권문세족權門勢族'이라 불린다. 말 그대로 권세를 가진 가문이요, 세력을 가진 족속들이 몽골 간섭기에 형성됐다. 이런 지배층은 어느 시대나 항상 있었지만, 몽골 간섭기 때 생긴 지배층을 특별히 그렇게 부른다. 이들은 과거부터 영향력을 보유한 귀족 및 문인과 몽골 간섭기에 성장한 신흥 세력으로 형성됐다.

이런 분위기 속에서 문인 지배의 전면화를 예고하는 단초가 생겨났다. 몽골로부터 충忠 자 붙은 시호를 받은 두 번째 임금인 충선왕 때였다. 충선왕은 1298년에 왕이 됐다가 그해에 물러났고, 1308년 복위해서 1313년 왕위에서 물러났다. 외부적으로는 몽골, 내부적으로는 권문세족으로부터 고려 왕실의 입지를 보호해야 할 필요성을 느낀 그는 지방 선비들을 적극 발굴했다. 퇴임 후에는 몽골의 수도인 대도大都에 만권당萬卷堂이란 학술 기관을 차려 놓고 학자들을 지원했다. 이 만권당은 성리학이 고려에 전파되는 데도 기여했다. 충선왕의 이 같은 노력은 문인 세력이 정치적·이념적으로 조직될 수 있는 발판을 만들어 주는 데 기여했다. 충선왕이 모은 이들이 고려 말 신진사대부의 초기 그룹이다.

　충선왕이 적극 후원한 사대부들을 중앙 정계에 안착시킨 군주는 그의 손자인 공민왕이다. 1351년에 등극한 공민왕은 몽골의 간섭을 배격함과 동시에, 몽골과 연계된 권문세족과 싸웠다. 이를 위해 무명 승려인 신돈을 앞세워 권문세족을 숙청하고 그 자리에 사대부들을 앉혔다. 할아버지와 똑같은 동기에서 사대부들을 후원했던 것이다.

　물론 공민왕 시대

노국대장공주(왼쪽)와 공민왕(오른쪽)

에 권문세족이 완전히 청산된 것은 아니다. 공민왕 후반기에 권문세족 이인임이 부총리급인 수문하시중을 맡은 것에서도 드러나듯이, 권문세족이 뿌리째 뽑힌 것은 아니다. 공민왕의 후원 아래 신진사대부가 주도권을 잡는 속에서도 권문세족은 어느 정도는 살아남았다. 신돈을 앞세워 권문세족을 숙청했지만, 발본색원 수준까지 간 것은 아니다.

공민왕이 신돈을 앞세운 것은 구세력 숙청으로 인한 부담을 피하기 위해서였다. 공민왕이 몽골 부인인 노국대장공주를 잃은 슬픔으로 국정에 흥미를 잃어 5년씩이나 신돈에게 정치를 위임했다는 이야기가 있다. 실제 상황과 부합하지 않는 이야기다. 물론 공민왕이 외형상 그렇게 보이도록 연출을 한 것은 사실이다. 하지만 속사정은 달랐다.

신돈은 1365년부터 1370년까지 집권했다. 『고려사』「공민왕」 편(정식 명칭은 「공민왕세가」)에 따르면, 신돈 집권 이듬해인 1366년 공민왕은 왕비를 새로 뽑는 심사장에 나가 후보들을 직접 면담했다. 그리고 왕의와 안극인의 딸들을 새로운 아내들로 선택했다. 부인과 사별한 충격으로 폐인이 되었다면, 이렇게 할 수 있었을까?

노비 출신에다가 비주류 승려였던 신돈은 집권하자마자 권문세족을 대거 축출했다. 『고려사』「신돈열전」에 따르면, 신돈은 집권 한 달 만에 구세력 상당수를 정부에서 몰아냈다. 정치 경험이 전무한 승려가 불과 한 달만에 이렇게 할 수 있었을까? 누가 아군이고 누가 적군인지 분간하기도 힘들었을 텐데, 그렇게 정확하게 구세력만 골라서 찍어 낼 수 있었을까? 또 남한테 위임받아 정권을 행사하는 사람이 남이 임명해 놓은 사람들을 마음대로 숙청할 수 있었을까? '남'이 조종하지 않았다면 있을 수 없는 일이다.

　이런 사례들은 신돈 집권기에도 공민왕이 폐인이 아니었으며 공민왕이 배후에서 숙청 작업을 지휘했음을 보여 주는 것이다. 그러면서도 부인을 잃은 슬픔에 빠진 것처럼 가장한 것은 자기 손에 피를 묻히지 않음으로써 정치 보복을 당하지 않기 위해서라고 볼 수 있다. 고려를 움직여 온 구세력의 숨통을 끊어 내는 게 부담스러웠던 것이다.

　공민왕은 목적을 성취한 다음에 신돈을 반역 혐의로 팽했다. 신돈을 강제로 '열반'에 들게 한 것이다. 신돈이 쫓겨난 조정은 사대부들로 채워져 있었다. 신돈이 권문세족을 밀어낸 자리에, 신돈과 종교가 다른 유교 사대부들이 가득 찬 것이다. 신돈이 수행한 개혁이 신돈 자신의 이익과 무관했으며 그의 의지와도 무관한 것이었음을 시사하는 대목이다.

　공민왕의 행태는 비인간적이었다. 인정이란 관점에서 보면 분명히 나쁜 일이었다. 그가 그렇게 한 것은 권문세족을 견제하고 사대부를 양성해 왕권을 키울 목적에서였다. 사실 선비 출신 관료를 뜻하는 사대부는 어느 시대에나 존재했다. 중국에도 있었다. 그렇지만 14세기 고려에서 등장한 사대부 그룹을 특별히 신진사대부라 부른다.

　신진사대부가 권력을 잡으면서 문인의 지배 체제가 굳어졌다.

그 후로는 문인의 지배를 위협할 세력이 나오지 않았다. 문인 내부에서 도전자 그룹이 생겨났을 뿐이다. 문인의 지배가 굳어지는 데 결정적 역할을 한 것이 있다. 공민왕이 신진사대부들의 세상을 만들어 놓은 데 이어, 조선 건국 직후에 정도전과 이방원이 사병을 혁파한 것이 문인의 세상이 열리는 데 크게 기여했다. 정도전이 사병 혁파를 추진할 때 이방원은 못마땅해 하며 비협조적인 태도를 보였다. 그랬던 이방원도 정도전을 제거한 후에는 사병 혁파를 추진해 성사시켰다. 이것이 문인 중심 사회를 강화하는 데 기여했다. 1961년 5·16 쿠데타까지는 그랬다.

19 사대주의파, 조선의 핵심을 차지하다

신진사대부가 주도권을 확보한 지 얼마 되지 않아 고려가 망하고 조선이 세워졌다. 1374년에 공민왕이 동성애 파트너인 홍륜 등에 의해 피살된 뒤로 고려 정국은 그렇게 흘러갔다. 신왕조의 출발선은 1388년 이성계의 위화도 회군이다. 그전에 최영과 이성계가 힘을 합쳐 실권자 이인임 세력을 제거한 일이 있었다. 이인임은 공민왕 사후에 어린 우왕의 보호자로 자처했다. 우왕, 즉 왕우는 신돈의 여종인 반야의 몸에서 출생했다. 공민왕과 신돈의 사이가 좋았을 때 신돈의 중매로 공민왕과 반야의 만남이 이루어지고 거기서 왕우가 태어났다. 이런 과정 때문에 왕우는 신돈의 아들이 아니냐는 의혹을 받았다. 이런 의심으로 인해 왕우는 공민왕 사후에 왕이 못 될 뻔했다. 이런 상황에서 이인임이 왕우를 적극 지지하고 나섰다. 공민왕 살해범들을 체포하여 사법 처리하는 과정에서 주도권을 잡은

이성계 어진

이인임은 여세를 몰아 왕우를 옹립하고 실권을 장악했다.

그랬던 이인임이 최영·이성계 연합 세력의 공격을 받고 무너진 것이다. 우왕 집권기에 다시 살아나는 듯했던 권문세족은 이인임의 몰락으로 다시 내리막길을 걸었고 위화도 회군을 계기로 추락의 속도에 가속도가 붙었다.

회군 뒤에 이성계는 조민수와 합세해 개경을 공격하고 최영을 제거했다. 이때 신진사대부들은 이성계에게 동조했다. 최영이 신진사대부를 안 좋아하는 데다가 정도전 같은 신진사대부가 이성계를 도왔기 때문이다. 4년 뒤에 이성계와 대적할 정몽주도 이때는 이성계에게 힘을 실어 줬다.

이성계는 전주 이씨를 표방했지만 사실 여하에 관계없이 그의 기반은 동북면, 즉 여진족 거주지였다. 또 이성계 군단을 이룬 장수들도 여진족이었다. 이지란李之蘭, 주만朱萬, 김고시첩목아金高時帖木兒, 최야오내崔也吾乃 등이 그중 일부다. 그렇기 때문에 혈통에 상관

제1장 창검의 시대

없이 이성계는 여진족 세력가
였다. 이 여진족 그룹이 위화
도 회군을 계기로 고려 중앙 정
계의 파벌로 등장했다. 그리고
1392년 이후에는 조선 왕실 세
력으로 변신했다. 동북면 여진
족 집단을 한민족 정치 무대로
불렀다는 점에서 위화도 회군
의 역사적 의의 가운데 하나를
발견할 수 있다.

정몽주 모사화

     그렇게 여진족을 거느리
고 권력을 잡은 이성계는 토지
개혁을 추진했다. 그것도 모자라 신왕조를 창업할 조짐까지 보였다.
그러자 정몽주를 비롯한 신진사대부 주류가 관계 정리에 나섰다. 이
성계 쪽의 흐름을 보고 우려를 품은 것이다. 이들은 별도의 세력을
형성했다. 1392년 4월 9일(음력 3월 16일) 이성계가 말에서 떨어져 부
상당하자, 이들은 정권을 잡고 이성계 진영에 대한 공세에 착수했
다. 정몽주 일파는 이성계의 최측근 참모인 정도전까지 제거하려 했
지만 이성계의 둘째 부인인 강씨(훗날의 신덕왕후)의 개입이 상황을
반전시켰다. 강씨가 전처 소생인 이방원을 움직여 정몽주 암살을 조
종함으로써 정적들을 일거에 무너뜨린 것이다.
     정몽주가 이성계를 위협했을 때, 스물여섯 살의 이방원은 어

머니 한씨의 삼년상을 지내고 있었다. 그래서 개경 상황에 신경 쓸 여력이 없었다. 『태조실록太祖實錄』에 따르면, 그때 둘째 어머니 강씨가 이방원에게 사위 이제를 보내 개경 상황을 설명해 주었다. 그러자 이방원은 얼른 짐을 싸서 아버지 이성계가 자리보전을 하고 있는 황주(개경 서북쪽)로 달려가 이성계를 개경으로 데려왔다. 그 결과 정몽주 일파는 섣불리 움직일 수 없게 되었다. 이후 이방원은 정몽주를 암살했다. 이렇게 강씨와 이방원의 극적 개입으로 고려를 떠받치던 최후의 보호자 정몽주가 세상을 하직하고 말았다.

정몽주 진영이 붕괴됨에 따라, 이성계와 정도전 앞에는 거칠 게 없었다. 이들은 신진사대부 내 비주류 세력을 중심으로 1392년 8월 5일(음력 7월 17일) 조선 왕조를 건국했다. 새 나라 건설의 주도권을 잡은 정도전은 강도 높은 개혁 드라이브를 걸었다. 이방원의 이복동생 이방석을 세자로 책봉하고 귀족들의 사병을 혁파하며 요동 정벌을 추진했다.

이 과정에서 정도전은 이방원과 틈이 벌어졌다. 이방석을 세자로 세운 게 화근이었다. 결국 이게 파국을 초래했다. 정도전은 이방원의 기습으로 1398년에 자신의 나라와 영원한 이별을 고하고 말았다. 정도전의 죽음과 함께 요동 정벌은 중단됐다. 묘청이 사라진 뒤 약 260년 만에 되살아난 북벌 운동은 그렇게 사그라졌다.

이방원이 승리하면서 사대주의파가 정권 핵심부로 떠올랐다. 이방원은 단독으로 정도전을 제거한 것이 아니다. 그 과정에는 명나라의 지원이 있었다. 정도전의 요동 정벌 추진을 겁낸 명나라 황제

주원장은 정도전의 신병 인도를 요구했다. 이런 식으로 명나라는 정도전의 입지를 흔들어 댔다. 이방원은 이런 분위기에 편승해 반反정도전 세력을 결집하고 정권을 빼앗았다.

이방원은 이념적으로만 정도전과 다른 게 아니었다. 정권을 위해서라면 얼마든지 실용성을 표방할 수 있는 사람이었다. 그는 건국에 참여한 신진사대부 비주류뿐 아니라 건국을 거부했던 신진사대부 주류들까지 포섭 대상에 넣었다. 주류의 대부분을 포섭한 것은 아니다. 그중 일부였다. 대표적인 예가 황희다. 황희는 조선 건국을 반대하고 두문동에 들어간 사람이다. '두문불출杜門不出'이란 고사가 이때 생겨났다. 이방원은 그런 황희를 중용해 자기는 물론, 아들인 세종의 핵심 참모로도 활용했다.

신진사대부와 대결했던 구세력인 권문세족에게서도 이방원은 지지자를 끌어냈다. 대표적인 예가 하륜이다. 이인임의 조카사위인 하륜은 이방원의 핵심 참모가 됐다. 이렇게 해서 이방원을 중심으로 결집된 여러 세력이 조선 초기를 이끄는 정권 핵심부가 되었다. 이들은 조선 전기의 지배층인 훈구파의 원류가 되었다. 동시에, 창검의 시대 마지막 장을 장식하는 세력이 되었다.

사약의
시대

1 창검에서 사약으로 권력 투쟁이 바뀌다

창검의 시대는 창과 검으로 상징되는 군사 행동으로 상대 파벌을 제거한 시대다. 군주 교체가 아닌 정권 교체는 그런 식으로 많이 이루어졌다. 물론 모든 정권 교체가 창검으로 이루어진 것은 아니다. 하지만 이 시대에는 사약의 시대나 투표의 시대보다 그런 식의 일들이 비일비재하게 일어났다. 그래서 이 시대 사람들은 무력으로 인한 정권 교체를 이상하게 받아들이지 않았다.

현대인들은 국가 간의 전쟁은 어느 때고 일어날 수 있다고 생각한다. 국가 간에 전쟁이 발발한다고 해서 "어떻게 그런 일이 일어날 수 있나?" 하고 의아해 하는 사람은 별로 없다. 그런데 국가 간의 전쟁을 자연스럽게 받아들이는 사람들도, 국내에서 그런 식의 정권 교체가 벌어졌다고 하면 뜻밖의 일로 받아들인다. 어떻게 그럴 수 있느냐고 반응하기 쉽다. 국내의 정권 교체는 당연히 선거로 이뤄져야 한다고 믿고 있기 때문이다.

이러한 차이는 국내 정치와 국제 정치가 서로 상이한 단계에 도달해 있기 때문에 생긴다. 국내 정치는 창검의 시대를 지나고 사약의 시대도 지나 투표의 시대에 도달해 있다. 하지만 국제 정치는 여전히 창검의 시대에 머물러 있다. 창검이 총포로 바뀌고 핵무기로 바뀌었을 뿐이다. 이렇게 국내와 국제의 두 정치가 각각 다른 단계를 밟고 있기 때문에, 양자를 바라보는 인류의 태도도 다를 수밖에 없다. 현대인들이 국가 간 전쟁을 이상하게 받아들이지 않듯이, 창검의 시대 사람들은 군사 행동에 의한 국내 정쟁을 낯설어 하지 않았다. 그 시대에는 그러는 게 당연했다. 그런 사례로 서기 197년을 들 수 있다.

왕이 죽으면 내시가 침전 지붕 위에 올라가 "상위복上位復"을 외쳤다. '주상이시여 돌아오소서'란 의미였다. 이해에 고구려에서도 그런 외침을 외쳐야 할 일이 있었다. 고구려 고국천태왕이 후계자 없이 숨을 거두었던 것이다. 원래 왕위 계승 순서대로라면 태왕의 첫째 동생인 고발기가 왕위를 계승해야 했다. 고발기는 요동 문제를 관장하는 실권자이기도 했으므로 그의 왕위 승계는 자연스러웠다. 그런데 왕후 우씨는 잠시 고민했다. 남편이 죽은 뒤에도 친정의 정치적 영향력을 계속 보존하고 싶었던 것이다. 왕후 우씨는 시동생 고발기가 자기편이기를 바랐다. 반면 고발기는 그럴 생각이 없었다.『삼국사기』「고구려본기」에 따르면, 한밤중에 자기 집에 찾아온 우씨에게 고발기는 "부인이 밤늦게 돌아다니는 것은 예법에 어긋납니다"며 면박을 주었다. 고발기는 한밤중에 형수를 그렇게 돌려보냈다. 우씨는 태왕의 죽음을 비밀로 한 상태에서 고발기의 집을 노크했고, 고발기는 영문을 모른 채 형수한테 면박을 줬던 것이다. 형수의 방문 사유를 알았다면 "예법에 어긋납니다"라고 말하지 않았을 것이다.

시동생 집에서 쫓겨난 우씨는 작은 시동생 고연우에게로 발길을 돌렸다. 고연우는 고발기와 달랐다. 고발기에 비해 정치적 입지가 약했던 그는 형수를 크게 환영했다. 한밤중에 들이닥친 형수를 환대했을 뿐 아니라 그 시각에 술까지 대접했다. 박대 뒤의 환대에 감격한 우씨는 시동생과의 신체적 접촉까지 시도했다. 그런 뒤 우씨는 고연우의 손을 잡고 왕궁으로 돌아갔다. 고연우를 차기 태왕으로 등극시키기 위해서였다. 이 고연우가 산상태왕이다. 우씨는 산상태왕의 왕비가 되었다. 두 정권 연속으로 왕비가 된 것이다.

아침에야 상황을 파악한 고발기는 격분했다. 자기한테 돌아올 왕위가 자신도 모르는 사이 동생한테 넘어갔으니 기가 찰 수밖에 없었다. 그것도 형수의 농간으로 벌어진 일이었다. 뒤늦게 형수의 의도를 알게 된 고발기는 더욱더 분할 수밖에 없었다.

만약 오늘날의 대통령 후보가 개표 부정 등으로 자리를 도둑맞았다면, 그는 국민적 저항 운동을 전개하거나 아니면 법원을 통해 사법적 해결을 시도할 것이다. 우리 시대에는 이게 당연한 대처법이다. 하지만 고발기 시대는 달랐다. 이 시대에는 자기 수중에 군사력이 있다면 군사 행동을 벌이는 게 당연했다. 대규모 노비를 보유하여 이들을 사병으로 활용할 수 있다면, 군사 행동을 하는 게 이상하지 않았다. 우리 시대 정치인이 지역구 지지자들을 모아 시위하는 게 이상하지 않듯, 그 시대에는 사병을 동원해 정치적 목적을 달성하는 게 어떤 면에선 당연했던 것이다. 이 시대는 창검의 시대였기 때문이다.

고발기 역시 창검을 활용했다. 왕궁을 포위할 정도의 군사력을 끌어모은 뒤 우씨와 고연우를 압박했다. 하지만 귀족 세력들이 냉담한 반응을 보였다. 고발기를 응원하는 세력은 미약했다. 상황이 불리해지자 그는 망명을 결심하고 중국 땅으로 달아났다.

그런데 사약의 시대가 되면서 이러한 양상이 조금 달라졌다. 사약의 시대는 16세기 후반에 시작됐다. 사림파, 즉 유림파의 집권이 이런 변화를 선도했다. 이들은 공민왕 때 주도권을 잡은 신진사대부의 후예들이었다. 신진사대부 중에서 조선 건국에 협력하지 않은 세력이 있었는데 이들은 지방에서 후진 양성에 주력했다. 이들의 후예들이 15세기 후반부터 두각을 보이다가 16세기 후반에 보수파를 밀어내고 권력을 차지했는데 그들이 바로 사림파이다.

사림파는 전형적인 선비들이었다. 고려 광종 이후의 정부 관료는 기본적으로 선비 출신이었지만, 사림파는 선비 중에서도 선비였다. 이들을 더욱더 선비답게 만든 것은 성리학이었다. 유교, 즉 유학은 정치학이나 윤리학에 가까웠다. 그런데 송나라 주자에 의해 체계화된 성리학은 유교에 불교 철학을 가미한 것이었다. 그래서 성리학은 기존 유교에 비해 철학적이었다. 이 때문에 성리학을 연구하는 이들은 수행자의 외형을 띠었다. 이런 수행자들이 정권을 잡으면서 종전과 전혀 다른 정치 문화가 정착되기 시작했다. 이런 분위기가 사약의 시대를 개막시켰다.

사림파가 정권을 잡은 뒤에는 군사 행동으로 상대 파벌을 제압하는 게 비정상적인 일이 됐다. 이때부터는 군주의 판결을 통해 합법적으로 정적을 죽이는 게 일반적이고 상식적인 투쟁 방식이 되었다. 사형 중에서도 사사가 가장 대표적인 정적 제거 방식이 됐다. 사약은

『형정도첩』에 묘사된 사약을 받는 풍경

이 시대 사람들이 생각하는 '최악의 무기'였다.

물론 그렇다고 해서 사약의 시대에 군사 행동이 전혀 벌어지지 않은 것은 아니다. 이 시대에도 그런 일은 있었다. 구태가 완전히 해소된 게 아니었다. 그럼에도 이 시대에는 합법적 사형을 통한 정적 제거가 가장 흔한 방식이었다.

이런 변화가 16세기 후반에 발생한 이유는 무엇일까? 958년 과거 제도 시행으로부터 사림파의 집권에 이르는 정치권력의 변화를 이해할 필요가 있다. 이 점을 이해하면 사약이 16세기 후반에 '최악의 무기'가 된 배경이 수긍될 것이다.

2 문인의 지배와 사약의 주무기화

     사약의 시대에는 중립적인 임금을 움직여 정적을 사형, 그중에서도 사약으로 제거하는 방식이 가장 끔찍한 파벌 투쟁 방식으로 공인되었다. 쿠데타 같은 정변이 없어진 것은 아니지만, 이런 것은 이 시대의 '공인된' 방식이 아니었다. 사약의 시대는 이전보다 문명화된 시대였다. 창검의 사용은 이 시대에는 상당히 야만적인 방법으로 여겨졌다.

     사약을 먹이는 것 역시 물론 끔찍하다. 하지만 창검을 쓰는 것에 비하면 상대적으로 신사적이다. 이 방식에는 인내심이 특히 필요하다. 사약을 먹이기로 결정이 내려진 시점부터 정적을 사사하기까지는 상당한 시간이 소요된다. 창검의 시대에는 전장에서 상대방을 죽이기로 결심한 시점부터 상대방의 몸을 해하는 시점까지 시간이 얼마 들지 않는다. 불과 몇 초가 안 걸릴 때도 있다. 하지만 사약을 사용할 때는 절차도 필요하고 시간도 걸린다. 최고 재판관인 임금에게 정적을 고발하는 단계, 임금이 재판을 하는 단계, 임금이 비서실과 행정 관청을 통해 재판 결과를 공식화하는 단계, 죄인을 구속해 왕명을 전달하는 단계, 죄인의 사형을 집행하는 단계가 필요하다. 그렇기 때문에 사약의 시대에는 정적을 제거하는 데도 인내심이 요구된다.

인내심을 갖고 절차를 밟는 동안에 정적이 상황을 역전시킬 수도 있었다. 그런 점을 알면서도 이 시대에는 그런 절차를 밟았다. 절차를 건너뛰고 단번에 목적을 성취하려 했다가는 공정성 시비에 휘말릴 수 있었다. 그런 시비를 방지하기 위해서라도 이 시대 정치 파벌들은 인내심이 필요했다. 그래서 사약의 시대에는 정치 투쟁이 이전보다 훨씬 더 신사적으로 변하게 되었다.

이렇게 된 것은 과거제 정착으로 문신이 부각되기 시작한 것에 기인한다. 과거제가 시행됐다 해서 곧바로 문신이 주도권을 장악한 것은 아니다. 노비 및 토지에 대한 지배권에 사병을 기반으로 한 영향력을 유지하던 귀족들이 하루아침에 문인으로 돌변할 수는 없었다. 하지만 엘리트들이 과거 시험으로 몰리고 과거를 통과한 사람에게 부와 영광이 주어지다 보니, 무신보다는 문신이 점차 각광을 받을 수밖에 없었다.

1170년 무신 정변이 일어나 과거로 회귀하는 듯했지만, 무신 정권 시대에도 문신들은 수면 아래에서 정치 실무를 처리하며 역량을 보존했다. 그러다 몽골 침략의 결과로 무신 정권이 사라지자, 다

정도전 동상

시 수면 위로 나오면서 영향력을 확대했다. 이런 상태에서 공민왕이 등장해 권문세족을 척결하고 신진 문신, 즉 신진사대부들을 중앙 무대에 올려놓았다.

그 신진사대부가 주체가 되어 조선 왕조를 건국했다. 하지만 이방원이 정도전을 몰아낸 뒤 이들은 구세력과 뒤섞여 권력 주체를 형성했다. 신진사대부가 다수를 이룬 나라라서 외형상으로는 문인의 나라였지만, 구세력이 공존한 까닭에 문인 스타일의 권력 투쟁이 완벽히 정착하지는 못했다. 표면상으로는 문인의 나라였지만, 정치 투쟁 방식은 여전히 창검의 시대에 머물러 있었다.

이방원은 정도전을 죽였지만, 그 뜻 가운데 하나를 현실화시켰다. 바로 사병 혁파였다. 이를 통해 귀족들이 노비 부대를 동원해 정치적 의지를 관철시키는 일이 힘들어졌다. 이것은 창검의 시대가 사약의 시대로 넘어가는 데 크게 기여했다. 그렇다고 사병 혁파와

제2장 사약의 시대

함께 곧바로 창검의 시대가 종료된 것은 아니다. 이방원이 창검으로 두 차례 왕자의 난을 일으킨 것과, 이방원의 손자인 수양대군(세조)이 창검으로 정권을 잡은 일에서 드러나듯이, 조선 초기의 한동안도 여전히 창검에 의한 정권 교체가 근절되지 않았다.

이 때문에 조선 전기에는 정권 핵심부가 합법적 절차를 거쳐 승진한 사람들로 채워지지 않았다. 수양대군의 쿠데타인 계유정난(1453년) 같은 정변에서 공훈을 세운 사람들이 그 자리를 채웠다. 훈구파로 통칭되는 사람들이 바로 그들이다. 훈구파는 하나의 파벌이 아니라 조선 전기의 각종 정변을 통해 권력을 잡은 집단들을 통칭하는 개념이다.

그런 훈구파의 시대를 청산하고 권력을 잡은 집단이 사림파다. 조선 왕조 창업을 거부하고 지방으로 낙향한 신진사대부의 후예인 이들은 유교적 합리주의로 정치가 운영되고 정권이 교체되는 세상을 지향했다. '왕도王道'라는 시스템을 그들은 희구했다. 이런 왕도정치를 표방하며 15세기 후반부터 훈구파와 투쟁한 이들은 1567년 선조 등극을 계기로 지배층의 위치에 올라섰다. 그 후로 왕조를 이끈 집단은 이들과 그 후예들이다. 정치인보다는 유교 철학자에 가까운 모습을 띤 집단이 이렇게 해서 조선 왕조의 리더 그룹이 되었다.

사림파의 집권을 계기로 조선 왕조에서는 철학적 소양 없이는 지배층이 되기 힘들어졌다. 유교 경전을 술술 암송하고 즉석으로 시도 지을 수 있는 사람들이 과거 시험을 통해 정권 핵심부를 구성했다. 무예에 능하고 완력이 센 사람들은 이로 인해 더욱더 힘이 약해졌다.

그러다 보니 정치 투쟁에 사림파의 개성이 반영되지 않을 수 없었다. 철학적 소양을 갖춘 선비들은 토론을 통해 남을 꺾으려 하지, 창검으로 남을 꺾으려 하지 않는다. 이들은 학문과 인격으로 '소인배들'을 감화시키거나 굴복시키려 했다. 상대방도 이들을 '소인배들'로 생각하고 동일한 것을 시도했다. 그래서 이 시대에는 군사력을 정치 투쟁에 동원하는 게 더는 용인되지 않았다. 물론 1623년에 인조가 쿠데타로 왕권을 빼앗은 사실에서 나타나듯이, 사약의 시대라고 해서 창검이 전혀 사용되지 않은 것은 아니다. 하지만 창검은 더는 일반적이고 공인된 방식이 아니었다. 어디까지나 예외적인 도구였을 뿐이다.

창검의 위상이 낮아진 데는 선비들의 공포심도 큰 몫을 했다. 이들은 토론이 난무하는 상황에는 익숙했다. 날선 비판이 날아다니는 상황을 두려워하지 않았다. 하지만 화살이 날아다니고 대포 소리가 들리고 창검으로 육박전이 벌어지는 상황은 무서워했다. 선비의 특성상 당연했다. 창검이 난무하는 현장에서는 이들이 기를 펴지 못했다. 그래서 창검의 용도를 더욱더 제한할 수밖에 없었다. 임금에게 상대 파벌을 고발하고 군주의 명으로 상대방을 제거하는 게 이들에게는 제격인 방식이었다. 그러다 보니 이 시대에는 임금의 마음을 움직이는 게 제일 중요했다. 임금이 재판관이었기 때문이다. 재판관인 임금이 상대 파벌에게 사형을 선고하도록 유도하는 기술이 이 시대에는 가장 필요했다. 이런 목표를 위해 파벌들은 법리를 따지며 임금의 마음을 움직이려 했다. 물론 임금이 법리에 따라서만 움직인 것은 아니다. 어느 파벌이 더 강력한가도 임금의 마음을 움직였다. 그래서 정치 파벌들은 자신들이 강력하다는 인상을 풍기면서 임금을 설득해야 했다.

이런 것을 잘하는 정치 그룹이 이 시대에는 지배적인 파벌이 되었다. 이런 싸움판에 유리한 세력이 사약의 시대를 지배할 수 있었다. 사약의 시대에 가장 오랫동안 집권한 세력은 서인당이었다. 그들은 기호 지방, 즉 충청·경기·황해 남부에 기반을 둔 사대부 겸 지주 세력이었다.

3 즉각적이지 않은 사약의 약효

텔레비전 사극을 보면 왕명에 따라 수사하는 특별 사법 기관인 의금부 직원들이 한적한 유배지에 도착해 왕의 뜻을 읽어 주면, 죄수는 체념한 표정으로 북쪽을 향해 절한 다음 사약 사발을 들이켠다. 그러면 죄수의 입에서 피가 울컥 하고 쏟아져 나오고 죄수가 쓰러진다. 이런 장면은 말 그대로 드라마에서나 가능했다. 보통은 사약을 마셨다고 그렇게 빨리 죽지는 않았다. 죄수가 오랫동안 힘들어하며 고통 속에서 죽어 가는 게 실제 풍경이었다. 그처럼 사약의 약효는 약했다. 약효가 너무 약할 때는 한 사발을 더 권하기도 했다. 한 사발을 들이켜고도 말똥말똥한 사람들이 있었기 때문이다.

송시열은 조선 후기의 정치 거물이다. 보수 세력인 서인당을 이끈 정치 9단이었지만 1674년 제19대 임금으로 숙종이 즉위하면서 내리막길로 들어섰다. 송시열은 오랫동안 왕실을 압박했다. 복수심을 품고 성장한 숙종이 열넷의 나이로 왕위에 오르면서, 예순여덟의 송시열은 정치적 위기에 봉착하게 되었다.

　숙종의 할아버지였던 효종(제17대 임금)은 서인당의 압박으로부터 왕권을 지키고자 중앙군 확대 정책을 펼쳤다. 효종의 형인 소현세자는 아버지 인조와 갈등을 빚다가 서른네 살 나이로 의문의 죽음을 당했다. 소현세자의 시신을 묘사한 인조 23년 6월 27일 자(양력 1645년 7월 20일 자)『인조실록』에서는 "온몸이 전부 검은빛이었고, 이목구비의 일곱 구멍에서 모두 피가 흘러나왔다"고 한 뒤 "마치 약물에 중독되어 죽은 사람 같았다"고 기록되어 있다. 이렇게 죽은 소현세자에게는 아들들이 있었다. 그렇기 때문에 소현세자가 죽은 뒤에는 그 아들이 후계자가 되어야 했다. 하지만 인조는 법도와 중론을 무시하고 봉림대군(효종)을 후계자로 내세웠다. 이런 배경 때문에 효종은 인조가 죽은 뒤에 정통성이 약한 임금으로 등극해야 했고, 정통성 강화를 위해 보통 이상의 열정을 바쳐야 했다. 중앙군 증강 정책도 그래서 추진한 것이다. 요즘으로 치면 수도방위사령부의 증강을 추진한 것이다.

　하지만 집권당인 서인당을 비롯한 기득권층이 반발하고 나섰다. 중앙군 증강이 조세 증가는 물론이고 왕권 강화를 초래할 게 뻔했기 때문이다. 의도를 알아챈 서인당 영수 송시열도 계획을 포기하도록 압력을 넣었다. 반대가 너무 심해 어쩔 도리가 없게 되자, 효종은 송시열과의 단독 회동을 성사시켰다. 송시열을 설득해 국면 돌파를 시도할 목적이었다. 효종 10년 3월 11일(1659년 4월 2일) 창덕궁

창덕궁 희정당. 서울시 종로구 와룡동에 있다.

희정당에서 열린 회동의 내용은 송시열 문집인 『송서습유宋書拾遺』의 「악대설화幄對說話」 편에 실려 있다.

　　회동에서 효종은 처음이자 마지막으로 북벌론을 입에 담았다. 평소에도 북벌론을 언급했는지는 모르지만, 기록상으로는 이것이 최초이자 최후였다. 그는 중앙군을 확충하고자 하는 것은 다른 뜻이 있어서가 아니라 청나라에 대한 복수를 위해서라고 강조했다. 10년만 두고 보면 내 뜻을 알게 될 것이라고도 말했다. 그러자 송시열은 "그러셨습니까?"라는 빈정거림으로 반대 뜻을 표명했다.

　　대화가 평행선을 달리며 감정 섞인 말들이 오고 가던 중에 효종이 내뱉은 한마디가 있다. "그렇다면 내가 지금 해야 할 일 중에

　　　　　　　　　　　제2장 사약의 시대

서 무엇이 가장 급선무인
지 말해 주시오"였다. 나
더러 뭘 하라는 말이냐고
물은 것이다. 그러자 송시
열은 사서삼경 중 하나인
『대학大學』에 나오는 '격물
치지格物致知·성의정심誠
意正心'이 시급하다고 답했
다. 『대학』에 대한 주자의
해설에 따르면 격물格物은
사물의 이치를 탐구하는
것, 치지致知는 무궁한 단

송시열 초상화

계까지 지식을 확장하는 것, 성의誠意는 마음을 성실히 하는 것, 정
심正心은 마음을 바르게 하는 것이다. 중앙군 증강에 신경 쓰지 말고
마음공부에나 신경 쓰라는 게 송시열의 답변이었다. 다소 모욕적인
응대였다.

송시열은 효종이 중앙군 확충을 추진하는 동기가 북벌이 아니
라 왕권 강화라고 판단했다. 그래서 마음공부나 하시라고 핀잔을 준
것이다. 이런 모욕적인 회동이 끝난 지 2개월이 좀 지난 효종 10년
5월 4일(1659년 6월 23일), 효종은 마흔한 살 나이로 갑작스레 세상을
떠났다.

이런 사연이 있었기 때문에 왕실 사람들은 송시열을 두려워

하면서도 증오했다. 이런 환경에서 숙종이라는 왕이 등장했다. 한을 품은 어린 왕의 등극으로 위험에 빠진 송시열은 장희빈과 숙종의 소생인 이윤(훗날의 경종)의 세자 책봉을 반대한 일로 사약을 받았다. 이때가 1689년, 그의 나이 83세 때였다.

송시열은 전라도 정읍에서 사약을 받아 마셨는데 약의 효과가 나타나지 않았다. 그래서 한 사발을 더 마셨다. 그런 뒤에야 그는 힘을 잃고 푹 쓰러졌다. 우리 생각과 달리 사약의 효과는 그리 즉각적이지 않았던 것이다. 83세 정객을 쓰러뜨리는 데 사약이 두 그릇이나 필요했을 정도였다.

더 특이한 사례도 있다. 실학자 이긍익의 『연려실기술燃藜室記述』에 임형수란 사람이 등장한다. 임형수는 제주목사였는데 조선 제13대 왕인 명종 시대에 대비이자 실권자인 문정왕후가 반대파를 숙청할 목적으로 1545년에 일으킨 을사사화에 연루돼 사약을 받게 되었다.

『연려실기술』 안에는 명종 시대의 사건, 즉 고사故事에 담긴 전말을 수록한 '명종조 고사본말'이 있다. 이에 따르면 임형수는 사약을 독주 형식으로 받았다. 자세한 내용이 없어 어떤 독주인지는 알 수 없다. 사약을 술에 타서 줬던 모양인데 임형수는 한두 잔도 아니고 무려 열여섯 잔이나 마셨다. 독주도 술인데 안주 없이 마시는 게 안 돼 보였던 모양이다. 하인이 안주를 건네자 임형수는 "이게 어떤 술인데!" 하며 사양했다.

그냥 술도 아니고 독주를 열여섯 잔이나 마시고도 끄덕도 하지 않은 임형수를 보고 기가 막힌 의금부 관원이 두 사발을 더 건넸다. 그래도 꼿꼿했다. 결국 금부도사가 직접 나서 임형수를 목 졸라 죽였다. 사약의 효능이 약했음을 보여 주는 사례이기도 하지만, 임형수의 주량을 보여 주는 사례이기도 하다.

이렇게 사약은 효과 면에서는 창검보다 약했지만, 다른 면에서는 효과적이기도 했다. 사약은 임금의 손을 통해 전달됐다. A 파벌 지도자가 B 파벌 지도자에게 직접 사약을 주는 법은 없었다. 그런 것은 말 그대로 사적 형벌, 즉 사형私刑이었다. 사적 형벌로 사람을 죽였다가는 공정성 논란을 초래할 뿐 아니라 엄청난 후폭풍까지 감당해야 했다. 그걸 방지하기 위해서라도 사약은 왕을 통해 전달돼야 했다. 그래서 A가 주는 사약은 형식상 왕을 거쳐 B에게 전달됐다. 덕분에 A는 자기 손에 피를 묻히지 않아도 됐다. 거기다가 신의 대리인인 왕의 뜻을 빌려 죽임으로써 상대방의 목숨뿐 아니라 명예까지도 빼앗을 수 있었다. 또 상대방의 지지자나 유족들로부터 원한도 덜 살 수 있었다. 그런 점에서 보면 사약은 창검보다 훨씬 더 효율적이고 안전한 살상 무기였다.

4 훈구파와 사림파의 대결

조선은 신진사대부의 주도로 건국된 나라였지만, 왕조 초기의 정치 투쟁에서는 사대부의 특성이 잘 반영되지 않았다. 사병 혁파를 단행했지만, 그 효과는 얼른 나타나지 않았다. 왕자의 난이나 계유정난에서 느껴지듯이, 여전히 창검이 파벌 투쟁을 지배했다. 건국 100년을 넘길 때까지도 큰 변화가 생기지 않았다.

그래서 초기 100년 동안은 과거 시험을 통과해 단계를 밟다가 정권 핵심부에 들어가는 사람들이 별로 없었다. 정변을 통해 단번에 권력 정점에 오르는 사람들이 이 시대의 최고 엘리트가 되었다. 이런 사람들은 흔히 한성이나 주변 지역에서 대규모 노비와 대토지를 소유했다. 그래서 아무래도 기득권층을 대변할 수밖에 없었다. 이런 이들을 훈구파라고 부른다. '훈勳'이라는 글자에서 느낄 수 있듯이 이들은 정변에서 세운 공훈을 토대로 출세한 사람들이었다.

훈구파를 비판하며 15세기 후반에 떠오른 그룹이 사림파다. 왕조 경영에 불참한 신진사대부의 후예들이 근 100년간 지방에서 경제력을 축적하다가 15세기 후반에 중앙으로 진출한 것이다. 이들의 정계 진출에는 연산군의 아버지인 성종(제9대 임금)의 정치적 고려가 크게 작용했다. 성종은 훈구파 대신들의 틈바구니에서 왕위에 올랐다. 수양대군을 도와 계유정난을 성사시킨 한명회 등이 영향력을 행사하는 가운데 등극한 성종은 왕권을 강화하자면 훈구파의 힘을 빼야 한다고 판단했다. 아쉽게도 왕실 자체적으로는 그런 힘을 만들 수 없었다. 그 결과 생각해 낸 방안이 지방 유림들을 등용해 훈구파 대신들과 대립하도록 만드는 것이었다. 양자의 대립 구도를 이용해 왕권을 강화하고자 했던 것이다.

이런 기획의 결과물로, 성종 시대에는 지방 신진 세력의 중앙 진출이 두드러졌다. 이들은 훈구파와 달리 지방에 거점을 두고 재산도 중소 규모로 보유했다. 또 훈구파에 비해 유교적 교양이 더 깊었다. 성리학을 집중적으로 파고들었기 때문이다. 그래서 훈구파에 불만도 갖고 비웃기도 할 만한 그룹이었다.

그런데 사림파는 이吏·호戶·예禮·병兵·형刑·공工 같은 6조 행정 관청보다는 사헌부·사간원·홍문관 같은 비판·사법 혹은 학술 기구에 진출했다. 행정 관청을 장악하기에는 아직 권력이 미약했던 것이다. 그래서 주특기인 학문을 발판으로 사헌부·사간원·홍문관이라는 3사司에 주로 진출한 것이다.

사헌부는 지금으로 치면 검찰청이었다. 사간원은 임금의 정책을 간쟁諫爭하고 비판적인 충언을 하는 기구였다. 홍문관은 문서를 관리하고 임금의 자문에 응했다. 세 기관의 공통점은 무언가를 비판한다는 것이었다. 세 기관에 속한 관원들은 임금도 비판하고 공직자들도 비판했다. 이 특성은 세 곳을 의회 비슷한 영역으로 만들었다. 즉, 사림파가 3사에 진출한 것은 국회를 장악한 것이나 마찬가지였다. 이로써 표출되는 성종의 왕권 강화 전략은 의회와 행정부를 상호 대립시키면서 군주 자신은 중립자·균형자가 되는 것이었다. 이 전략은 성과를 거두었다. 사림파가 중앙에 진출함에 따라 훈구파와의 대결 구도가 형성되고, 양대 세력의 대립 속에 왕권의 위상은 상대적으로 높아졌다.

이처럼 사림파의 진출은 왕권 강화를 향한 성종의 의도로 성취된 일이다. 물론 사림파가 경제력과 사회적 실력을 축적한 결과이기도 했지만 결정적 촉진제는 성종의 역할이었다. 고려 충선왕 및 공민왕과 비슷한 동기로 성종이 사림파를 후원한 게 사림파 대 훈구파의 구도를 조성하는 기능을 했던 것이다.

5 연산군의 등장과 파벌 정치의 위기

성종의 아들 연산군은 왕권이 안정된 속에서 왕위에 올랐다. 이런 안정은 건국 100년사史에서 처음 있는 일이었다. 거기다가 연산군 특유의 정통성도 정권을 튼튼하게 해 주었다. 연산군은 조선 역사에서 정통성이 강력한 편이었다. 그는 왕비와 임금의 장남으로 태어났다. 후궁의 몸에서 태어난 임금이 아니었다. 선조처럼 왕자의 몸에서 태어난 임금도 아니었다. 선조는 중종의 서자인 덕흥군의 아들이었다. 왕의 손자였던 것이다.

연산군은 왕비와 임금의 장남으로 태어나 예비 후계자인 원자를 거쳐 후계자인 세자로 책봉되었다. 세자를 거치지 않고 왕의 아들로 입양됨과 동시에 등극한 고종 같은 임금과는 출발선상부터 다를 수밖에 없었다. 세자 수업을 통해 제왕의 훈련을 단계별로 이수한 준비된 군주였던 것이다.

서울시 도봉구 방학동에 있는 연산군 부부의 무덤

　　게다가 연산군은 부왕이 죽은 뒤에 왕이 됐다. 태종 이방원처럼 아버지를 몰아내고 왕이 된 사람이 아니었다. 정조처럼 할아버지를 이어 왕이 된 사람도 아니었다. 이렇게 연산군은 자기 시대 이전은 물론이고 이후로도 보기 드문 정통성을 갖춘 임금이다. 아버지 성종이 왕권을 튼튼히 해 놓은 상태에서 완벽한 정통성까지 구비하고 등극했으니, 역대 어느 임금보다 강력해지지 않을 수 없었다. 딱 하나 결함이 있다면, 어머니 윤씨가 폐위된 중전이었다는 점이다.

　　사실 연산군에게는 어머니 문제 말고, 또 다른 문제가 있었다. 늘 돈이 부족했던 것이다. 연산군은 친위 세력과 기생들에게 너무 많은 돈을 썼다. 그래서 주머니 사정이 팍팍했다. 게다가 이 시대에는 왕실 토지가 많이 줄어 있었다. 조선 초기에는 임금이 20명 이상

　　　　　　　　　　　　　　　제2장 사약의 시대

의 자녀를 낳는 일이 흔했다. 제2대 정종은 9녀 17남, 제3대 태종은 18녀 12남, 제4대 세종은 6녀 18남, 제9대 성종은 12녀 19남을 낳았다. 공주와 왕자들은 결혼할 때 토지를 갖고 나갔다. 그래서 건국 100년쯤 된 상태에서는 왕실의 토지가 많이 줄어 있었다. 이러니 왕실 수입도 감소할 수밖에 없었다. 이것은 임금의 정치 자금이 바닥나게 만들었다. 거기다가 연산군이 돈을 많이 썼으니 재정 위기가 가중되지 않을 수 없었다. 중종 25년 8월 4일 자(1530년 8월 26일 자)『중종실록中宗實錄』에서는 연산군 몰락 2년 전인 1504년에 국고가 탕진될 지경이었다고 말했다. 이미 그전부터 돈이 부족하다가 1504년에 밑바닥을 친 것이다.

임금에게 돈이 있을 때는 정치하기가 편하다. 사람의 능력을 빌리는 가장 편한 방법은 돈을 쓰는 것이다. 돈이 없으면 감정이나 연줄 혹은 대의명분 같은 것에 호소해야 한다. 그렇게 해도 남의 힘을 쓰기가 쉽지 않다. 하지만 돈이 많으면 남의 힘을 빌리기 쉽다.

연산군은 안정된 왕권과 강력한 정통성을 갖고 왕이 됐지만, 돈이 부족한 상태로 정치를 해야 했다. 이런 처지에 놓인 왕이 살아남는 방법은 신하들과의 관계를 좋게 하는 것이다. 하지만 연산군은 그러지 못했다. 돈이 없을 경우에 아쉬운 소리를 해서라도 위기를 돌파할 수 있는 사람이 아니었다. 게다가 신하들에 대한 안 좋은 감정까지 갖고 있었다. 어머니 폐비 윤씨가 비극적으로 죽는 과정에 신하들이 개입했다는 것을 알았기 때문이다.

결국 연산군은 폭력을 써서 정치적 목적을 달성하고자 했다. 그 결과 1498년 무오사화와 1504년 갑자사화 같은 공안 정국이 등장했다.

이 사건은 연산군 시대에서 세조 시대로 소급해서 살펴보아야 한다. 세조 3년 10월, 양력으로 1458년 10월 18일에서 11월 16일 사이였다. 음력 10월의 어느 날 아침, 스물여덟 살 된 김종직이란 선비가 잠자리에서 기상했다. 5년 전인 스물세 살 때 과거 시험 소과(제1단계)인 진사 시험에 급제한 뒤 제2단계 시험인 대과를 준비하는 청년이었다.

잠자리에서 일어난 김종직은 간밤에 꾼 꿈을 되뇌었다. 연산군 4년 7월 17일 자(1498년 8월 4일) 『연산군일기燕山君日記』에 따르면, 항우한테 죽임을 당한 초나라 의제(회왕)가 김종직에게 하소연하는 꿈이었다. 꿈에서 의제는 "(나는) 초나라 회왕(할아버지 회왕)의 손자인 웅심(손자 회왕)인데,* 서초 패왕에게 시해되어 빈강(후난성 소재)에 빠뜨려졌다"고 말했다. 중국에서 진나라와 한나라가 교체되던 때에, 의제는 초나라 왕의 타이틀을 갖고 반反진나라 진영의 구심점 역할을 했다. 이때 신하의 입장에 있었던 항우는 의제를 죽이고 서초패왕을 자처했다. 그 의제가 수험생 김종직의 꿈에 출연한 것이다. 꿈에서 본 것을 소재로 김종직은 '조의제문弔義帝文'이란 글을 작성했다. 제목처럼 '의제를 조문하는 문장'이었다. 김종직은 의제의 죽음을 한스러워하며 "하늘의 운수가 정상이 아니었다"고 탄식했다.

「조의제문」은 40년 뒤 연산군 정권에 의해 정치적으로 악용됐다. 꿈을 꾼 지 얼마 뒤 김종직은 대과에 급제하고, 사림파의 리더

---

* 할아버지와 손자의 칭호가 같았음.

로 성장했다. 그가 개혁 세력의 정신적 지주로 활동하다가 죽은 지 6년 만에 「조의제문」이 정국의 뇌관으로 떠올랐다. 출발점은 『성종실록成宗實錄』 편찬이었다.

즉위한 연산군은 관례에 따라 아버지 시대의 역사서인 『성종실록』의 편찬을 명령했다. 그런데 이 과정에서 연산군의 여당인 훈구파에게 좋은 먹잇감이 떠올랐다. 훈구파는 실록 원고인 사초를 수집하는 과정에서 「조의제문」이 적힌 사초를 발견했다. 김종직의 제자, 사관 김일손이 작성한 사초였다. 「조의제문」은 초나라 의제를 추모하는 글에 불과했다. 그런데도 '초나라 의제는 노산군(단종 임금)을 상징하고, 그를 추모하는 것은 세조(수양대군)를 비난하는 것'이라는 논리를 만들어 냈다.

연산군은 세조의 쿠데타가 아니었으면 왕이 될 수 없었다. 게다가 연산군은 세조의 증손자였다. 그러므로 세조의 정통성을 부정하는 것은 연산군의 자격을 부정하는 대역죄나 마찬가지였다. 이 점을 이용해 훈구파는 연산군을 자극해서 김종직을 대역죄로 몰았다. 그 결과 김종직에게 대역죄를 적용해 부관참시하기에 이르렀다.

훈구파의 진짜 표적은 김종직 개인이 아닌, 다른 데 있었다. 그들은 공안 정국을 조성하고 사림파를 대대적으로 탄압했다. 수많은 개혁파 선비들이 이로 인해 화를 입고 목숨을 잃었다. 연산군과 훈구파는 「조의제문」을 빌미로 개혁파의 위세를 잠재웠다. 국정을 비판하는 선비들의 목소리를 막고 좀 더 편히 국정을 운영하고 싶었던 것이다. 이것이 최초의 사화인 무오사화다. 한 번 재미를 들인 연산군은 6년 뒤 또 다른 공안 정국인 갑자사화를 일으켰다. 갑자사화는 연산군이 어머니의 복수를 위해 벌인 사건으로 알려져 있지만, 그보다 더 중요한 본질은 반대파에 대한 정치 탄압이었다.

'사화士禍'라는 표현은 공안 정국으로 선비들이 화를 입었기에 생긴 것이다. 특히 이런 사화에서는 사림파가 큰 화를 입었다. 특히 무오사화 때는 사림파가 집중적으로 피해를 입었다. 반면 갑자사화 때는 사림파가 피해를 입었지만 훈구파 역시 만만치 않은 재앙을 입었다. 사림파에 이어 훈구파마저 약화시킴으로써 연산군의 왕권은 극도로 강해졌다. 성종의 왕권과는 비교도 되지 않았다. 막강해진 연산군은 임금에 대한 직언을 금지한다며, 말조심을 뜻하는 신언패愼言牌까지 착용시켰다. 이런 유치한 행동을 저지를 수 있다는 것은 그만큼 왕권이 강해졌음을 의미한다.

그런데 두 차례의 사화는 결과적으로 연산군을 파멸로 몰아넣었다. 이 과정에서 연산군은 자신에게 유리한 정치 지형을 스스로 훼손해 버렸다. 1498년에 사림파가 대대적인 타격을 입음에 따라 사림파와 훈구파의 대결 구도가 와해되었다. 임금을 조정자 겸 균형자로 만들어 주던 구도가 무너진 것이다. 그 결과 훈구파에게 의존할 수밖에 없는 상황을 연산군 스스로 조성한 셈이 되었다. 이런 상태에서 1504년에는 사림파는 물론이고 훈구파에게도 타격을 입혔다. 이로써 훈구파도 약해졌지만, 이것은 연산군을 외롭게 만들었다. 사림파와 훈구파 양쪽을 제압한 결과 그들 모두를 적으로 만들었고, 이로 인해 연산군은 친위 그룹에 의해서만 보호되는 위태로운 군주가 되고 말았다.

6 중종반정 이후 사림파의 도전과 실패

두 차례의 사화를 거치면서 연산군은 무소불위의 통치자가 됐다. 사림파와 훈구파를 모두 무너뜨린 뒤, 그는 광야에서 홀로 만세를 불렀다. 그것은 연산군의 고립을 의미했다. 연산군의 폭정 아래에서 다들 숨죽이며 허리를 조아렸지만, 마음에서 우러나온 복종이 아니었다. 목숨을 보존하고자, 복종하는 것처럼 굴었을 뿐이다.

국가를 경영하건 기업을 경영하건, 한 개인이 관리할 수 있는 사람의 숫자는 그리 많지 않다. 왕조 창업의 주체 세력도 4, 50명을 넘지 않는다. 이들이 핵심부가 되어 하부 조직을 두기 때문에 숫자가 불어나는 것이지, 최고 지도자 한 사람이 수백·수천·수만 명을 일일이 관리하는 것은 아니다. 최고 지도자는 중간 관리자들의 도움을 받아 조직을 관리할 수밖에 없다.

연산군은 사화를 통해 중간 관리자들의 기를 꺾어 놓았다. 자

창덕궁 정문인 돈화문. 중종반정 당시 반군들이 이 정문 앞에 집결해 있는 동안 연산군 주변을 지키는 신하는 아무도 없었다.

신과 백성들을 잇고, 자신과 하급 신하들을 잇는 중간 관리자들의 혼줄을 빼놓은 것이다. 이것은 중간 관리자들이 심리적으로 연산군에게 멀어지는 결과를 초래했다. 연산군이 얼마나 외로웠는지를 보여 주는 장면은 쿠데타를 당하던 날의 상황이다. 신하들이 연산군의 이복동생인 중종을 옹립하고 쿠데타를 일으킨 1506년 9월 2일(양력 9월 18일), 반군이 대궐 앞에서 진을 치고 대기하는 여유를 부리는데도 연산군은 아무런 대응도 하지 못했다. 그를 도울 신하가 하나도 없었기 때문이다. 다들 겉으로만 충성했던 것이다.

쿠데타 당시 연산군은 창덕궁에 있었다. 쿠데타군이 궁궐 정문 앞에 집결했는데도 별다른 저항이 없었다. 연산군을 돕는 세력이 없었던 것이다. 연산군은 자기 권력이 확고하다고 믿었지만, 막상 뚜껑을 열어 보니 순전히 거품이었다. 사람들이 말은 안 했지만,

제2장 사약의 시대

다들 연산군을 싫어했던 것이다. 이런 상황에서 연산군의 신변을 보호할 사람들도 없었다. 옆을 지키던 궁녀들은 물론이고 내시들도 죄다 달아났기 때문이다. 궁궐 정문에서 쿠데타군의 함성이 들려오는데도, 연산군 옆에는 경호원마저 없었다. 연산군은 집무실 밖에다가 고함을 쳤다. "활과 화살을 가져와!" 하지만 반응이 없었다. 완벽한 고립무원이었던 것이다.

연산군에게 남은 것은 가족뿐이었다. 이때 연산군이 왕비와 나눈 대화가 조선 중기 학자 윤기헌의 『장빈호찬長貧胡撰』에 적혀 있다. 연산군은 사태를 역전시킬 수 없겠다고 판단하고 쿠데타군을 설득해야겠다는 발상을 떠올렸다. 하지만 혼자 할 자신이 없었다. 그래서 왕비를 돌아보았다. 연산군은 왕비에게 "우리 함께 나가서 빌어 봅시다"라고 말했다. 하지만 왕비는 냉정했다. "이렇게 된 마당에 빌어본들 뭐하겠습니까?"며 "그냥 순순히 받아들이시지요"라고 답했다. 그 말에 연산군은 의욕을 잃고 말았다. 흘러가는 상황에 맡기기로 한 것이다.

잠시 뒤 집무실 문 앞이 시끄러워지고 사람 소리가 들렸다. 왕들의 이야기를 정리한 『국조보감國朝寶鑑』에 따르면, 승지와 내시였다. 이미 쿠데타군에 가세한 승지와 내시는 집무실에 들어와 "국새를 내주고 집무실을 비우시랍니다"라고 말했다. 불쾌하고 슬펐겠지만, 연산군은 승복을 결심했다. "내가 내 죄를 알지"라며 국새를 내주고 집무실도 비워 줬다. 이런 쓸쓸한 폐위 장면을 만든 것은 모두 연산군의 업보였다.

중종반정 주역들은 훈구파였다. 반정을 계기로 그들은 다시 강해졌다. 중종반정 이전의 훈구파와 이후의 훈구파는, 1979년 12월 12일 이전의 구舊군부와 이후의 신新군부 같았다. 양쪽의 상호관계에는 비슷한 면이 있었다. 크게 보면 같은 범주, 작게 보면 다른 범주인 그런 관계였다.

　　중종반정 주역들은 허수아비로 추대한 중종을 앞세워 정치를 주물렀다. 그리고 사회의 부와 권력을 빨아들였다. 자신들이 부도덕한 군주를 응징하고 권력을 잡은 사실을 잊기라도 한 듯이, 그들은 부와 권력을 모아들이는 데 집착했다. 그러면서 그들은 연산군처럼 자신들을 억압할 군주가 출현하지 않도록 하고자 '허수아비'의 기를 꺾으면서 권력을 강화했다.

　　반정 3주역은 박원종·성희안·유순정이었다. 이들은 반정 직후부터 중종 길들이기에 착수했다. 대표적인 사례가 중종 부부를 강제 이혼시킨 일이었다. 중종(당시 19세)의 조강지처인 신씨(20세, 훗날의 단경왕후)는 연산군의 처조카였다. 또 연산군 정권의 실력자이자 연산군의 처남인 신수근의 딸이었다. 그런 이유로 반정 주역들은 쿠데타 7일 만에 신씨를 궁에서 내쫓아 버렸다. 왕을 강제로 이혼시킬 정도였으니, 반정 주역들이 얼마나 기세등등했는지 짐작할 수 있다. 이렇게 해 놓은 까닭에 중종은 반정 3주역 앞에서 쩔쩔맸다. 『연려실기술』 중종조 고사본말에 따르면, 중종은 3주역이 자리를 뜨면 얼른 일어나서 그들이 나간 뒤에야 자리에 앉았다고 한다.

　　중종은 훈구파 틈바구니에서 숨죽이며 임금 자리를 지켰다.

과거 시험 수험장 중 하나였던 성균관 비천당. 서울시 종로구 명륜동에 있다.

강제 이혼을 당했으니, 훈구파의 눈치에 민감했을 것이다. 그러면서도 권력에 대한 집착이 대단해서 훈구파의 간섭에서 벗어나 독자적으로 왕권을 행사하고 싶었다. 중종은 그날만을 바라며 무려 9년이란 세월을 기다렸다.

　반정 주역들이 하나둘씩 사라진 뒤인 1515년, 중종은 한 사람을 찾아냈다. '드디어 찾아냈다'고 해야 할 상황이었다. 간절히 원하던 스타일의 신하를 찾아냈기 때문이다. 공민왕이 신돈을 발굴했을 때의 느낌을 중종도 느꼈을지 모른다. 그만큼 대단한 신하였다. 그는 조광조라는 34세의 1년차 관료로 사림파 출신이었다. 조광조는 소과에 급제한 다음, 성균관에 입학했다. 입학하자마자 '혼자 있을 때도 갓을 쓰고 똑바로 앉아 있자'는 등의 바른 생활 캠페인을 벌여 성균관 교직원들의 눈총을 사다가, 어느새 그들을 자기편으로 만들었다. 성균관의 추천으로 조지서(종이 제작 관청) 책임자로 특채됐지만, 자존심이 상했던지 대과에 응시해서 당당히 급제했다. 성균관에 입학하자마자 캠페인을 벌인 것처럼, 조광조는 관직을 받자마자 또다시 세상을 들썩이게 했다. 훈구파를 맹공격하기 시작한 것이다. 그런 그가 중종의 눈에 쏙 들어갔다.

중종은 조광조에게 중임을 맡겼다. 그리고 그를 통해 훈구파를 견제했다. 중종이 사실상의 전권을 부여함에 따라 1516년에 사림파는 조광조를 중심으로 사상 최초로 정권을 꾸리게 되었다. 성종 때 중앙 정계에 진출한 이래로 처음 있는 일이었다. 중종반정 이후 10년 동안 훈구파에게 이를 갈고 산 중종과, 15세기 후반 이래 핍박을 견디며 개혁을 추진한 사림파의 결합이 이루어 낸 사건이었다.

이때부터 조광조는 사림파의 왕도정치 사상에 입각한 개혁을 추진했다. 그 가운데 하나가 유명한 향약의 시행이다. 향약은 유교적 생활 방식과 사회 조직을 뿌리내리도록 하기 위한 장치였다. 또 중종반정 공신들을 격하시켜 그들의 명예와 지위를 깎아내렸다. 정변을 통해 권력 핵심부에 진입하는 훈구파의 출세 방식에 철퇴를 가한 것이다. 또 새로운 과거 시험인 현량과賢良科를 설치했다. 현량과는 사림파가 아니고는 통과하기 힘들었다. 이에 응시하려면 추천을 받아야 했는데 조광조 세력은 추천 과정에 개입했다. 훈구파 쪽 수험생들의 응시를 방해하기 위해서였다. 상당히 노골적이기는 했지만, 사림파를 정부 요직에 신속히 앉히기 위한 포석이었다. 기존의 시험 제도로는 훈구파 자제들을 이길 수 없다는 판단에 따른 것이었다. 과거 제도는 부와 명예와 권력을 분배하는 제도였다. 이런 제도를 전면적으로 바꿨으니 조광조의 개혁이 얼마나 충격적이었을지 짐작할 수 있다.

조광조의 폭풍 같은 개혁을 두려운 눈으로 바라보는 이가 있었다. 훈구파 관료들도 두려워했겠지만, 그들보다 더 두려워한 이가 바로 중종이다. 중종이 조광조를 기용한 목적은 충선왕·공민왕·성종의 동기와 다르지 않았다. 기득권층을 견제하고 왕권을 강화하기 위해서였다. 그런데 조광조는 중종의 의도에서 엇나가기 시작했다. 중종은 조광조의 기백이면 훈구파를 견제할 수 있으리라 기대했지만 조광조는 거기서 더 나아가 세상을 뒤집을 개혁을 추진했다. 이 것은 중종의 의도에서 명백히 벗어난 것이었다.

게다가 중종이 싫증을 내도록 만든 또 다른 요인이 있었다. 조광조는 중종의 마음을 붙들어 둘 목적으로 경연이란 세미나를 최대한 활용했다. 그는 매일 두세 번씩 경연을 열어 중종을 의식화하고 왕의 일거일동을 간섭했다. 경연 때마다 조광조가 침이 마르도록 강조한 것은 신독愼獨이다. '군자는 홀로 있을 때도 삼가야 한다君子必愼其獨也'는 『대학』의 내용을 입이 닳도록 강조했다. 그는 중종에게 침실에 혼자 있을 때도 신독을 준수하라고 요구했다. 남이 안 보는 곳에서도 항상 허리를 펴고 똑바로 앉아서 자기 수양을 하라고 주문한 것이다. 성균관 교직원과 학생들을 상대로 벌인 캠페인을 임금을 상대로도 펼쳤던 것이다. 중종 12년 8월 8일 자(1517년 8월 24일 자) 『중종실록』에는 조광조가 경연 자리에서 중종에게 자세를 똑바로 하시라고 훈계하는 장면이 나온다. 지금 자세가 이 모양인 것은 최근에 혼자 계실 때 마음공부를 게을리 한 결과가 아니냐며 따져 물었던 것이다.

중종은 처음에는 조광조를 매우 좋아했다. 조광조보다 여섯 살 어린 중종은 조광조를 신하처럼 스승처럼 형처럼 따랐다. 하지만 시간이 지나면서 조광조가 점점 피곤하게 느껴졌다. 조광조가 경연 시간을 질질 끄는 것도 못마땅했다. 조광조가 자신의 의도를 벗어나 개혁을 추진하는 것도 싫었고, 이렇게 책을 들고 자신을 들들 볶는 것도 싫었다.

결국 1519년, 중종은 조광조 일파를 전격적으로 체포했다. 죄목은 국정을 함부로 농단했다는 것이었다. 중종은 조광조를 귀양 보낸 뒤 1520년에 사약을 보내 조광조를 저세상으로 보냈다. 사약의 시대에 조광조는 사약을 받고 사림파 지도자 자리에서 떠나갔다. 그 결과 사림파 정권도 무대 아래로 퇴장했다. 이 사건이 바로 기묘사화이다.

제2장 사약의 시대

7 시련 속에 거둔 사림파의 영구 집권

중종은 조광조를 내치고 훈구파를 다시 중용했다. 하지만 지방 차원에서 확장되는 사림파의 기운을 꺾을 수는 없었다. 그럴 힘이 있다 해도, 그래서는 안 되었다. 그것은 훈구파를 또다시 너무 강하게 만드는 길이었다. 조광조 정권을 전격 출범시켰다가 전격 해체시킬 수 있을 정도로 강해진 자신의 왕권을 스스로 약화시킬 이유는 없었다. 조광조는 조광조이고 사림파는 사림파였다. 조광조 같은 괴물이 더 이상 나타나지 않는다면, 사림파를 약화시킬 필요는 없었다.

사림파의 세력 확장은 시대 이념에도 부합했다. 사림파는 유교적 합리주의에 따른 왕도 정치를 지향했다. 그것은 그 시대 사람들이 생각하는 '나라다운 나라를 만드는 길'이었다. 연산군처럼 폭정하는 군주는 왕도 이념에 부합하지 않았다. 훈구파 같은 세력이 지나치게 커지는 것도 마찬가지였다. 유교적 합리주의에 따라 나라를 운용하는 세력이 이 시대에는 가장 이상적인 정치 파벌이었다.

그래서 조광조가 사약을 마신 뒤에도 사림파는 계속 중앙으로 진출했다. 물론 조광조 때와 같은 힘을 가진 것은 아니었다. 하지만 그 진출은 꾸준하게 진행됐다. 중종 입장에서도 훈구파만으로 정권을 채우는 것은 위험했으므로, 전략적 차원에서라도 이런 현상을 지켜볼 수밖에 없었다.

하지만 세상을 바꾸려는 사림파의 도전은 순탄하지 않았다. 조광조 정권이 겪은 기묘사화로 이들에 대한 탄압이 끝난 게 아니었다. 탄압은 계속해서 벌어졌다. 1544년 중종이 죽고 중종의 아들 인종이 왕이 됐다. 인종은 장경왕후 윤씨의 소생이다. 그런데 이듬해 1545년에 인종이 죽고 이복동생 명종이 왕이 됐다. 명종은 문정왕후 윤씨의 소생이다. 장경왕후에 이어 왕비가 된 문정왕후는 장경왕후의 7촌 조카였다. 두 왕후는 같은 파평 윤씨였다. 이들은 상호 경쟁했다. 두 왕비에게 각각의 왕자가 있었기 때문이다. 그래서 파평 윤씨는 두 여성을 중심으로 분열했다. 장경왕후 쪽은 대윤大尹으로 불리고 문정왕후 쪽은 소윤小尹으로 불렸다. 인종이 죽고 명종이 등극하자, 소윤은 대윤을 공격했다. 이 과정에서 사림파가 또다시 화를 입었다. 이것이 1545년 을사사화다. 이때 많은 선비들이 유배를 가거나 사약을 마셨다. 하지만 전장에서 총알 세례를 맞기도 하고 피하기도 하면서 고지를 향해 달려가는 병사들처럼, 사림파도 훈구파의 공격을 받아 가며 그렇게 돌진해 갔다.

이 시대에 사림파의 세력 확장을 선도한 이황의 방식은 특이했다. 사림파 지도자 가운데 하나였던 그는 일종의 치고 빠지기 방식으로 세력을 늘려갔다. 선조 3년 12월 1일 자(1570년 12월 27일 자) 『선조수정실록宣祖修正實錄』에 따르면, 그의 장례식에 모인 성균관 유생과 제자들만 해도 수백 명에 달했다. 이 정도로 생전의 이황은 수많은 선비들을 이끌었다. 이를 기반으로 그는 관직에 진출했다가 여의치 않으면 물러나는 방식으로 영향력을 늘리는 동시에 신변을 보존했

조광조 생가 터. 서울시 종로구 낙원동 낙원상가 바로 옆이다. 사진 왼쪽 상단에 천도교 중앙대교당이 보인다.

다. 1545년에서 1558년까지의 13년 동안, 그가 관직에서 물러나거나 관직을 사양한 횟수는 20여 회나 된다.

이황은 당대 사람들로부터 처신이 불분명하다는 비판을 받았다. 광해군 3년 3월 22일 자(1611년 5월 4일 자) 『광해군일기光海君日記』에 따르면 광해군 시대에 북인당 정권의 거물로 활약한 정인홍은 이황을 가리켜 "이황은 과거로 관직에 진출해서 완전히 나아가지도 않고 완전히 물러나지도 않은 채 서성대고 세상을 비웃으면서 스스

로 중도파라 여겼다"고 비판했다. 같은 사림파가 보기에도 모호한 노선을 걸었던 것이다. 하지만 이 시대에는 그럴 수밖에 없었다. 조광조가 비극적으로 퇴장한 뒤라서, 조광조처럼 용감하게 돌진했다가는 불구덩이로 떨어질 게 뻔했다. 이황처럼 몸을 숙이면서 세력을 팽창하는 방식이 이 시대에는 지혜로웠다.

조광조 사후에 사림파는 장기적·점진적 투쟁을 거쳐, 문정왕후와 명종이 모두 죽은 뒤에 선조의 등극을 계기로 1567년에 정권을 잡았다. 이 뒤로 훈구파는 더 이상 정권을 탈환하지 못했고 정치 파벌로서의 역할도 수행하지 못했다. 정계에서 항구적으로 퇴출된 것이다.

사림파의 집권은 혁명적 방법으로 이루어진 게 아니다. 박해를 받으며 꾸준히 세력을 확대하면서 점진적으로 얻어 낸 결과였다. 강한 자가 살아남는 게 아니라 살아남는 자가 강한 자라는 말은 이런 경우를 두고 하는 말이다. 선조가 왕위에 오른 후로 왕조가 멸망할 때까지는 기본적으로 사림파와 그 분파들이 나라를 이끌었다. 사림파가 지배한 기간은 대략 300년이다. 훈구파가 조선 전기 200년을 지배했다면, 나머지 300년을 지배한 것은 사림파였다.

제2장 사약의 시대

문정왕후 시대에 반짝 등장한 불교 파벌

명종 시대의 실질적 임금은 명종의 어머니인 문정왕후였다. 1545년 즉위 당시, 명종은 열두 살이었다. 그래서 문정왕후가 대비 자격으로 수렴청정을 했다. 문정왕후는 소윤 세력을 발판으로 정권을 장악했다. 소윤은 훈구파의 일파로 문정왕후를 앞세워 대윤을 꺾고 권력을 획득했다.

문정왕후가 경원대군(훗날의 명종)을 낳은 해는 중종 임금 때인 1534년이다. 이때 첫 번째 왕비의 아들, 그러니까 전처 자식인 인종은 스무 살로 당시 세자였다. 따라서 경원대군이 중종의 후계자가 될 확률은 거의 없었다. 그러나 문정왕후는 개의치 않고 동생 윤원형이 지도하는 소윤을 내세워 경원대군을 왕으로 만들기 위한 작업을 전개했다.

중종이 죽은 1544년에 왕이 된 쪽은 예상대로 인종이었다. 하

지만 문정왕후는 포기하지 않았다. 착하고 여린 인종을 문정왕후는
정신적으로 끊임없이 괴롭혔다. 인종 입장에서는, 문정왕후가 친모
는 아니더라도 법적 어머니였다. 그래서 괴롭힘을 피할 길이 없었
다. 결국 인종은 이듬해인 1545년 세상을 떠났다. 이때 나이가 고작
서른한 살이었다. 문정왕후의 괴롭힘과 인종의 사망 사이에 인과관
계가 있다는 점은 명종 20년 4월 6일 자, 즉 1565년 5월 5일 자 『명
종실록明宗實錄』에서 확인된다. 이렇게 해서 문정왕후는 아들을 왕으
로 올리는 데 성공하고 수렴청정을 통해 권력을 손아귀에 넣었다.

　　명종이 성인이 되어도 문정왕후는 수렴청정을 거두지 않았다.
성인이 된 아들을 무시하고 자신이 계속 정권을 잡은 것이다. 명종
이 낯빛에 불만을 드러내면, 문정왕후는 야단을 쳐 가며 아들의 권
력욕을 억제했다. 앞서 이야기한 명종 20년 4월 6일 자 『명종실록』
을 다시 자세히 보면 문정왕후와 명종 사이에는 이런 일이 많았다.

　　자기 입으로 "왕을 세운 공로가 내게 있다"고 말하고, 이따금 임금
　　에게 "내가 없었다면 네가 무슨 수로 이렇게 됐겠느냐?"고 말하기
　　도 했다. 조금이라도 마음에 들지 않으면 (명종에게) 함부로 호통을
　　치니, 마치 민가의 팔팔한 어머니가 어린 아들을 대하는 것 같았다.

　　이런 방법으로 문정왕후는 임금을 허수아비로 만들었다. 그
러고는 동생 윤원형 부부 및 보우 대사 등과 함께 권력 핵심부를 구
성했다. 문정왕후의 권력은 죽을 때까지 계속되었다. 문정왕후가 정

문정왕후 등(왼쪽)과 보우 대사 등(오른쪽). 서울시 강남구 삼성동의 봉은사에서 찍은 사진

권을 잡은 기간은 무려 20년간으로 1565년 그가 죽음으로써 끝났
다. 아들 명종은 1567년에 세상을 떠났다. 명종이 실질적으로 왕권
을 행사한 기간은 2년밖에 되지 않는다. 명종의 시대는 실제로는 문
정왕후의 시대나 진배없었다.

　　문정왕후 시대에도 훈구파가 정권을 잡았다. 하지만 이 말만
으로는 이 시대의 정계 구도를 온전히 설명할 수 없다. 실제 상황은
좀더 복잡했다. 보다 정확히 말하자면, 유교 정치 세력 내에서 훈구
파가 주류가 되고 사림파가 비주류가 되었다고 말할 수 있다. 굳이
유교 정치 세력이란 표현을 사용하는 것은 이 시대에 불교 정치 세

력도 있었기 때문이다. '훈구파 대 사림파' 구도 외에 '유교 대 불교' 구도가 별도로 작동했던 것이다.

문정왕후는 승려 보우를 앞세워 불교 국가 건설을 추구했다. 문정왕후의 정책은 친불교 색채가 농후했다. 이들은 불교 세력의 체계화·조직화를 위해 불교 종파들을 선종과 교종으로 재정립했다. 300여 개의 사찰에 대해 공인을 해 주었으며 승려 등록제인 도첩제를 통해 4천 명의 승려를 새로 충원했다. 선비와 서원을 늘리는 게 아니라, 승려와 사찰을 늘리는 정책을 폈던 것이다.

이뿐만이 아니었다. 승과 시험까지 설치했다. 유교 일변도의 과거 시험 체제에 불교적 색채를 가미한 것이다. 이 시험에 급제한 승려 가운데 유명한 사람이 서산대사와 사명대사다. 임진왜란 승병장으로 유명한 두 승려도 승과를 통해 세상에 이름을 알렸다. 이 같은 친불교 정책을 일선에서 지휘한 인물이 바로 보우 대사다. 보우는 지금의 서울시 강남구 삼성동에 있는 봉은사에서 주지 생활을 하기도 했다.

사림파의 시선으로 보자면 문정왕후는 훈구파로 비쳐졌을 것이다. 하지만 유교 세력 전체의 관점에서 보면 문정왕후는 훈구파라기보다 불교 세력이었다. 조선을 불교 국가로 만들고 불교 세력을 정치권에 심는 '불온한 인물'이었다. 한편으로 문정왕후는 훈구파가 되어 사림파를 탄압하면서도, 또 한편으로는 불교 편이 되어 유교 세력을 억압하는 권력자였다. 파벌 구도를 이원화시켰던 것이다.

문정왕후는 1565년 65세 나이로 세상을 떠났다. 만약 좀 더

제2장 사약의 시대

오래 살았거나 아니면 자기 뜻을 계승할 후계자를 남겼다면, 조선이 불교 국가 쪽으로 좀 더 다가섰을 가능성이 있다. 하지만 문정왕후는 자기 뜻을 이어 나갈 후계자를 남기지 못했다. 아들 명종은 틈만 나면 정권을 돌려받기 위한 시도를 벌였다. 명종은 어머니의 뜻에는 별 관심이 없었다. 도리어 어머니의 적인 사림파와 손을 잡았다. 이것은 문정왕후가 죽은 뒤에 사림파가 급속히 세력을 확장한 원인 가운데 하나였다. 어머니에 대한 명종의 반발심이 사림파의 집권을 도운 것이다.

유교 왕국에 불교를 진흥시킨 승려, 보우

보우는 연산군이 죽은 지 3년 뒤에 태어났다. 1509년인 이해 는 중종이 왕이 된 지 4년째 되는 해였다. 보우는 15세에 금강 산에서 출가한 뒤 유학자들과도 교유를 가졌다. 사상적 폭이 넓 었던 것이다. 재상 정만종을 통해 문정왕후를 알게 되면서 그의 인생은 확 바뀌었다. 1548년 문정왕후의 지원 하에 마흔 살 나 이로 봉은사 주지로 취임했다. 이때부터 그는 불교의 세력 확장 에 앞장을 섰다.

그런데 불교의 세력 확장은 단순히 종교적 성격만을 띠는 게 아니었다. 이것은 유교의 영토를 축소시키는 일이었고 조선의 정치 지형을 뒤흔드는 일이었다. 그러므로 보우의 세력 확장은 실은 정치 투쟁이었다. 그런 일을 공식 관직이 없이 불교 지도 자 지위로 벌였으니, 그도 비선 실세라 할 만한 인물이었다.

유교가 헤게모니를 잡은 세상에서 보우는 노골적으로 불교 정책을 추진할 수는 없었다. 그는 다소 타협적인 노선을 선택했다. 불교와 유교의 화해를 모색했던 것이다. 이런 제스처를 취하면서 불교의 영향력을 넓혀 갔다.

만약 고려 시대 같았으면 '나라의 스승'이나 '왕의 스승'이라는 뜻의 국사國師나 왕사王師 같은 공식 직함이 그에게 주어졌을 것이다. 하지만 16세기 후반 상황에서는 힘들었다. 선비도 아닌 승려를 그렇게 대우했다가는 세상이 발칵 뒤집어졌을 것이다. 그래서 문정왕후는 다른 타이틀을 주었다. 봉은사 주지와 더불어 선종판사禪宗判事라는 직함이었다. 선종판사를 맡음으로써 그는 불교의 양대 교파 중 하나인 선종을 총괄할 책임을 안게 되었다. 형식상은 선종의 책임자였지만, 실제 위상은 훨씬 높았다. 나라의 정신세계를 개조할 사명을 부여받았으니 사상계의 최고 권위자가 된 것이나 마찬가지였다.

훈구파와 사림파는 상호 대립했지만, 문정왕후와 보우에 대해서만큼은 통일된 노선을 취했다. 문정왕후와 보우에 대해 반대 입장을 취한 것이다. 두 사람의 합작이 훈구·사림 양파의 기반을 모두 흔들었기 때문이다. 훈구파든 사림파든, 제도권이든 재야든 간에 '보우를 죽여야 한다'는 구호 앞에서는 일치단결했다. 왕의 어머니인 문정왕후를 죽이자고 할 수는 없었으므로 '보우를 죽이라'는 상소문을 계속해서 쏘아 대면서 문정왕후 정권을 압박했다. 선비나 관료뿐 아니라 미래의 동량인 성균관 유생들까지도 같은 대열에 섰다.

이때 성균관 유생들이 보인 행동은 오늘날 우리가 보면 오해할 만한 측면이 있었다. 실학자 이긍익의 『연려실기술』에 인용된 『서애잡기』에 따르면, 보우를 죽이라는 상소가 번번이 무시되자 학생들이 선택한 시위 방식 가운데 하나는 구내식당에 가지 않는 것이었다. 승정원 승지들까지 나서서 제발 식당에 좀 가라며 권유했지만, 유생들은 요지부동이었다.

이런 장면을 보고 현대인들은 성균관 선비들이 단식 투쟁을 했다고 생각하기 쉽다. 하지만 이러한 행동은 유생들에게는 다른 의미가 있었다. 정조 임금 때의 성균관 유생인 윤기가 쓴 『반중잡영泮中雜詠』이란 시집이 있다. 성균관 문화를 시로써 정리한 책이다. 이에 따르면, 성균관에서는 구내식당에서 하루 두 끼를 먹어야 1일 출석한 것으로 인정했다. 그리고 출석 일수에 따라 과거 시험 응시의 특혜를 주었다. 따라서 유생들이 식당에 가지 않는 것은 출석부에 도장을 찍지 않는 것과 같았다. 성균관 내에 있으면서도 일부러 그렇게 했던 것이다. 식사는 밖에 가서 하면 됐다. 출석 일수가 적으면 과거 시험에서 특혜를 누릴 수 없는데도 출석부에 도장을 찍지 않은 걸 보면, 그들이 승려 보우를 얼마나 미워하고 경계했는지 알 수 있다.

이런 상황에서도 문정왕후는 반대파들의 공격을 막아 주며 보우의 불교 진흥 정책을 지원했다. 그 결과 문정왕후가 살아 있는 동안은 불교가 침체에서 벗어나 부활의 조짐까지 보였다. 하지만 문정왕후 집권 20년만으로는 시간이 부족했다. 보우는 순전히 독자적 힘으로 불교 진흥 정책을 펼친 게 아니다. 문정왕후에게 의존했으므로, 보우의 종교 개혁도 그만큼 취약할 수밖에 없었다. 결국 문정왕후가 죽은 그해에 보우도 죽고 보우의 불교 진흥도 모두 수포로 돌아가고 말았다.

9 사림파의 끊임없는 분열

　　오늘날 미국 정치는 민주·공화 양당 체제로 운영된다. 제3당이 목소리를 낼 때도 있지만, 대체로 양당 체제로 가동되고 있다. 그런데 민주·공화 양당은 원래는 같은 뿌리에서 피어났다고 말해도 과언이 아니다.

　　초기의 양당제를 주도한 것은 연방당과 민주공화당이었다. 연방당은 연방의 이익을 대변하고, 민주공화당은 주의 이익을 대변했다. 이들은 18세기 후반부터 모습을 드러냈다. 처음에는 연방당이 우세를 보였다. 연방당은 최초의 정당 출신 대통령인 제2대 존 애덤스(1797~1801년 재임)를 배출했다. 그런 의미에서 연방당은 미국 최초의 여당이었다. 이랬던 연방당이 1820년 제9대 대선 때는 후보도 내지 못했다. 그 정도로 약해지다가 자취를 감추었다. 연방당이 사라지자 민주공화당 안에서 핵분열이 발생했다. 여기서 민주당과 휘

　　　　　　　　　　　　　　　제2장 사약의 시대

그당이 나왔다. 휘그당은 연방당이 사라진 자리를 어느 정도 대신했다. 연방의 이익을 대변하는 역할을 수행했던 것이다.

그런데 흑인 노예 문제로 미국 사회가 분열하는 과정에서 휘그당은 사라지고 공화당이 그 자리를 대체했다. 이렇게 해서 1850년대부터 민주·공화 양당 체제가 등장했다. 이 시기에 공화당 지도자로 부각돼 대통령이 된 인물이 바로 에이브러햄 링컨이다. 이런 과정에서 드러나듯이, 민주·공화 양당은 연방당과 대립했던 민주공화당에 뿌리를 두고 있다. 연방당이라는 공동의 적이 사라지자 민주공화당 내에서 핵분열이 일어나고, 그 분파 가운데 하나가 연방당의 자리를 채웠던 것이다.

공동의 적을 물리친 승자 그룹 안에서 핵분열이 일어나 새로운 대결 구도가 등장하는 현상은 어느 시대, 어느 나라에서나 나타난다. 조선 시대 정쟁에서도 마찬가지여서 사림파가 훈구파를 물리친 뒤에도 유사한 모습이 나타났다.

1567년에 집권한 사림파는 15년 뒤인 1582년경 동인당과 서인당으로 갈라졌다. 동인당은 이황과 조식의 학문을 따르는 세력으로 주로 경상도에 기반을 두었다. 경상도의 지주 출신 선비들이 핵심 당원들이었던 것이다. 서인당은 앞서 설명한 대로 기호 지방에 근거지를 두었다. 이들은 율곡 이이와 성혼 등의 사상을 따랐다. 중부권의 지주 출신 선비들이 이 세력을 이끌었다. 이이 하면 강원도 강릉이 연상되지만, 거기는 어머니인 신사임당의 고향이었다. 아버지 이원수는 경기도 파주 사람이었다. 신랑이 신부 집에서 결혼식을 올린 뒤 몇 년 혹은 평생을 살던 문화 때문에 이이가 강릉에서 태어났을 뿐이다.

동인당과 서인당으로 갈라진 직후에는 동인당이 집권당이 됐다. 하지만 동인 출신인 정여립이 모반 사건에 휘말리면서 정권은 서인당으로 넘어갔다. 이때가 1589년이다. 2년 뒤 정권은 다시 동인당으로 넘어갔다. 서인 출신인 송강 정철이 광해군을 세자로 책봉할 것을 건의했다가 선조한테 미움을 산 것이 계기가 되었다. 이때 정권을 잡은 동인당은 남인당과 북인당으로 갈라졌다. 승자의 핵분열이 일어났던 것이다. 남인당은 경상도 서부를, 북인당은 동부를 근거지로 했다.

광해군의 세자 책봉 문제로 정권이 동인당에게 넘어간 1591년은 임진왜란 1년 전이다. 이때만 해도 광해군은 서인당의 지지를 받았다. 만약 이 구도가 그대로 유지된 채로 광해군이 왕이 됐다면, 1623년에 광해군이 서인당의 쿠데타로 정권을 잃지 않았을지도 모른다. 그런데 그 뒤 광해군은 집권당인 동인당 그중에서도 북인당 편이 되었다. 북인당은 임진왜란이 끝나던 해인 1598년 당시 집권당인 남인당의 지도자 유성룡을 실각시키고 집권당이 되었다. 이 북인당도 대북당과 소북당으로 분열됐다. 이 중에서 대북당은 1608년 광해군의 즉위와 함께 집권 여당이 되었다.

서인당은 1591년부터 야당 생활을 했지만, 동인당 계열에 비해 다수파였다. 이들의 근거지는 수도권을 포함한 기호 지방이었다. 이 점도 이들의 파워를 반영한다. 이렇게 야당인 서인당이 더 강력

〈사림파의 주요 분파〉

훈구파 ── 사림파

동인당 / 서인당

남인당 / 북인당 / 노론당 / 소론당

대북당 / 소북당

〈주요 분파 프로필〉

		핵심 거점	주요 인물	특징
동인당	남인당	경상도 서부	이황·유성룡·허적· 윤휴·채제공·정약용	숙종 때 서인당과 정권을 주고받으며 전성기 구가.
	북인당 대북당	경상도 동부	조식·서경덕· 정인홍·이이첨·허균	광해군 시대의 여당.
	북인당 소북당		조식·서경덕·유영경	선조 시대 후반에 여당이 됐다가, 광해군의 이복동 생인 영창대군을 지지한 일로 몰락.
서인당	노론당	수도권· 충청	이이·성혼·김장생· 송시열	광해군을 몰아내고 51년 간 집권한 서인당의 분파 로 숙종 시대 후반 이후로 주도권 장악.
	소론당		이이·성혼·윤증	서인당의 분파로 숙종 시 대 후반부터 노론당과 경 쟁하다가 영조의 이복형 인 경종을 지지.

한 가운데 광해군은 소수파인 대북당을 이끌었다. 동인당 전체도 아니고, 동인당의 분파인 북인당 전체도 아니고, 대북당만을 여당으로 두었던 것이다. 이런 상태로 15년간 나라를 이끌었다. 소수 세력을 이끌었음에도 광해군은 명나라와의 동맹을 무시하고 외교적 중립 노선을 지향하며 서민 위주의 사회·경제 정책을 펼쳤다.

하지만 광해군에게도 여러 문제가 있었다. 광해군은 외교 노선을 수정하는 과정에서 사회적 합의를 도출하지 못했다. 전란 복구 차원에서 궁궐을 재건하느라 백성들의 노동력을 지나치게 동원하기도 했다. 그중에서 소북당과 연계된 새어머니 인목대비를 서궁(덕수궁)에 유폐하는 패륜을 범한 것이 치명적이었다. 이런 여러 가지 문제들은 소수파 정권의 실책이 되어 지지율을 떨어뜨리는 요인이 됐고 결국 서인당이 반정反正을 명분으로 쿠데타를 일으키도록 만드는 빌미가 되었다. 1623년 인조가 일으킨 쿠데타로 광해군과 북인당 정권은 정계에서 사라지고, 그때부터 51년간 서인당의 장기 집권이 이어졌다.

2인자까지 굴복시킨 왕의 여자,
김개시

　김개똥·김가희로도 불리는 김개시는 광해군 시대의 막후 실
세였다. 그녀는 궁녀의 신분으로 정권을 배후에서 조종했다. 조
선 시대 법전에 따르면, 궁녀는 공노비 중에서 선발됐다. 김개
시도 공노비 출신이었다. 따라서 정치 파벌에 공식적으로 합류
할 수 없었다. 대신 김개시는 광해군과의 사적 관계를 활용해
정치에 개입했다. 광해군의 여인이었다는 점이 그의 정치 개입
을 가능케 했다.

　그런데 처음에는 광해군의 여인이 아니었다. 광해군의 아버지
인 선조의 여인이었다. 『인조실록仁祖實錄』의 인조 1년 9월 14일
자(양력 1623년 10월 7일 자) 기록에 따르면, 김개시는 한때 선조의
사랑을 받았다. 『인조실록』에는 그가 선조의 후궁이었다고 기
록되어 있다. 정식 후궁은 아니었다. 비공식 후궁인 승은상궁이
었다. 임금과 잠자리를 가졌지만 후궁으로 책봉되지 못한 궁녀

들을 승은상궁이라 부르고 후궁 대우를 해 주었다. 그렇게 승은 상궁이던 김개시가 선조 사후에 그의 아들인 광해군의 승은상 궁이 되었다. 2대 연속으로 승은상궁이 된 것이다. 진흥왕·진지왕·진평왕 3대의 후궁이었던 미실을 연상케 하는 대목이다.

그런데 김개시와 광해군의 관계는 선조 생전에 시작됐다. 세 사람 사이의 삼각관계로 최대 피해를 입은 쪽은 선조다. 김개시는 선조의 아들과 손잡고 선조의 정치적 구상을 무너뜨렸다. 선조의 이미지를 깎아내리고 정치적 계획에도 타격을 입혔던 것이다.

선조가 후계자 문제로 광해군과 갈등을 빚을 때, 김개시는 광해군을 편들었다. 선조는 33세 연하의 인목왕후(인목대비)가 낳은 영창대군에게 왕권을 넘기고 싶어 했다. 그러자 김개시는 이이첨·정인홍 등과 합세해 광해군을 도왔다. 이런 노력이 주효해서 왕권의 저울추가 광해군 쪽으로 기울어졌고, 선조가 탐탁지 않아 함에도 광해군이 왕권을 승계했다. 김개시는 이렇게 선조의 후계 구상을 와해시킨 데 이어, 또 다른 일까지 감행했을 가능성이 있다. 그는 선조를 독살했다는 혐의까지 받았다. 『인조실록』에는 선조가 먹을 약밥에 김개시가 독을 풀었다는 이야기가 기록되어 있다.

아버지와 아들 사이를 오가며 한 시대를 풍미했으니, 김개시가 무척 예뻤을 것이란 생각이 들 수도 있다. 하지만 기록상으로 보면 미인은 아니었던 것으로 보인다. 광해군 5년 8월 11일 자(1613년 9월 24일 자)『광해군일기』에서는 김개시를 두고 "나이가 차도 용모가 피지 않았다"고 평했다. 외모가 보통 이하였다는 뜻을 점잖게 표현한 것이다.

김개시가 광해군의 관심을 끈 비결은 다른 데 있었다. 그는 영리할 뿐 아니라 업무 능력도 탁월했다. 사실 의외로 여성의 외모보다는 능력에 주목한 왕들이 많았다. 왕에게는 사랑보다 권력 유지가 급했기 때문에 남자든 여자든 좋은 인재를 자기 옆에 두려는 경향이 강했다. 광해군도 그런 왕이었다. 김개시의 능력이 좋았기 때문에 그녀를 옆에 두었던 것이다. 이를 발판으로 김개시는 광해군 시대 15년을 풍미할 수 있었다.

김개시의 위세는 요즘으로 치면 소통령이었다. 조정에서 광해군 다음가는 2인자는 이이첨이었다. 그런 이이첨도 김개시에게 결재를 받아야 할 정도였다. 인조 1년 9월 14일 자(1623년 10월 7일 자)『인조실록』에는 이이첨이 김개시에게 빌붙었다느니 이이첨이 김개시와 상의한 뒤 인사권을 행사했다느니 하는 말들이 나온다. 인목대비의 이야기를 다룬 『계축일기癸丑日記』에도 대비가 자신과 영창대군에 대한 박해의 몸통으로 김개시를 지목하는 부분이 나온다. 인목대비와 영창대군에 대한 박해는 광해군 정권의 화력이 대거 투입된 사건이다. 인목대비는 이 사건의 배후가 김개시였다고 판단했다. 김개시의 위세가 대단했기에 그런 판단을 했을 것이다.

　이처럼 막강한 권력을 행사했지만 김개시는 중전은 물론이고 후궁도 되지 못했다. 그는 비공식 타이틀인 승은상궁에 만족했다. 하지만 이는 김개시 자신의 판단에 따른 것이었다. 후궁이 되면 궐밖 출입이 힘들어지고 행동의 제약도 심해졌다. 그렇게 되면 비선 실세 역할을 하기 힘들다는 판단 하에 일부러 궁녀 신분을 유지한 것이다.

　광해군 시대의 실세였으니, 그도 1623년을 무사히 넘길 수는 없었다. 김개시는 인조반정 당시 사찰에서 불공을 올리고 있었다. 그러다가 반군에 체포되어 최후를 장식했다. 그에게는 사약 같은 게 제공되지 않았다. 김개시는 재판도 없이 참수되었다. 비선 실세다운 최후였다.

10 철학자들이 정치 투쟁을 하는 방식

　대한민국 국회의원들 중에는 정당인 출신이 가장 많고 학자·변호사·기업인·시민운동가 등이 그다음으로 많다. 정당인 출신이 제일 많다 보니, 국회에서 직업 정치꾼 냄새가 배어 나오지 않을 수 없다. 이에 비해 사림파 시대 정치인 혹은 관료들은 거의 다 선비 출신이었다. 유교 철학, 즉 성리학을 배운 선비들이다 보니 외형상 '정치꾼'이 아닌 철학자 분위기를 풍기지 않을 수 없었다. 교수·승려·신부·목사 출신이 국회의사당을 차지한 분위기를 연상하면 될 것이다.

　성리학을 배운 철학자들이 국정을 운영했으니, 16세기 후반부터는 정치인의 자질이 높을 수밖에 없었다. 이들은 어려서부터 유교 경전을 연구하고 자신의 생각을 시로 담아내는 훈련을 받았다. 이런 훈련을 받은 사람들이 '국회 의석'을 가득 메웠으니, 정치인의 품격이 제고될 수밖에 없었다.

텔레비전 시사 프로그램에 출연한 정치인이 『논어』·『맹자』 같은 고전에 나오는 문구를 거침없이 인용하는 것은 물론이고 자신의 생각을 즉흥시로 표현하기까지 한다면, 또 예의 바르고 겸손한 태도까지 보여 준다면, 시청자들은 그가 우수한 자질을 보유했다고 생각할 것이다. 우리 시대에는 이런 정치인이 흔치 않지만, 사림파 시대에는 이런 이들이 다수를 이루었다. 우리 시대 정치인의 입에서는 곧잘 욕설이 나오지만, 사림파 정치인들의 입에서는 곧잘 시가 나왔던 것이다. 또 이들은 예의도 갖추고 있었다. 이에 관해서는 부연 설명이 필요 없을 것이다.

이렇게 16세기 후반 이후의 조선은 철인 정치의 나라, 철학자 정치의 나라였다. 조선 왕조는 분명히 정치인의 자질이 높은 나라였다. 플라톤이 말한 철인 정치가 바로 조선에서 꽃을 피웠던 것이다. 이런 정치 문화를 잘 보여 주는 사례로 송강 정철과 율곡 이이를 들수 있다. 둘은 친구 사이였다. 한번은 두 사람이 정치 협상을 벌였다. 이 회담은 결렬됐는데 평소 과격했던 성격의 정철은 좀 흥분한 상태였을 것이다. 그런데도 그는 회담 결렬 직후에 즉흥시를 지어냈다. 친구에 대한 미안함을 담은 시였다. '율곡에게'라는 의미의 「증율곡贈栗谷」이란 시다.

말하고 싶어서 말했으나 말은 티끌이 되고,
묵묵히 생각했으나 묵묵함은 먼지가 됐네.

제2장 사약의 시대

말하는 것이나 침묵하는 것이나 다 티끌과 먼지라네.
시를 쓰려니 친구한테 부끄럽다.

정치인이 협상 결렬 직후의 흥분을 억누르고 시를 쓰는 것은 정철 개인의 탁월한 문학적 능력에 기인한 측면도 있지만, 예비 정치인들에게 어려서부터 철학과 시를 가르치는 정치 풍토에 기인한 측면도 크다. 정철 외의 다른 정치인들도 삶의 순간순간에 위와 같은 즉흥시를 지었다. 이 정도였으니, 사림파 정치인들은 개인적 측면에서 보면 분명히 우수한 사람들이었다.

문제는 그런 고도의 자질이 곧바로 정치 발전에 이바지하는 것은 아니라는 점이다. 물론 사대부들의 관점에서는 정치인의 자질이 정치 발전으로 직결되었을 것이다. 하지만 일반 백성들의 관점에서는 그렇지 않았다.

고려 시대보다는 좀 나아졌지만, 조선 시대에도 서민의 삶은 크게 달라지지 않았다. 서민의 권익 보호라는 측면에서, 조선이나 고려나 큰 차이가 없었다. 조선 시대에도 정치 시스템의 최대 수혜자는 노비와 토지를 많이 보유한 기득권층이었다. 사대부 정치가들의 높은 자질이 이 같은 기득권층의 권익 향상에는 분명히 도움이 됐다. 하지만 백성 전체를 위한 정치 발전에는 큰 도움이 되지 않았다.

정치인의 자질 향상이 정치 발전으로 직결되지 않은 것은, 그런 자질이 백성 전체보다는 지주 계급을 위해 우선적으로 사용됐기 때문이다. 사실 그렇게 될 수밖에 없었다. 사대부들은 노비와 토지에 대한 소유를 바탕으로 조선을 지배하는 지주 계급이었다. 관료나 정치인은 주로 이 계급에서 나왔다. 그렇기 때문에 정치인의 자질 향상은 지주 계급의 영향력 향상에 기여할 수밖에 없었다.

그처럼 정치인의 자질이 특정 계급의 이익에만 기여하는 구도에서는 이 직업군의 자질이 낮아지는 게 오히려 전체 백성 입장에서는 유리할 수도 있다. 정치인들의 자질이 낮아져야 이들에 대한 서민층의 대항이 쉬워지고, 특권층 중심의 정치 체제가 보다 빨리 와해될 수 있기 때문이다.

만약 지주 계급을 비롯한 전 계층에서 정치인들이 골고루 배출됐다면, 사정은 당연히 달라졌을 것이다. 각계각층을 대표하는 세력이 조정에 골고루 진출했다면, 정치인의 자질 향상은 당연히 전체 사회를 위한 정치 발전에 긍정적으로 작용했을 것이다. 하지만 조선 왕조에서는 지주 출신 사대부들이 조정을 독점하는 가운데 이들의 자질 향상이 집중적으로 이루어졌다. 그래서 정치인의 자질 향상이 일반 백성의 복리 증진에는 기여할 수 없었다. 조선 후기 300년을 이끈 사림파의 정치는 그런 면에서 한계를 지니고 있었다.

　　　　　　　　　　　　　　　　　제2장 사약의 시대

11 사림파 시대를 위협하는 환국 정치

1623년 인조반정 이후 조선은 서인당 천하가 되었다. 서인당이 집권당이 되고, 동인당 분파인 남인당은 야당이 되었다. 이런 상태가 50년가량 지속됐다. 그러다 1674년 제2차 예송 논쟁을 계기로 정권이 남인당 진영으로 넘어갔다.

예송 논쟁, 즉 예법 논쟁의 본질은 효종을 어떻게 처우할 것이냐였다. 효종은 인조의 장남이 아니었다. 장남은 소현세자였다. 소현세자가 아버지와 갈등을 빚다가 생을 마친 뒤 동생 봉림대군(효종)이 아버지를 이어 임금이 되었다. 왕이 된 뒤 효종은 왕권 강화를 목적으로 중앙군 확대를 시도했지만, 송시열과 서인당의 압박으로 실패했다. 그러다 갑자기 세상을 떠났다.

이런 사연이 있었기에 서인당은 어떻게든 효종을 격하시켜야 했다. 반면에, 남인당은 서인당을 견제하기 위해서라도 효종을 격상

숙종어필 칠언시(출처: 문화재청)

시켜야 했다. 효종이 죽은 뒤 벌어진 1659년 제1차 예송 논쟁 당시 서인당은 '효종은 차남이므로, 어머니 자의대비는 차남을 위해 1년 상복을 입어야 한다'고 주장하고 남인당은 '차남이지만 왕위를 승계했기에 장남 대우를 해야 하므로, 자의대비는 장남급 아들을 위해 3년 상복을 입어야 한다'고 주장했다. 이때는 집권당인 서인당의 주장이 채택됐다.

효종의 왕비인 인선왕후가 죽은 뒤에 벌어진 1674년 제2차 예송 논쟁 당시, 서인당은 '효종은 인조의 차남이기에 효종의 부인인 인선왕후 역시 차남 부인이므로, 자의대비는 차남 며느리를 위해 9개월 상복을 입어야 한다'고 주장하고, 남인당은 '효종은 장남 대우를 받아야 하기에 인선왕후도 장남 부인급으로 대우해야 하므로, 자의대비는 장남 며느리급을 위해 1년 상복을 입어야 한다'고 주장했다. 이때 효종의 아들인 현종은 남인당 편을 들어주었다. 서인당의 영향력이 이전보다 약해졌음을 반영하는 대목이다. 이로써 정권은 남인당

제2장 사약의 시대

으로 넘어갔다. 서인당이 광해군을 몰아내고 정권을 잡은 지 51년 만에 정권 교체가 이루어지는 순간이었다.

이렇게 남인당으로 권력이 넘어간 상태에서 1674년 등극한 군주가 숙종이다. 그는 당쟁의 틈바구니 속에서 성장했다. 왕실이 숨죽이며 살았던 지난날을 되풀이하지 말아야 한다는 게 그의 결심이었다. 그는 이전 군주들보다 훨씬 더 영리했다. 즉위 당시 14세였지만, 수완은 어른을 뺨쳤다. 그래서 그의 결심은 얼마든지 이뤄질 수 있는 것이었다.

그는 조상들과 달리 당쟁을 교묘히 활용했다. 절대로 당쟁에 휘둘리지 않았다. 특정 당파가 절대 권력을 갖지 못하도록 견제했

숙종의 무덤인 명릉. 경기도 고양시 용두동의 서오릉 안에 있다.

다. 어느 한쪽에도 100퍼센트의 힘을 실어 주지 않은 것이다. 그렇게 함으로써, 어느 당파든 간에 군주의 말을 듣지 않고는 배겨 낼 수 없도록 했다. 이 과정에서 그는 집권당이 너무 세지기 전에 야당에게 정권을 넘기는 통치 스타일을 선보였다. 그는 1680년 경신년에는 서인당에게 정권을 넘겨줬다가, 9년 뒤인 기사년에는 남인당에게 정권을 되돌려 주었다. 1680년 사건은 경신환국(경신년의 정권 교체)이라 불리고 1689년 사건은 기사환국이라 불린다. 이렇게 그는 어느 한 세력이 권력을 오랫동안 갖고 있지 못하도록 했다. 권력이라는 공이 어느 한 당파의 손에 너무 오래 머물지 않도록 조치한 것이다.

숙종 이전만 해도 정국을 주도한 것은 군주가 아니라 양대 당파였다. 군주는 집권당이 내린 결정을 추인해 주는 정도의 역할밖에 수행하지 못했다. 그런데 숙종이 선보인 환국 정치는 이전에는 없었던 형태였다. 이것은 사림파 집권당이 아닌 군주가 주도하는 정치로 다분히 군주의 필요에 따라 집권당을 교체하는 정치였다.

이런 정치가 가능했던 것은 숙종의 정치력 때문이기도 하지만, 그보다는 동아시아의 평화로 조선·청나라·일본 삼국의 통치권이 안정됐기 때문이다. 1592년 임진왜란의 충격은 조선뿐 아니라 중국과 일본에도 그 영향이 컸다. 결과적으로 보면 오히려 중국·일본에 대한 파급효과가 더 컸다. 중국에서는 명나라가 망하고 청나라가 들어섰다. 일본에서는 도요토미 히데요시 정권이 무너지고 새로운 무신 정권인 도쿠가와 막부가 세워졌다. 일본의 막부에서는 수장

제2장 사약의 시대

인 쇼군(장군)의 지위가 세습됐다. 그래서 왕조나 마찬가지였다. 형식적으로는 천황 황실이 왕조를 이뤘지만, 실질적으로는 막부 쇼군 가문이 왕조를 이끌었다. 그래서 도쿠가와 막부의 수립이라는 말은 도쿠가와 왕조의 수립이란 말로 변환될 수 있었다. 중국·일본의 신왕조들은 임진왜란 같은 충격을 되풀이하지 않고자 가급적 국제 평화를 추구하고 상호간의 대결을 최소화했다.

이런 분위기 속에서 각국은 내치에 집중하며 경제와 문화를 발달시켰다. 이것은 삼국 왕권의 강화로 이어졌다. 왕실을 가장 크게 위협할 수 있는 이웃 나라 왕실들이 평화를 추구했으니 왕실의 왕권이 안정되고 강해질 수밖에 없었던 것이다. 이런 배경이 있었기에 17세기 후반의 숙종이 서인당과 남인당을 모두 억누르고 환국 정치를 할 수 있었던 것이다. 그 결과 국면 전환, 즉 환국의 키를 군주가 쥘 수 있을 정도로 왕권이 강화됐다.

환국 정치는 숙종의 아들 및 증손자인 영조와 정조가 탕평 정치를 할 수 있도록 만드는 밑바탕이 되었다. 탕평 정치는 특정 당파의 권력 독점을 배제하는 것이다. 이렇게 되려면 왕권이 강해야 한다. 군주의 조정자 역할이 없으면 강자가 권력을 독점하기 마련이다. 강한 쪽은 약하게 하고 약한 쪽은 강하게 할 수 있는 힘이 군주에게 있어야 탕평이 가능하다. 영조와 정조가 탕평을 할 수 있었던 것은 숙종의 환국 정치로 사림파의 진이 빠졌기 때문이다.

여기에는 흥미로운 점이 하나 있다. 환국 정치 시대에 조정의 당쟁이 궁중의 여인 천하와 긴밀한 연동을 보였다는 점이다. 조정의 파벌 정치와 궁중의 파벌 정치가 상호 연동됐던 것이다. 경신환국 이후에는 서인당의 지원을 받는 인현왕후가 중전이 됐다. 기사환국 뒤에는 남인당의 지원을 받는 장희빈이 중전이 됐다. 집권당과 중전이 비슷한 시점에 바뀐 것이다. 여기에 가장 큰 영향력을 행사한 사람은 숙종이다. 집권당과 중전 자리가 연동된 것은 숙종이 집권당과 중전 자리를 동일선상에서 파악했음을 보여 준다. 기존의 집권당을 배척하는 김에 기존 집권당 쪽의 중전까지 함께 교체했다는 것은, 부인을 부인으로서가 아니라 정당의 대리인으로서 인식했음을 보여 주는 것이다.

그런데 기사환국을 계기로 남인당이 권력을 탈환했지만, 이들의 천하는 그리 오래가지 못했다. 남인당은 인현왕후 복위 운동을 탄압하고 서인당을 대대적으로 숙청하려 했다. 그러자 숙종이 위협을 느꼈다. 남인당의 독주를 우려한 것이다. 숙종은 서인당의 손을 들어주고 남인당을 배척했다. 1694년 갑술옥사(갑술년의 공안 정국)를 단행한 것이다. 이때 장희빈은 남인당 정권과 함께 몰락하여 후궁의 자리로 원위치 되었다. 그리고 1701년 장희빈은 사약을 마셨다. 이와 더불어 남인당은 제도권 정계에서 퇴출되었다.

그때까지 숙종은 서인당과 남인당의 상호 견제를 발판으로 왕권을 강화했다. 그랬던 숙종이 남인당을 축출했다. 이는 그동안의 환국 정치에서 상당한 성과를 거두었기 때문이다. 그로 인한 자신감이 묻어나는 것이 갑술옥사다. 서인당 하나만 남겨 두고도 왕권을 유지할 수 있을 만큼 권력이 강해진 결과였다.

경쟁자를 물리친 승자가 자체 핵분열을 하는 현상은 이 시대에도 되풀이됐다. 남인당이 제도권을 떠나자, 서인당은 노론당과 소론당으로 분열됐다. 이중에서 노론당이 최종적으로 주도권을 잡았다. 영조가 등극한 이듬해인 1725년부터는 노론당의 우세가 강해졌다. 하지만 노론당의 우세는 중대한 벽에 직면하게 된다. 사상 초유의 정치 시스템에 부딪힌 것이다. 노론당이 만난 벽은 탕평 정치였다.

12 환국 정치를 토대로 결실을 맺은 꿈의 정치, 탕평

탕평은 고대 중국 역사서인 『서경』의 「홍범」 편에 나오는 정치 이념이다. 「홍범」 편에는 군주가 지켜야 할 9대 정치 원칙이 나온다. 그것이 '홍범구주洪範九疇'다. 이 중에서 제5원칙이 탕평과 관련된다.

제5원칙의 핵심은 군주가 국정 운영의 축이 되어야 한다는 것이다. 제5원칙을 다룬 부분은 "황극皇極은 임금이 표준을 세우는 것이다"라는 문장으로 시작한다. '군주가 표준을 세우는 상태', 즉 '군주가 중심이 되는 상태'가 황극이다. 황극의 실현 방법과 관련하여 다음 두 문장이 특히 관심을 끈다.

일반 백성들이 은밀히 뭉치지 않으며 높은 사람들이 뭉치지 않는 것은 임금이 표준이 되기 때문이다. -제1문장.

제2장 사약의 시대

치우침이 없고 당을 만들지 않으면 왕도가 탕탕蕩蕩하고, 당을 만들지 않고 치우침이 없으면 왕도가 평평平平하다. -제2문장.

제2문장의 '탕탕'과 '평평'을 압축한 게 탕평이다. 이것의 의미는 제1문장에 나온다. 파벌을 만들어 끼리끼리 뭉치는 상태를 배격하고, 여러 집단과 계층이 골고루 목소리를 낼 수 있도록 하는 것이다. 이 같은 탕평을 통해 '임금이 중심이 되는 상태, 임금이 극極이 되는 상태'를 실현하자는 것이 탕평의 취지다. 그러므로 탕평은 임금 입장에서 꿈의 정치였다. 반면에, 다수 세력의 입장에서는 지옥 같은 정치였다.

군주가 중심이 되는 게 탕평이라면, 군주 독재를 위한 논리가 아닐까? 그런 생각이 들 수도 있다. 물론 그럴 가능성을 완전히 배제할 수는 없다. 하지만 탕평의 본질은 국가가 특정 파벌의 이익을 위해 움직이지 않도록 하는 데 있다. 백성들이 끼리끼리 뭉치지 않도록 군주가 노력해야 한다는 것은, 특정 당파가 아닌 백성 전체의 이익이 실현될 수 있도록 군주가 노력해야 한다는 의미였다. 그런데 서민층보다는 특권층이 당파를 만들 위험성이 훨씬 더 높다. 그렇기 때문에, 제5원칙의 궁극적 목표는 특권층의 주류 집단이 국가를 장악하지 못하도록 하는 데 있었다.

그런데 군주권이 비교적 강했던 중국과 달리, 귀족 세력이 왕실보다 더 강했던 과거 한국에서는 탕평 원리가 제대로 실현되기 힘들었다. 1퍼센트를 규제하고 99퍼센트를 위하는 군주는 1퍼센트의 적이 될 수밖에 없다. 그런 임금은 폭군으로 불릴 가능성이 높았다. 1퍼센트가 99퍼센트보다 강했기에, 한국 왕들은 감히 탕평을 추진하지 못했다. 그래서 『서경』의 탕평 이념은 한국 군주가 책을 통해서만 접할 수 있는, 말 그대로 꿈의 이념이었다. 그런데 이런 꿈을 현실로 바꾼 인물이 바로 영조다.

제2장 사약의 시대

13 영조가 탕평 정치를 할 수 있었던 이유

탕평이 공식 추진된 것은 18세기 초반이다. 숙종이 당파들을 대립시키고 지치게 만들면서, 사림파 파벌들은 현저하게 약해졌다. 물론 그 후로도 보수파 노론당이 예전처럼 제1당이었다. 하지만 숙종 시대 후반부터는 노론당을 포함한 파벌들이 예전 같지 않았다.

이런 기회를 틈타 영조가 선언한 게 탕평 정치다. 사림파 정치의 결과로 1퍼센트 양반의 나라가 되어 버린 조선을 100퍼센트 만백성의 나라로 바꾸려면, 특정 당파의 독점을 깨고 당파 간의 균형을 유지해야 했다. 이 같은 균형을 추구하다 보면 왕권이 자연스레 강해질 것이라는 게 영조의 계산이었다.

노론당은 소론당과 더불어 숙종 시대에 등장했다. 양당은 서인당에서 기원했다. 다수파인 노론당은 숙종의 아들 중에서 이금(훗날의 영조)을 지지하고, 소수파인 소론당은 이윤(훗날의 경종)을 지지했

영조가 왕이 되기 전에 살았던 창의궁 터. 서울 지하철 3호선 경복궁역 3번 출구에서 북쪽으로 100미터 정도에 있다.

다. 이금은 최숙빈의 아들이고 이윤은 장희빈의 아들이다. 최숙빈은 인현왕후와 더불어 서인당의 지지를 받았고, 장희빈은 남인당의 지지를 받았다. 남인당이 없어지고 서인당이 노론·소론으로 분열되자, 노론당은 이금을 지지하고 소론당은 이윤을 지지하게 되었다.

숙종이 죽은 뒤에 이윤이 왕이 됐다. 이금은 그렇게 잊히는 듯했다. 하지만 노론당은 이금을 필사적으로 옹위했다. 이미 이윤이 왕이 됐는데도, 노론당은 이복동생인 이금을 왕으로 만들려 했다. 노론당은 이윤, 즉 경종이 허약하고 아들이 없다는 이유를 들어 이복동생을 후계자로 만들었다. 노론당이 다수파였기에 가능한 일이었다. 그 결과 이금은 경종의 세제가 되었다.

얼마 안 있어 노론당은 경종에게 2선 퇴진까지 요구했다. 이금에게 대리청정을 맡기고 정치에서 손을 떼라고 압박했다. 이를 계기로, 이금을 몰아내려는 소론당과 이금을 사수하려는 노론당의 투쟁이 한층 더 격렬해졌다. 소론당은 후계자 책봉 및 대리청정의 부당성을 제기하며 이금을 반역 혐의로 몰려 했다. 이런 와중에 경종

제2장 사약의 시대

이 서른일곱 살 나이로 급사하고 이금이 왕위에 올랐다,

이런 사실에서 드러나듯이, 영조는 노론당이 없었다면 왕이 되기 힘들었다. 노론당 없이는 아무것도 할 수 없을 것처럼 보이던 영조였지만 집권 직후부터 탕평을 추구하다가 집권 4년 이후에는 탕평의 틀을 갖추었다. 노론당의 신세를 진 군주가 노론당 중심으로 정권을 꾸리지 않았던 것이다.

탕평 정치가 가능했던 것은 영조의 의지가 강했기 때문일까? 물론 그런 면도 있다. 하지만 완전한 답은 아니다. 동서고금을 막론하고 대부분의 통치자들은 만인의 통치자로 기억되고 싶어 한다. 특정 당파의 통치자로 기억되고 싶은 사람은 아무도 없다. 그런 면에서 탕평은 모든 통치자의 희망 사항이었다. 그럼에도 탕평을 성사시키기 힘든 것은, 통치자의 힘이 집권당의 힘을 능가하지 못하기 때문이다. 그런데 영조는 그 어려운 것을 해냈다. 영조가 어떤 형태로든 제1당을 눌렀기 때문에 가능한 일이었다.

그렇다면 영조는 무슨 수로 그렇게 했을까? 숙종이 파벌들의 힘을 빼놓은 점, 동아시아 국제 사회가 평화로웠던 점 외에 두 가지 특성이 영조의 탕평에 기여했다.

첫째, 영조의 목표 추구 방식이다. 노론당이 경종을 압박하는 중에 영조가 왕이 됐다. 그렇기 때문에 영조는 이복형 경종을 시해했다는 혐의로부터 자유롭기 힘들었다. 실제로도 영조는 의심을 받을 만했다. 경종은 죽기 전에 병석에 누워 있었다. 그때 영조가 먹인 생감과 게장은 서로 상극이었다. 또 그가 임의로 처방한 인삼

영조 어진

탕은 그 직전에 어의가 처방한 약과도 상극이었다. 그래서 영조는 세상의 의심을 살 수밖에 없었다.

영조는 그런 콤플렉스를 숨기지 않았다. 그것을 과감히 드러내는 방법으로 정치적 목표를 추구했다. 이 점은 파벌들이 탕평에 협조하지 않을 때 그가 택한 정국 운영 방식에서 드러난다.

경종 때부터 소론당은 이금을 몰아내려고 투쟁했다. 그들은 이금이 후계자가 되고 대리청정을 하는 과정을 반역으로 규정하려 했다. 이금의 즉위와 함께 집권당이 된 노론당은 그 같은 소론당의 행적을 반역으로 몰려고 했다. 이로 인한 양당의 갈등이 극심해지면서 탕평이 무산될 위험이 생겨났다. 그러자 영조는 자기편인 노론당에게 불이익을 주었다. 이를 통해 당파 간의 화합과 균형을 도모한 것이다. 그는 자신이 후계자가 되고 대리청정을

제2장 사약의 시대

하는 과정에서 정당성이 결여됐다는 소론당의 비판을 수용했다. 그러면서 소론당에게 정국 주도권을 주었다. 이것이 집권 3년 뒤에 일어난 정미환국이다. 음력으로는 정미년, 양력으로는 1727년에 일어난 정계 개편이다.

영조가 소론당에게 주도권을 부여한 것은 탕평 이념에 어긋나는 것 같았지만, 사실 길게 보면 탕평에 부합하는 것이었다. 소론당을 압박하는 노론당을 약화시키고 탕평에 좀 더 가까이 다가갈 목적이었던 것이다. 이렇게 그는 자기 살을 도려내는 방법으로 당파 간 균형을 창출했다.

둘째, 영조의 위기 대응 방식이다. 이것이 탕평의 성취에 기여했다. 그가 왕이 된 지 4년 만인 1728년이었다. 소론당이 중심이 된 이인좌의 난이 일어났다. 이인좌를 비롯한 반란 세력은 영조가 경종을 독살하고 왕이 됐다고 주장하면서 한양을 향해 창검을 빼들었다. 사약의 시대에 창검을 빼들면 정당성을 얻기 어려웠지만, 영조에 대한 의심이 하도 지독했기에 이 반란은 나름의 명분을 가질 수 있었다. 초기에 이 반란은 충청·전라·경상도에서 호응을 얻었다. 농업 지대인 삼남 지방에서 지지를 받은 것이다. 반군은 급기야 청주성까지 함락했다. 정권을 전복하고도 남을 만한 기세였다.

이때 영조의 대응 방식이 주목할 만하다. 소론당이 일으킨 반란이므로, 여느 임금 같았으면 노론당 중심으로 대책 본부를 꾸렸을 것이다. 그런데 영조는 정반대로 대처했다. 소론당 온건파에게 진압 책임을 맡긴 것이다. 이것은 반란군 진영을 당황하게 만들었다. 동시에 반란에 대한 소론당의 지지도를 누그러뜨렸다. 결국 반란은 진압되었다. 이를 계기로 노론당뿐 아니라 소론당 일부도 영조의 지지 기반이 되었다. 이를 발판으로 영조는 적대 세력을 약화시키고 탕평을 안정적으로 추구할 수 있게 되었다.

그 결과 영조 시대는 물론이고 손자인 정조 시대에도 공식적인 집권당이 등장하지 못했다. 그간 소외됐던 남인당과 북인당도 어느 정도는 정계 복귀를 이루었다. 어느 당파도 권력을 독점하지 못하는 가운데, 군주가 각 당파들 위에 군림하는 양상이 나타났다. 당파들 입장에서는 시련의 시대였다. 숙종의 환국 시대에는 왕이 당파 간의 싸움을 부추기는 방법으로 왕권을 강화했다면, 영조의 탕평 시대에는 왕이 당파 간 대립의 소지를 최소화시킴으로써 왕권을 강화했다. 환국과 탕평은 그런 면에서 달랐다.

제2장 사약의 시대

14 탕평의 후유증, 세도정치

영조는 1724년 왕이 되고 정조는 1800년 세상을 떠났다. 두 왕의 통치 기간을 합하면 76년간이다. 영조가 탕평의 틀을 갖춘 것은 1728년이다. 1728년부터 1800년까지는 72년간이다. 탕평이 72년이란 긴 시간 동안 실시됐던 것이다. 이는 그 긴 시간 동안 정치 파벌들이 억압을 받았음을 의미한다. 파벌들이 집권에 성공하지 못했던 것이다. 물론 그 기간에도 노론당이 다수파를 유지했다. 하지만 공식적으로는 당파를 입에 올릴 수 없었다. 공개적으로 당파 모임도 열 수 없었다. 그런 시대였기 때문에 다수파 노론당도 공식적으로는 숨을 죽이고 좋든 싫든 탕평의 이념을 따라야 했다.

정치 파벌들이 장기간 억압을 받다 보니 왕권이 상대적으로 강해질 수밖에 없었다. 물론 연산군 때처럼 왕권이 비정상적으로 강해지지는 못했다. 하지만 연산군 외의 다른 시기에 비하면 영·정조

화성행궁의 정문인 신풍루. 경기도 수원시 남창동에 있다.

시대에 왕권이 강해지고 안정된 게 사실이다. 이런 상태에서 1800년 정조가 세상을 떠났다. 정조의 어머니인 혜경궁 홍씨가 남긴 『한중록閑中錄』에 따르면, 정조는 1804년에 왕위를 아들한테 물려주고 경기도 화성으로 옮겨 갈 계획을 갖고 있었다. 상왕 자격으로 화성에서 정치 개혁을 완성하려 했던 것이다. 1804년은 사도세자 출생 70주년이었다. 정조는 아버지의 출생 70주년을 기해 조선을 새로운 나라로 탈바꿈시켜 놓으려 했던 것이다. 그런 계획의 성취를 4년 앞둔 상태에서 49세 나이로 정조는 갑자기 세상을 떠났다.

정조의 갑작스런 퇴장은 조선 정치사에서 중요한 의미를 갖는다. 정조의 후계자인 순조는 1800년 즉위 당시 11세였다. 그 나이로는 탕평을 유지하기 힘들었다. 군주가 끊임없이 당파 간의 균형을

제2장 사약의 시대

맞춰야 탕평이 유지될 수 있었는데 순조의 나이로는 힘든 과제였다. 더군다나 순조를 대신해 수렴청정 권한을 확보한 정순왕후에게는 그런 의지가 부족했다. 정조의 정적인 정순왕후가 탕평을 계승할 리 만무했다. 게다가 정조가 육성한 정약용 같은 친위 세력은 그때까지 조정을 장악하지 못했다. 이런 상태에서 순조가 즉위했으니, 탕평 정치의 앞날이 불투명해질 수밖에 없었다.

탕평이 불안해지면, 당쟁이 부활해야 했다. 당쟁을 억누르고 탕평이 출현했기 때문이다. 그렇기 때문에 순조 시대에는 당쟁이 다시 고개를 드는 게 당연했다. 그런데 그것도 힘들었다. 72년간의 탕평 정치 속에 당파들이 많이 약화됐기 때문에 정조의 사망 시점에 정권을 인수할 당파도 없었다. 노론당도 마찬가지였다. 탕평이 각

수원 화성 화서문

당파의 수권 능력을 떨어뜨렸던 것이다.

이런 상황에서 집권의 명분을 갖춘 집단이 있었다. 정조의 새할머니이자 영조의 계비인 정순왕후 김씨의 친정 세력인 경주 김씨세력이었다. 노론당 내부의 경주 김씨 세력이 왕실의 외척이라는 지위를 이용해, 또 정순왕후의 수렴청정 기회에 편승해 권력을 잡았다. 이로써 이른바 세도정치의 시대가 개막되었다.

세도는 '힘 세勢'와 '길 도道'로 이뤄진 글자다. 이 용어가 유행한 것은 정조 때였다. 정조 초기에 실권을 잡은 사람은 정조가 아니라 홍국영이었다. 이때는 정조의 측근인 홍국영의 뜻대로 나라가 움직였다. 그런 홍국영의 정치를 비하하는 말이 세도였다. 가장 이상적인 통치는 왕도王道였다. 왕도 정치는 순리에 따라 덕으로 하는 정치였다. 반면 홍국영의 정치는 왕도가 아니라 순전히 세력에 의존해 힘으로 밀어붙이는 정치였다. 그래서 사람들이 그의 정치를 세도정치로 폄하했던 것이다. 이로부터 유행한 세도라는 표현이 정조 사후에는 외척 정치를 가리키는 말로 바뀌었다.

하지만 신라 김씨의 후예인 경주 김씨 가문의 세도는 오래가지 못했다. 1804년 순조가 친정을 시작한 것이다. 이로써 정순왕후의 수렴청정이 끝나면서 경주 김씨도 약해졌다. 세도는 '외척이 국정 운영을 도와야 할 필요가 있다'는 명분에 기초한 것이지 가문의 역량에 의존하는 게 아니었던 것이다. 그런 명분이 있었기에 여타 세력이나 가문이 말없이 따라 준 것이다. 그런 명분이 사라지면 세도 가문의 권력도 종말에 직면했다.

제2장 사약의 시대

하지만 그것이 세도정치의 완전한 종결은 아니었다. 경주 김씨가 물러가자, 이번에는 안동 김씨가 등장했다. 순조의 장인인 김조순을 필두로 하는 안동 김씨가 정부를 장악하면서 그 유명한 안동 김씨 시대가 개막됐다. 이 가문의 세도는 23년 정도 이어졌다. 순조의 아들인 효명세자가 1827년 아버지를 대신해 대리청정을 시작하자, 세자의 처갓집인 풍양 조씨가 권세를 잡았다. 이로써 안동 김씨의 세도는 끝났다. 하지만 효명세자가 1830년에 죽으면서 권력이 도로 안동 김씨로 넘어갔다. 이런 상태는 10년간 이어졌다. 1840년에는 효명세자의 아들인 헌종에 대한 순원왕후(순조의 부인 김씨)의 수렴청정이 끝나면서 안동 김씨가 약해지고 풍양 조씨의 세도가 다시 시작됐다. 하지만 1849년에는 안동 김씨와 순원왕후에 의해 철종이 옹립되면서 안동 김씨가 다시 권세를 잡았다. 이때부터 고종이 즉위한 1864년 이전까지는 안동 김씨의 세상이었다. 많은 책에서는 고종이 1863년에 등극했다고 말하지만, 『고종실록高宗實錄』에 따르면 음력으로 철종 14년 12월 13일, 양력으로 1864년 1월 21일 즉위했다.

세도 가문은 사실상의 정당이었다. 노론당과 연계된 가문들이 독자적인 정당 역할을 수행한 것이다. 기존의 당파들이 무기력해진 상태에서 세도 가문의 구성원들이 권력을 독식하다 보니 누구도 이들을 견제할 수 없었다. 세도 가문을 견제할 수 있는 것은 또 다른 세도 가문뿐이었다. 세도 가문이 별다른 견제를 받지 않고 국정을 수행하다 보니, 이 시대에는 국가 시스템이 왕실이나 백성보다는 특정 가문의 이익을 위해 움직였다. 그 결과 백성들의 삶이 피폐해지

철종이 옹립되면서 안동 김씨는 권세를 다시 잡고 세도정치를 이어 갔다. 사진은 불에 탄 철종 어진을 복원한 모습이다.

고 민란이 빈발하지 않을 수 없었다. 홍경래의 난으로 대표되는 민란이 19세기 전반에 급증한 것은 바로 이 때문이다.

그러는 사이에 서양 열강이 동아시아에 접근하고 일본이 서양에 편승해 힘을 키웠다. 이런 중차대한 시기에 조선은 세도정치라는 틀에 갇혀 거국적 시야를 갖지 못했다. 집권자들은 자기 가문의 시각으로 국정을 운영했다. 그들은 왕실과의 연이 끊어지지 않도록 하는 데만 열중했다. 왕실과의 인연이 끊어지면 집권 명분이 사라지기 때문이다. 이런 자세를 가진 이들이 1800년부터 나라를 이끌었으니, 조선 왕조가 국제 정세 변화에 제대로 대응하지 못한 것은 지극히 당연했다.

이런 구태 정치를 깨고자 등장한 인물이 흥선대원군 이하응이다. 아들 고종을 앞세워 1864년에 정권을 장악한 그는 안동 김씨를 약화시키고 왕권을 강화하는 정책을 집행했다. 그의 시도는 상당한 성과를 거두었다. 안동 김씨의 세도는 그의 집권 기간에 무너졌다. 백성들의 반발을 무시하면서까지 경복궁을 중건한 사실에서 상징적으로 드러나듯이, 흥선대원군 시대에는 왕권이 다시 강해지는 듯한 양상이 나타났다.

하지만 이하응도 세도정치의 벽을 완전히 넘지는 못했다. 안동 김씨의 벽은 넘었지만, 또 다른 복병을 만난 것이다. 바로, 며느리 명성황후의 친정인 여흥 민씨 가문이다. 흥선대원군은 중전과 고종을 앞세운 민씨 가문이 자신의 권력을 허물어뜨리는 것을 막지 못했다. 흥선대원군의 권력은 고종의 왕권에서 나왔다. 그래서 고종이 아버지 말씀에 순종하는 경우에만 유지될 수 있는 권력이었다. 그런데 고종은 아버지의 그늘에서 벗어나고 싶었다. 고종은 자기의 힘을 아버지가 아닌 처갓집으로 넘겼다. 민씨 가문을 이용해 아버지를 견제하고자 했던 것이다. 그로 인한 결과물이 1873년 흥선대원군의 하야다. 이 하야와 함께 여흥 민씨가 새로운 세도 가문으로 떠올랐다. 세도정치가 다시 부활한 것이다.

그 뒤로는 민씨 가문의 세도가 쭉 이어졌다. 이 집안

흥선대원군 이하응

은 조선 왕조 최후의 세도 가문이었다. 고종과 민씨 가문은 밀려오는 외세를 막고자 흥선대원군과 정반대의 길을 걸었다. 외세를 배척하지 않고 도리어 끌어들여, 외세 간의 상호 경쟁을 유도하고 지치게 만들고자 했다. 이에 따라 이 시대에 일본·미국·영국·러시아 등이 조선 시장에 진출하게 되었다. 동시에 외세의 정치적 영향력도 함께 진입했다. 이렇게 들어온 외세들이 서로 싸우면 조선에 유리할 것이라고 고종과 민씨 가문은 기대했지만, 그런 일은 벌어지지 않았다. 외세는 조선의 뜻대로 움직여 주지 않았고 고종과 민씨 가문는 실패했다. 결국 민씨 세도는 외세에 의해 와해되고 1895년 명성황후 시해와 함께 역사 속으로 사라지고 말았다. 사림파 정치의 마지막 계승자였던 민씨 세도 가문은 그렇게 소멸했다.

왕자급의 작위를 받은 무당, 진령군

조선 시대에 불교보다 더한 차별을 받은 종교가 있었다. 바로 신선교였다. 신선교 성직자인 무당들은 사회적으로 약자였다. 양반 사대부들은 힘든 일이 생기면 무당을 찾으면서도 공식적으로는 무당을 차별했다. 그래서 무당이 파벌 정치에 가담하기는 힘들었다. 그런 제약에도 불구하고 파벌 정치에 가담해 비선 실세의 위상을 누린 여성이 있다. 명성황후의 최측근인 무녀 진령군眞靈君이 바로 그 주인공이다. 무녀라서 공식적인 정치 참여가 힘들었기에 비선 실세 쪽으로 길을 잡은 것이다.

임오군란 때 시민군에 쫓긴 명성황후는 급히 궁궐을 탈출해 충주로 도주했다. 음력으로 고종 19년 6월 10일, 양력으로 1882년 7월 24일이었다. 이날은 시민군이 궁궐을 장악하고 권력을 쟁취한 날이다. 왕의 비서실 근무 일지인 『승정원일기』에 따르면, 이날 한양에는 비가 내렸다. 비가 내리는 가운데 백성들을 피해 도주했으니, 그 마음은 이만저만 착잡하지 않았을 것이다.

시민군의 힘으로 9년 만에 정권을 탈환한 흥선대원군 이하응은 며느리와 민씨 가문에 이를 갈고 있었다. 그들이 고종을 도와 자기를 권좌에서 밀어냈기 때문이다. 가슴속으로 복수의 칼날을 갈았던 그는 이참에 며느리를 죽이고 싶었다. 하지만 이미 달아난 뒤라 죽일 수 없었다. 달리 방도가 없었던 대원군은 며느리의 국상을 선포해서 사실상 며느리를 죽은 사람 취급했다. 며느리가 죽은 것 같지만 시신이 발견되지 않은 상황에서, 명성황후의 귀환을 차단하고자 아예 사망 선고를 한 것이다.

국상이 선포된 뒤였으니, 누구든 왕비를 죽인다 해도 문제가 되지 않았다. 이런 긴박함 속에서 왕비는 은신처에 몸을 숨기고 있었다. 공포심이 극에 달해 있었을 것이다. 바로 이때, 은신처에 불쑥 들어온 이가 있었다. 낯선 무녀인 진령군이었다. 그로부터 그는 13년간 왕비의 단짝이 되었다. 구한말 정치 비화집인 황현의 『매천야록梅泉野錄』에 따르면, 관우를 모신다는 이 무녀는 그 누구의 소개도 없이 불쑥 들어왔다. 그러고는 한다는 말이 "중전께서 이곳에 계신다고 신령님께서 계시해 주셨습니다"였다.

불청객의 침입으로 왕비는 순간적으로 공포심에 떨었을 것이다. 하지만 무녀가 신령님을 운운하는 순간에는 공포심이 의

비선 실세 6

아함과 혼란으로 변했을 것이다. 공포심이 걷히자 왕비는 자기가 환궁할 수 있겠는지, 환궁한다면 언제가 될 것인지 물어보았다. 그러자 무녀는 자신 있게 대답했다. "8월 초하루에 환궁하실 것이니, 준비하십시오." 그해 음력 8월 초하루는 양력 9월 12일이었다. 두 사람이 만난 날은 7월 24일 이후의 어느 날이었다. 따라서 '앞으로 50일 이내에 환궁할 것'이라는 예언이었다.

무녀의 말에서 자신감을 얻었는지, 왕비는 연금 상태인 고종과 은밀히 연락하며 상황 반전을 도모했다. 청나라 정부에 은밀히 사람을 보내 파병 여부를 타진한 것이다. 청나라 정부는 파병을 흔쾌히 수락했다. 조선 정부의 공식 요청도 없는 상태에서 파병을 결정한 청나라 군대는 인천 상륙 작전을 감행하고 뒤이어 한양 진입 작전을 전개했다. 그런 뒤 흥선대원군을 납치해 청나라로 압송하고, 시민군 주역들을 체포해 임오군란을 분쇄했다. 군란 발발 한 달 만의 일이었다.

이렇게 해서 한양이 정리된 뒤인 1882년 9월 12일, 왕비는 궁궐로 복귀하고 권력을 되찾았다. 진짜로 9월 12일 환궁했던 것이다. 그날 왕비의 뒤편에는 진령군이 서 있었다. 무녀 진령군이 정치 무대 핵심부에 진입하는 순간이었다.

진령군은 왕비의 환궁 날짜를 정확히 맞췄을 뿐만 아니라 환궁을 준비하도록 격려까지 해 주었다. 공포심으로 지친 왕비가 정신을 차리고 정권을 탈환하도록 도운 것이다. 그랬으니, 왕비는 진령군에게 의지하지 않을 수 없었다. 이 무녀가 진령군으로 불린 것은 이때부터다. 진령군의 군君은 왕자급에 해당하는 고위급 작위다. 주로 공신들이 이 작위를 받았다. 차별받는 무녀가 왕자급 작위를 받은 사실로부터, 왕비가 그를 얼마나 총애하고 신뢰했는지 짐작할 수 있다.

진령군은 왕비의 신임을 바탕으로 정치 문제에 깊숙이 개입했다. 진령군이란 작위만 가졌을 뿐, 공식적인 직책도 없이 정치에 관여하며 전형적인 비선 실세가 된 것이다. 『매천야록』에 따르면 왕비는 진령군의 말이라면 무조건 들어주었다. 관찰사 및 사또 임명과 관련해서도 진령군의 말을 따랐다. 인사권까지 개입했다는 것은 진령군이 국정 운영에도 깊이 개입했음을 의미한다. 이것은 정치 자금도 많이 모았음을 뜻한다. 왕비의 신임을 받는 비선 실세가 그 돈을 개인적으로 다 썼을 리는 만무하다. 상당 부분은 왕비의 비자금으로 흘러들어 갔을 것이다.

진령군은 왕비의 정치 문제뿐 아니라 건강까지도 챙겼다. 왕비가 아프다고 하면, 직접 왕비의 몸을 주물렀다. 그러면 왕비의 몸이 좋아졌다. 조선 시대까지만 해도 무녀가 의사 역할을 겸했다. 그러므로 진령군이 왕비를 치료하는 모습은 당시 사람들에게는 아무렇지도 않았다. 진령군은 그렇게 비선 실세 겸 주치의로서 왕비의 옆자리를 굳건히 지켜 나갔다. 진령군이 막강한 비선 실세가 되자 주변에 수많은 사람들이 몰려들었다. 그

비선 실세 6

속에는 장·차관급 인사들도 많았다. 『매천야록』에 따르면, 장·차관급들도 앞을 다투어 진령군에게 아부했다. 개중에는 진령군을 누님 혹은 어머니라고 부르는 이들도 있었다.

권불십년이라 했던가. 결국 진령군도 내리막길을 걷지 않을 수 없었다. 명성황후의 몰락은 곧 그의 몰락이었다. 1895년에 명성황후가 일본군에 시해되면서 진령군의 전성기는 갑자기 끝나 버렸고 1896년에 저세상으로 떠나고 말았다.

제3장

투표의
시대

1 한민족의 지향점이 된 국민주권 이념

고대 이래로 권력은 왕실에 있었다. 왕실은 주권의 보유자였다. 그래서 정권에 생각이 있는 파벌은 왕건이나 이성계처럼 독자적으로 왕실을 수립할 역량이 있다면 모를까, 그렇지 않다면 기존 왕실을 아군으로 만들어야 했다. 자기 파벌이 가진 역량에 더해 왕실이 부여하는 승인과 인정이 있어야 국가를 지배할 수 있었다.

왕실을 새로 만드는 역성혁명은 군사력만 있다고 되는 일이 아니었다. 최씨 무신 정권은 약 60년간이나 최고 권력을 세습했다. 그런데도 최씨 가문은 왕조를 창업하지 못했다. 이는 이들이 종교 권력을 장악하지 못했기 때문이다. 교통과 통신의 발달 수준이 낮았던 왕조 시대에 군주가 변경 지방까지 왕명을 보낼 수 있었던 것은, 왕이 하늘의 위임을 받은 신성한 대리인이라는 관념이 존재했기 때문이다. 그런 관념이 사회를 지배했기에, 왕의 칼이 자기 목에 닿지 않아도, 저 멀리서 온 왕명에 복종했던 것이다. 그런데 그런 관념은 군사력만으로 만들 수 있는 게 아니었다. 종교 성직자들의 도움이 필요했다. 종교인들이 논리를 만들어 민중의 두뇌에 입력해야 했다. 그래야만 왕실이 손쉽게 대중을 지배할 수 있었다. 최씨 정권은 무장 세력은 제압했지만, 종교 권력까지는 손을 대지 못했다. 그래서 새로운 왕실을 창업하지 못했던 것이다. 마찬가지로, 최씨 가문보다 못한 세력은 그런 이유 때문에 기존 왕실의 권위에 편승하는 전략을 구사해야 했다.

왕실을 자기편으로 만들기 위해, 창검의 시대에는 군사력을 동원해 라이벌을 제압했고 사약의 시대에는 합법적 판결을 통해 상대방을 사형시키는 방법을 사용했다. 그런데 1776년 미국 독립 선언과 1789년 프랑스 대혁명을 계기로 왕실이란 존재가 지구상에서 정당성을 잃기 시작했다. 왕실이 인기를 잃은 결정적 배경으로 신에 대한 존경심의 추락을 들 수 있다. 17세기에 갈릴레이나 뉴턴 등에 의한 과학 혁명이 진전됨에 따라, 과학적 이성에 힘입어 만물의 법칙이 해명되는 일이 많아졌다. 이로써 신의 영역이 축소될 수밖에 없었다. 신에 대한 존경심이 추락하다 보니, 신의 대리인으로 자처하는 왕실의 권위도 함께 떨어질 수밖에 없었다. 이것이 초래한 게 국민주권의 등장이다. 왕실의 통치가 정당성을 잃다 보니, 대중이 직접 나라를 이끌어야 한다는 관념이 힘을 얻을 수밖에 없었다. 미국과 프랑스에서 시작된 이 같은 정치 혁명은 19세기에는 유럽에 퍼지고 20세기에는 아시아를 비롯한 전 세계에 확산되었다. 그래서 20세기

「테니스 코트의 선서」, 자크 루이 다비드 그림. 1789년 6월 20일의 이 선서로 프랑스 평민 대표들은 독자적인 국민의회를 조직하고 프랑스 혁명의 길로 달려갔다.

에는 왕조 국가가 소수가 되고 국민주권 국가가 다수가 되었다.

이런 정치 혁명의 결과물이 1919년부터 한국인들의 의식을 지배했다. 그해 폭발한 3·1운동을 통해 식민 지배에 대한 거부 의지를 천명한 한민족은 국민주권 이념에 입각한 대한민국 임시 정부를 수립했다. 한성·러시아·상하이에 수립된 세 임시 정부는 하나 같이 국민주권 이념에 입각했다. 이 셋이 1919년 9월 상하이 임시 정부로 통합됐다. 국민주권 국가에 대한 한민족의 의지가 하나로 결집된 것이다. 상하이 임정은 실질적 영향력을 발휘하지는 못했지만, 이것이 수렴한 국민주권 이념은 한민족의 지향점이 되었다. 이렇게 국민주권 국가를 추구하는 상태에서 1945년 8월 일본 제국주의가 망하고

9월부터 미 군정이 시작되었다. 미 군정에 의해 미국식 민주주의가 유입되었고, 국민주권 이념이 한층 더 확산되었다. 왕실이 나라의 주인인 시대는 종결되고 국민이 주인인 시대가 도래한 것이다.

물론 국민주권 이념은 상당히 위선적이고 허위적이다. "대한민국의 주권은 국민에게 있고, 모든 권력은 국민으로부터 나온다"는 헌법 제1조 2항과 같은 규정이 1789년 프랑스 인권선언 제3조에서는 "모든 주권의 원리는 본질적으로 국민에 있다. 어떤 단체나 개인도 국민으로부터 명시적으로 유래하지 않은 권리를 행사할 수 없다"로 표현되어 있다. 1776년 미국 독립 선언문에는 "이 정부의 정당한 권력은 인민의 동의로부터 유래하고 있다"로 표현되어 있다. 이렇게 형식상으로는 국민이 나라의 주인이지만, 국민 대다수가 지배층이 아닌 피지배층이라는 엄연한 사실은 예나 지금에나 변함이 없다. 지배층은 언제나 소수이고, 이 소수는 국민주권 시대에도 여전히 세상을 지배하고 있다.

그럼에도 국민주권 시대에 명확히 달라진 게 있다. 왕실이 더 이상 존립할 기반이 없다는 점이다. 물론 일본이나 영국 같은 나라에는 왕실이 남아 있지만, 구시대의 유물로만 여겨질 뿐 실질적 지배력을 발휘하지는 못하고 있다. 왕조 시대에는 왕실을 구심점으로 파벌 정치가 이루어졌다. 정치 파벌을 구성한 세력은 왕실을 장악하거나 자기편으로 만들어서 주도권을 잡았다. 그런데 국민주권 시대에는 그런 왕실이 없다. 형식상으로나마 국민이 나라의 주인이다. 이제는 정치 파벌들이 국민을 장악하거나 자기편으로 만드는 방법으로 주도권을 잡으려 하고 있다. 국민을 장악하거나 자기편으로 만들었다는 징표는 대선이나 총선에서 최다 득표를 얻는 것이다. 이렇게 파벌들이 왕실이 아닌 대중을 지향하게 되었다는 점에서 국민주권 시대의 의의를 찾을 수 있다.

2 정치권력과 경제 권력의 분리

　　국민주권 시대가 되면서 정치 파벌들의 역량에 중대한 변화가 생겼다. 그것은 이전보다 경제력이 떨어졌다는 점이다. 정치 파벌의 상층부를 형성한 지배층은 창검의 시대나 사약의 시대까지만해도 경제적 지배층까지 겸했다. 이들은 기본적으로 지주였다. 하층지주에서부터 최상층 지주에 이르기까지 관직으로 진출해 파벌 정치에 편입되었다. 사약의 시대까지는 정치 파벌 상층부가 경제적 상류층과 일치했다. 그런데 국민주권 시대로 투표의 시대가 열렸을 때는 이미 정치와 경제가 분리된 뒤였다. 정치인 따로, 재벌 따로인 오늘날의 현상이 이를 보여 준다. 물론 재벌가 일원이 국회의원이나 대통령에 도전하는 사례도 있지만, 이것은 현대 사회의 예외적 현상에 불과하다. 일반적인 현상을 기준으로 하면 오늘날에는 정치와 경제가 서로 분리되어 있다.

1995년 4월 13일 베이징 국빈관에서 삼성 그룹 이건희 회장이 유명한 말을 남겼다. '우리나라 정치는 4류, 행정은 3류, 기업은 2류' 라는 말이다. 1류가 무엇인지는 언급하지 않았다. 1류에 대한 언급 없이 2류·3류·4류만 언급했으니, 그가 말한 2류가 실은 1류였다고 볼 수 있다. 자신이 대표적인 기업인이니 스스로 기업을 높이기 힘들어 기업을 2류로 매겼을 것이다. 중요한 것은 그가 정치나 행정보다 기업을 선진적 분야로 봤다는 점이다.

　　물론 변화하는 경제 현실에 대처하는 면에서는 기업이 정치권보다 낫다. 이는 당연한 것이다. 하지만 조직의 구성 원리로 보면 기업은 정치권에 훨씬 뒤처진다. 정치 분야는 국민주권 시대에 민주주의 이념에 따라 재편되었다. 이 분야에서는 과거처럼 세습이 인정되지 않는다. 또 형식상으로나마 누구에게나 똑같이 1표가 인정된다. 이에 비해 경제 분야에서는 여전히 세습이 인정되며 1인 1표가 아니라 1주株 1표가 인정된다. 또한 부모의 회사 지분이 자녀에게 상속되는 게 너무나 당연하게 받아들여진다. 만약 총리나 장·차관이 이런 식으로 세습된다면, 당장에 난리가 날 것이다. 하지만 경제계에서는 그것이 아주 당연하다. 이것은 경제계가 왕조 시대의 조직 구성 원리에서 탈피하지 못했음을 보여 준다. 부모의 권력이 자녀에게 세습되는 게 당연시됐던 왕조 시대 논리가 경제 분야에서는 여전히 통하는 것이다. 그에 비하면 정치 분야는 훨씬 선진적이다. 정치 분야야 말로 '2류'다.

　　정치와 경제의 분리로 인해 정치 파벌들의 경제력이 약해졌다는 사실은 또 다른 현상을 야기시켰다. 과거의 지주 겸 관료들은 정치 자금을 스스로 조달할 수 있었지만, 오늘날의 직업 정치인들은 외부에서 자금을 조달할 수밖에 없다. 대중에게서 조달하든가 기업에게서 조달하든가 해야 한다. 그래서 오늘날의 정치 파벌은 과거보다 불리한 조건에서 활동할 수밖에 없다. 게다가 세습이 인정되지 않고 누구에게나 똑같이 1표가 인정된다는 것은, 정치 파벌들이 상대방 파벌에 신경 쓰는 것과 동시에 다른 것에도 신경 써야 함을 의미한다. 그것은 대중 속에서 언제 튀어나올지 모르는 또 다른 경쟁자들이다. 정치와 경제가 일치됐던 세상에서는 돈을 가진 계층만이 정계에 진출할 수 있었으므로 경제력 없는 서민 계층은 쉽게 진입할 수 없었다. 그래서 정치 파벌들은 대중 속에서 경쟁자가 튀어나올 가능성을 크게 걱정할 필요 없이 라이벌 파벌의 동태만 세밀히 살피면 되었다. 그런데 국민주권 시대에는 그런 프리미엄이 상당히 많이 사라졌다. 이제는 대중 속에 숨어 있는 잠재적 경쟁자들까지 의식하면서 상대방 파벌과 경쟁을 해야 한다.

이런 상황에서 정치 파벌이 생명력을 지키는 길은 국민과의 소통을 넓히는 것뿐이다. 국민과 소통하고 국민을 지지자로 끌어들이는 것은 대중 속의 잠재적 경쟁자들이 자신을 추월할 가능성을 떨어뜨리는 일일 뿐만 아니라 대중으로부터 정치 자금을 확보할 가능성을 높이는 일이기 때문이다.

이 모든 상황의 변화는 정치 파벌들의 눈높이를 바꾸게 만들었다. 왕조 시대에는 정치인들이 왕실의 눈높이에 맞춰 정치를 했

투표의 시대엔 누구에게나 똑같이 1표가 부여된다. 이로 인해 정치 파벌들은 국민과 더 자주 소통할 필요성이 생겼다.

다. 물론 때에 따라서는 백성들의 눈치도 봤지만, 평상시에는 왕실을 겨냥한 정치를 했다. 창검으로 정적을 제거하는 경우에도 최종적으로 왕실의 승인을 얻어야 집권당이 될 수 있었다. 그렇기 때문에 이 시대에는 왕실의 표준을 존중하지 않을 수 없었다. 왕실의 종교를 존중하고 그에 맞춰 신성한 자세를 드러내야 했다.

반면에 국민주권 시대에는 그런 왕실이 존재하지 않는다. 태국이나 영국·일본 등에는 왕실이 있지만, 엄밀히 말하면 이런 나라도 왕실이 없는 셈이다. 형식적인 왕실은 있지만, 실질적 권력을 행사할 왕실은 존재하지 않는다. 실질적 왕실이 부재하다 보니, 정치파벌들은 국민을 바라보며 정치할 수밖에 없다. 그러자니 일반 대중의 눈높이에 맞출 수밖에 없다. 예전처럼 근엄하고 경건한 태도만 갖고는 정치를 할 수 없게 됐다. 또 종교적인 신성함 같은 것도 별로 필요하지 않게 되었다.

　오늘날의 총선이나 대통령 선거에서는 지도자급 인사들이 유세차에 올라타 춤도 추고 노래도 부른다. 두 손을 머리 위로 모으고 하트 표시도 한다. 대선 후보자 토론에서 썰렁한 개그를 연발하는 지도자들도 있다. 한 표를 얻고자 댄서도 되고 가수도 되고 개그맨도 되는 것이다. 이렇게 된 데에는 국민주권 시대가 되고 투표의 시대가 온 것이 적지 않게 작용했다. 정치인의 예능화는 투표의 시대가 끝나지 않는 한은 계속될 것이다. 물론 그렇다고 해서 정치인들이 일상적인 예능인으로 살지는 않을 것이다. 대중이 보지 않는 데서는 예전처럼 행동하면서 대중이 보는 앞에서는 예능인 흉내를 내야 하는 이중생활이 어느 정도는 불가피할 것이다.

3 지주 출신 친일파가 주도권을 잡다

    1895년 명성황후 시해 사건으로 민씨 세도가 무너졌다. 세도 정치는 탕평 정치의 결과물이고, 탕평 정치는 사림파 정치의 결과물이다. 따라서 명성황후 시해 사건은 사림파 정치의 최종 종결을 상징했다. 물론 그렇다고 해서 조선 왕조 지배층의 출신 성분이 바뀐 것은 아니다. 지배층 중의 핵심 엘리트가 바뀌었을 뿐이다. 1895년 이후를 주도한 세력은 그 이전의 지배층과 다를 바 없었다. 다른 게 있다면, 기존 질서가 와해되면서 지배층 인사들이 질서 재편을 기다리며 합종연횡을 모색했다는 점이다.

    1년 전인 1894년, 전봉준이 지휘하는 동학 농민 혁명이 발생했다. 동학 농민군은 봉건제도를 폐지하고 외세를 몰아내 새로운 사회를 만든다는 목표로 거병했다. 일본과 서양이 몰려오는 위기를 해결하고 생존을 모색하자면 기존의 봉건제도를 해체하고 새롭게 거듭나야 했다. 그런 대중의 의식이 동학 혁명으로 응집됐던 것이다.

대중의 에너지를 응집한 농민군은 막강한 위력을 발휘했다. 이들은 순식간에 조선 최대의 곡창 지대인 호남 지방에서도 중심지인 전주성을 함락했다. 이것은 정부군과의 전쟁에서 얻은 결과였다. 이로써 농민군이 정부군의 역량을 초월한다는 점이 객관적으로 입증됐다. 정부군이 조선 왕조를 지킬 자체 역량이 없을 뿐만 아니라 조선 왕조 자체가 폐업 위기에 봉착했음을 보여 주는 사건이었다.

정부군이 농민군을 상대하기 힘들었다는 점은 전주성 점령 직후에 고종이 청나라에 파병을 요청한 사실에서도 드러난다. 청나라 군대의 도움이 아니면 농민군을 상대할 수 없다는 사실을 절감한 것이다. 그런데 불청객이 들어왔다. 고종은 청나라군만 불렀는데 초청받지 않은 도둑도 그 틈에 조선에 들어왔다. 바로 일본군이었다. 엉뚱한 상황이 벌어지자, 농민군과 정부군 모두 당황했다. 급기야 양측이 강화조약을 맺고 농민군이 전주성을 비워 주는 상황으로 이어졌다.

전주성은 비워 줬지만 호남 지방 대부분은 농민군의 수중에 있었다. 농민군이 장악한 지역에서는 그 후 집강소 정치가 펼쳐졌다. 형식상으로는 정부가 파견한 수령이 있었지만 실질적으로는 동학군이 파견한 집강이 독자 조직을 갖고 지방을 다스리는 체제였다. 나주·남원·운봉처럼 지주층의 영향력이 강력한 곳에서는 집강소 정치가 실현되지 못했다. 하지만 그 외 대부분의 호남 지방에서 집강에 의한 행정이 실시됐다. 동학군 점령지가 일종의 해방구가 된 것이다.

이로써 동학군이 점령한 지역에서는 농민 출신과 동학교도 출신이 새로운 지배층으로 떠올랐다. 외국군이 들어오기 전에 동학군이 일찌감치 상황을 종료시켰다면 이들 새로운 엘리트들이 조선 왕조의 주체 세력으로 떠올랐을 것이다. 하지만 외국 열강들의 이해관계가 첨예하게 대립하는 한반도에서 내부 세력이 상황을 접수하기는 힘들었다. 전주성과 호남 지역만 장악한 상태에서 외국군을 맞이한 동학군은 스스로의 한계에 직면할 수밖에 없었다.

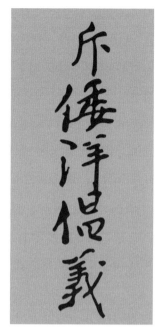

동학 농민군 측에서 사용한 척왜양창의 깃발. 일본과 서양을 몰아내고 정의를 떨치겠다는 의지를 피력한 구호다.

동학군은 일본군과의 전쟁에서 참패했다. 이 새로운 정치 파벌은 이 때문에 금세 사라졌다. 그 결과 서민층이 역사의 주인이 될 기회는 거품처럼 사그라지고 말았다. 뒤이어 기존의 엘리트층마저 명성황후 시해를 계기로 와해되었다. 세도정치를 지탱하던 민씨 가문이 붕괴되면서 기존 엘리트층은 혼란과 혼돈 속으로 빠져들어 갔다.

동학군 지도자들은 정계에서 사라졌지만, 기존 지배층은 와해된 채 남아 있었다. 이들은 1895년 이후 조선에 영향력을 행사한 러시아나 일본 쪽으로 각각 흩어졌다. 기존 지배층이 친러파와 친일파로 변신한 것이다. 이런 방식으로 그들은 새로운 정치 현상에 적응하고자 했다. 그들은 서구식 정치 시스템에도 관심을 가져 서양에서 확산되는 민주주의 이념에도 주의를 기울였다. 그런 방식으로 돌파구를 모색한 것이다. 1896년부터 서재필 등의 주도로 전개된 독립협회 활동이 대단한 인기를 끈 것은 이런 분위기를 반영한 것이었다.

이런 속에서 친러파와 친일파가 새로운 상황의 주도자가 되기 위한 경쟁을 벌였다. 명성황후 시해 뒤에는 일본의 위세를 배경으로 친일파가 득세했다. 고종이 일본의 간섭을 피해 러시아 공사관으로 몸을 피했을 때는 러시아의 위세를 배경으로 친러파가 득세했다. 이 시기의 친러파는 친미파이기도 했다. 이때는 둘이 잘 분간되지 않았다. 이완용의 초기 행태에서 드러나는 것처럼 이들은 친러파도 됐다가 친미파도 됐다가 하는 행보를 보였다. 고종이 러시아 공사관에서 나와 대한제국을 선포했을 때는 러시아와 일본이 상호간의 경쟁을 자제했다. 그래서 이때는 친러파와 친일파가 균형을 이루었다. 하지만 1904년에 발발한 러일전쟁이 일본의 승리로 귀결되면서 조선에 대한 러시아의 영향력은 제거되고 친일파가 최종적 승리를 안게 되었다. 조선 왕조(당시는 대한제국) 파벌 정치의 최후가 친일파의 승리로 막을 내린 것이다.

4 양반 지주층과 타협한 일제

1840년부터 두 차례의 아편전쟁을 겪고 2류 국가로 추락한 청나라는 1860년대에 들어서는 양무운동을 전개해 국가의 체질 개선을 꾀했다. 양무운동은 서양 문화 및 산업을 배워 청나라를 개혁하자는 운동이었다. 이 운동 하에서 중국의 자본가 계급, 즉 부르주아들이 급격히 성장했다. 그리고 이들이 주축이 되어 1911년 신해혁명이 발생했다. 이 혁명은 1912년 청나라 멸망 및 중화민국 건국으로 이어졌다. 19세기 중국이 서양 열강과 일본에게 일방적으로 착취당했다는 생각을 가진 사람들이 적지 않지만, 사실 중국은 1860년대부터 기운을 차리며 역량을 축적하다가 신해혁명을 통해 새롭게 거듭났다. 물론 신해혁명 이후 일본의 침략에 계속 노출됐지만, 아편전쟁 때처럼 그렇게 무기력하지는 않았다.

조선도 1880년대부터 서양 문물 및 산업을 적극 수용했다. 중

러일전쟁에 참전했던 러시아 전함 페트로파블롭스크

국처럼은 아니지만 조선도 어느 정도의 성과를 거뒀다. 조선은 일
본·청나라와 서양 열강에 시달렸지만, 전쟁에 패해 나라를 잃지는
않았다. 하지만 패전을 당하지 않을 정도의 역량이 있었을 뿐이지,
나라를 건사할 정도의 역량까지 있었던 것은 아니다. 청나라에서는
부르주아 계급이 성장했지만 19세기 후반의 조선에는 명확하게 세
를 갖지 못했다. 새로운 시대를 개척해 나갈 새로운 정치 파벌이 등
장하지 못했던 것이다.

 거기다가 기존 엘리트층은 1895년 을미사변을 계기로 와해
되었다. 지배층의 개별 구성원들이 종전의 힘을 완전히 잃은 것은
물론 아니었다. 다만 그들을 뭉치게 했던 시스템이 와해됐을 뿐이
다. 이런 상태에서 일본이 1894년 청일전쟁으로 청나라를 격파하고
1904년 러일전쟁으로 러시아마저 격파했다. 한반도에 간섭하던 유

　　　　　　　　　　제3장 투표의 시대

력한 두 외세가 일본에 의해 퇴출된 것이다. 이로써 일본이 한반도 문제에 관한 유일한 최강국이 되었다. 한반도를 둘러싼 국제적 세력 균형은 이로써 붕괴되고 말았다. 이것은 1905년 연말의 을사늑약 (이른바 을사보호조약)과 1910년의 국권 침탈로 이어지고 말았다.

그런데 1910년 8월 29일의 멸망은 조선 지배층의 출신 성분 에 영향을 주지 않았다. 일본이 기존 지배층의 지위와 영향력을 건 드리지 않았기 때문이다. 일본은 전쟁을 통해 조선을 차지하지 못하 고 조선을 둘러싼 열강의 세력 균형이 와해된 틈을 이용해 외교권을 빼앗고 군대를 해산시키는 방법으로 조선을 빼앗았다. 일본은 조선 을 둘러싼 두 열강만 전쟁을 통해 퇴출했을 뿐 조선에 대해서는 그 러지 못했다. 전쟁을 일으킬 명분을 찾지 못했기 때문이다.

19세기 후반의 일본은 조선에게는 힘을 썼지만, 영국·프랑스· 미국 등의 서양 열 강에게는 그러지 못 했다. 1870년대 이 래로 일본은 영국· 프랑스·미국 등에 편승하는 방법으로 국가 발전을 모색했 다. 그래서 전쟁 등 의 중요 사안을 결 정할 때는 이들 나

러일전쟁 당시 서울을 점령한 일본군

라의 의중을 사전에 확인했다. 청나라나 러시아와의 전쟁은 그들의 묵시적·명시적 승인을 받을 만한 일이었다. 그것은 서유럽과 미국의 세력 확대를 돕는 것이었기 때문이다. 하지만 조선과의 전쟁에는 그런 명분이 없었다. 이 일은 서유럽과 미국에 뚜렷한 이익도 제공하지 못하면서 공연히 동아시아 질서만 어지럽힐 수 있었다. 그 결과 일본은 동양 평화를 위해 동아시아가 단결해야 한다는 논리로 조선 흡수를 도모했다.

만약 상황이 달라서 전쟁을 통해 조선을 삼켰다면, 일본은 지배층을 해체하고 새로운 세력을 지원했을 수도 있다. 하지만 현실에선 그럴 여력이 없었다. 일본은 조선 사회의 지배층을 인정해야 했다. 조선 황실을 왕실로 격하시키는 선에서 대한제국 황족의 지위를 인정한 것도 이 때문이다. 덕분에 대한제국 황제는 이왕李王으로 내려앉는 선에서 기득권을 유지했다. 이씨 왕실은 1945년 8월 15일 일제 패망과 함께 최종적으로 망했다. 일본은 왕실뿐 아니라 지배층인 지주 계급의 기득권도 인정해 주었다. 토지 조사 사업으로 조선인의 토지를 빼앗을 때도 지주층의 땅이 아닌 서민층의 땅을 집중 공략했다. 양반 지주의 이익은 가급적 침해하지 않았던 것이다. 그래서 조선 지배층은 경술년의 국치를 당하고도 기존 지위를 그대로 보존할 수 있었다. 덕분에 정치 파벌에 가담했던 지배층 인사들은 정치적 헤게모니를 잃었음에도 경제적·사회적 지위를 그대로 유지한 채 일제강점기로 들어갈 수 있었다.

이 점이 조선총독부가 '양반 사대부들은 독립운동 따위는 하

왼쪽은 대한제국 병탄에 관한 일왕의 조서(한국어 번역문). 1910년 8월 29일 자 관보에 게재됐다. 오른쪽은 일본 제국에 국권을 양도한다는 내용을 담은 순종 황제의 조서. 황제의 실명을 표기하지 않는 피휘 관례와는 다르게 순종의 이름인 척(坧)이 서명에 들어갔다.

지 않는다'고 공언하도록 만든 배경이다. 국권 침탈로 피해를 본 것은 주로 서민층이었다. 양반 지주층은 일본과 제휴했기 때문에 별다른 피해를 입지 않았다. 따라서 지주층은 독립운동의 필요성을 별로 느끼지 못했다.

　이런 일본의 공언을 무색케 한 인물이 이회영이다. 경주 이씨인 그는 '오성과 한음'의 오성으로 유명한 이항복의 10대손이다. 그의 직계 조상들이 얼마나 대단했는지는 이항복 이후로 딱 1대代만 빼고 계속해서 과거에 급제하고 총리급이나 장·차관급이 된 사실에서 잘 드러난다. 이회영의 아버지도 장관급이었다. 형제들도 관찰사·재판소장·판사·참판 등을 지냈다. 말 그대로 삼한 최고의 종족인 삼한갑족三韓甲族이었다. 조선 시대에도 삼한은 한민족을 지칭했

창덕궁 대조전 옆에 있는 흥복헌. 1910년 8월 22일 이곳에서 일제 병탄 조약을 찬성하는 마지막 어전회의가 열렸다. 옛 건물은 1917년 화재로 소실되었고 현재 건물은 1920년 중건한 것이다.

다. 그런 삼한에서 갑甲이 될 만한 명문가라 하여 삼한갑족이라 불린 것이다. 이런 집안에서 이회영의 주도로 일족 59명이 만주로 가서 독립운동을 했다. 일본의 조선 양반 회유책을 무색케 하는 몇몇 사례 중 하나다.

하지만 이런 일부 예외를 제외하면, 대부분의 지주층은 대한제국 멸망의 영향을 별로 받지 않았다. 이들은 1910년부터 1945년까지의 일제 35년간 기존 지위를 거의 그대로 유지했다. 이것은 대한민국의 지배층이 조선 말기의 지배층과 본질적으로 거의 같도록 만드는 데 기여했다.

이렇게 일본이 지주층과 협력하는 속에서 한국인 자본가들이 자본을 축적해 나갔다. 그중 대표적인 인물들이 경성방직 김연수,

화신백화점 박흥식, 태창그룹 백낙승, 광산 재벌 이종만, 금광왕 최창학 등이다. 이때는 경제 권력이 정치권력과 분리된 뒤였다. 이런 상태에서 부를 축적한 일제강점기의 자본가 상당수는 해방 뒤에 남한 땅의 경제 권력을 손에 쥐고 정치 투쟁에 영향을 미치게 된다.

일제강점기 아래 조선인의
정치 활동

조선 왕조가 무너지고 양반 지배가 붕괴된 뒤로 정치권력과
경제 권력이 분리됐다. 조선 시대 지배층은 지주의 지위를 가진 상
태에서 과거 시험을 통해 관직을 얻었다. 그들은 정치와 경제를 통
합한 세력이었다. 그래서 그 시대에는 정경 유착이 문제될 게 없었
다. 정경이 일체화되어 있었기 때문이다. 그러다가 국권 침탈로 양
반 체제가 무너지고 기존 양반 지주들이 각개약진하는 상태가 됐다.
그러면서 정치와 경제의 두 권력이 분리되었다. 기업 할 사람은 기
업을 경영하고 정치를 할 사람은 정치인이 되었다. 이런 상황 속에
서 지식인 스타일의 인물들이 기업가가 되어 자본가로 성장했다. 해
방 이후를 지배할 재벌의 원형이 만들어진 것이다.

그런데 일제강점기 하의 정치는 조선인에게 극도록 제한되어

있었다. 조선인들도 고시 합격을 통해 총독부나 경찰 고위직에 진출할 수는 있었다. 하지만 식민지 백성이라는 한계 때문에 조선인은 주체적인 파벌 투쟁을 벌일 수 없었다. 그 대신 조선인들의 정치 활동은 국내외에서 독립운동이나 사회 운동의 형태로 표출됐다. 국가 권력으로부터 부여받은 공식 타이틀 없이 조선의 독립이나 발전을 명분으로 사실상의 정치 활동을 하는 양상이 나타났다. 해방 이후의 재야 운동이나 시민운동 같은 양상이 전개된 것이다.

　　오늘날 우리는 국회의원이나 대통령 선거에 나서는 사람을 정치인으로 부르는 경향이 있다. 일제강점기에는 그런 선거가 없었다. 그런 선거는 일본 땅에나 있었다. 그래서 조선인들이 생각하는 정치인의 이미지가 지금과 달랐다. 당시 사람들의 눈에는 총독부의

일제강점기 때 지어진 화신백화점의 1949년 모습

용인 하에 국내에서 실력 양성 운동을 하거나 만주나 중국 등을 무대로 독립운동을 하는 사람이 정치인으로 비쳤다. 꼭 독립을 추구하지 않더라도, 정치에 뜻이 있는 조선인은 이런 방면으로 활동할 수밖에 없었다.

그런 활동에서도 당연히 파벌 투쟁이 발생했다. 국외의 독립운동과 국내의 실력 양성 운동은 기본적으로 사회주의 대 비非사회주의의 대결로 흘러갔다. 흔히 민족주의 대 사회주의라고 하지만, 양쪽 다 민족 해방과 자주 독립을 위해 싸웠으니 어느 한쪽만 민족주의라고 부르는 것은 타당하지 않다. 그래서 사회주의 대 비사회주의라고 부른 것이다. 양측의 대결은 1919년에 출범한 상하이 대한민국 임시 정부에서부터 국내의 사회 운동 단체에까지 일관되게 나타났다. 이들 중 사회주의 진영의 주류는 해방 뒤에 북한 정권의 건설에 참여하고, 비사회주의 진영의 주류는 남한 정권의 건설에 참여했다.

제3장 투표의 시대

6 건국준비위원회의 한반도 장악

해방 직후에 남한에서 최초로 주도권을 차지한 인물은 여운형이다. 그는 역사의 길목에 미리 서 있다가 기회를 포착하는 데 탁월했다. 그 방면에서는 타의 추종을 불허할 것이다. 콧수염과 넓은 이마에 양복 조끼로 강한 인상을 남긴 그는 3·1운동 전년도인 1918년까지만 해도 무명 청년이었다. 김옥균의 갑신정변 2년 뒤인 1886년에 출생했으니, 1918년에 서른세 살이었다. 그는 1918년에 제1차 세계대전이 끝나고 우드로 윌슨 미국 대통령이 민족자결주의를 제창하는 것을 주의 깊게 관찰했다. 그 결과 조만간 약소민족의 독립운동이 세계적 대세가 되리라는 직감이 들었다. 그래서 특유의 친화력과 조직력 그리고 웅변 실력을 바탕으로 신한청년당을 급조하고 파리 평화 회의에 김규식을 한민족 대표로 파견했다. 3·1운동 직전의 일이다.

여운형

1919년 3·1운동이 벌어진 시점에서 여운형만큼 준비가 돼 있는 사람은 없었다. 덕분에 그는 그해 결성된 임시 정부에서 외무부 차장이 됐다. 연말에는 일본 정부로부터 국빈급 초청도 받았다. 일본이 그를 초빙한 것은 3·1운동으로 험악해진 조선 민심을 달래기 위해서였다. 조선인 청년 지도자를 도쿄에 초빙해 대일본 제국의 포용력을 보여 주자는 게 하라 다카시 내각의 셈법이었다. 하지만 일본의 의도를 비껴가는 상황이 벌어졌다. 여운형은 도쿄에 가서 타고난 웅변 실력으로 조선 독립의 필요성을 역설했다. 이 연설이 어찌나 감동적이었던지, 일본 청중 몇 명이 "대한 독립 만세!"를 외치는 사건이 발생했다. 이러한 소식이 알려지자 일본 국민들 사이에서는 "내각은 대체 뭐하는 곳이냐? 이 내각이 여운형 내각이냐?"는 비판이 터져 나왔다. 결국 하라 다카시 내각은 국회를 해산하고 총선거를 실시해야 했다.

역사의 길목을 미리 차지하고 숨어 있다가 한 방을 날리는 여운형의 스타일은 일제강점기 말기에도 나타났다. 전황을 지켜보며 일본의 패망을 짐작한 그는 해방 1년 전인 1944년 8월 행동에 착수

제3장 투표의 시대

했다. 해방을 대비해 건국동맹을 결성하고 나라가 독립하면 인수할 준비를 한 것이다. 그렇게 해서 결성한 건국동맹을 확대하던 중에 그는 일본의 패망을 맞이했다. 해방 전날인 8월 14일, 총독부가 여운형에게 연락을 취해 접촉을 시도했다. 정권을 넘길 테니 일본인들의 무사 귀환을 보장해 줄 수 있겠느냐는 게 총독부의 질의였다. 여운형은 이 요청을 수락했다.

이에 힘입어 여운형은 건국준비위원회(건준)를 결성했다. 이 때부터 미군 상륙까지 3주간은 건준의 지방 지부들이 한반도 전체의 치안을 담당했다. 출범 한 달 만에 건준은 전국 145개 시군에 지

서울 필동에 위치한 한국의 집. 이곳은 일제강점기 때 조선총독부 정무총감 관저로 사용됐다. 1945년 8월 15일 아침에 여운형이 이곳에서 총독부로부터 치안권과 행정권을 이양받았다.

부를 보유한 최대 정치 조직으로 급부상했다. 물론 그 모든 지부를 여운형이 일일이 관장한 것은 아니다. 전국 각지에서 자기 지역 일에 발언권을 가진 사람들이 자치 조직을 이룬 가운데 건준 본부와 보조를 맞췄던 것이다.

동아시아학 권위자인 브루스 커밍스는 『한국전쟁의 기원』 제8장에서 건준의 세력 확장을 설명하면서 "반도 전역에 수백 개의 지방 조직을 퍼뜨린 조직의 재능을 누가 발휘했는지 정확히 알기란 어렵다"면서 "(이 조직이) 불과 몇 주 사이에 농촌 조직을 지배하게 되었다"고 감탄했다. 농업 중심의 한국 사회에서 농촌을 지배했다는 것은 한국 전역을 지배했음을 뜻하는 것이다. 커밍스는 건준의 전국 네트워크에 대해서도 감탄사를 연발했다. 산꼭대기의 봉화나 숲 속의 북소리 등을 이용해 전국적 연락망을 구축한 그들의 시스템을 설명하면서 "반대파들은 산에 봉화를 올려 그들이 기대하는 결과를 얻을 수 없었다"고 말했다. 그만큼 해방 직후의 건준은 짧은 시간 내에 조선 팔도 삼천리를 순식간에 장악했다. 이에 필적할 조직이 한반도 안에는 없었다.

앞서 설명한 것처럼 멸망 당시의 조선 왕조 엘리트층은 일제강점기 동안에도 명맥을 유지했다. 일제강점기 동안에 그들은 기존의 경제력을 무기로 서구식 교육을 받으며 종래의 지위를 유지했다. 여운형처럼 건준 지도부를 구성한 이들도 크게 다르지 않았다. 다만 이들은 일제강점기 동안에 국내에서 민족주의 성향을 유지했다는 점, 사회주의를 전면 수용한 것은 아니지만 사회주의에 대해 반감이 없었다는 점, 외세를 어느 정도 이용하기는 하지만 지조를 내줄 정도로 외세에 의존적이지는 않았다는 점에서 동시대의 다른 집단들과 차별성을 보였다. 해방 직후의 3주간은 건준이라는 유력 파벌에 의해 한반도가 지배됐다.

7 친미파 사대주의 진영의
대한민국 접수

내로라하는 친화력을 가진 건준은 지도자 여운형의 개성을 반영한 듯 신속히 세력을 확장했다. 그런데 건준에는 한계가 있었다. 그것도 근본적인 한계였다. 건준은 분명히 자생적인 조직이었다. 이 때문에 해방 공간에서 출현한 수많은 조직들 가운데 정통성을 더 많이 갖춘 집단이었다. 외세에 의존한 조직, 명망가들에 의존한 조직과 비교할 때, 건준은 확실히 특출한 조직이었다. 지방 리더들을 토대로 했다는 점에서도 남달랐다.

하지만 건준은 스스로의 힘으로 한반도 지배권을 확보하지 못했다. 다급해진 총독부로부터 일본인의 무사 귀환을 조건으로 정권을 인수했을 뿐 능동적으로 되찾은 권력이 아니었던 것이다. 일본은 자신들의 힘을 보유한 상태에서 건준에게 권력을 내준 것이 아니

제3장 투표의 시대

라 자신들보다 힘센 상대에게 항복한 상태에서 건준에게 권력을 내준 상태였다. 즉, 완전한 처분권을 갖지 못한 일본에게서 나라를 인수했던 것이다. 이것이 문제가 될 수밖에 없었다.

　일본을 제압한 '힘센 상대'였던 미국은 건준을 좋아하지 않았다. 일본을 제압했을 뿐 아니라 건준보다 훨씬 강한 미국의 입장에서는, 미군이 진입하기도 전에 독자적 행정 체계를 구축한 건준이 달가울 리 없었다. 미국은 미군이 한국에 상륙하기 하루 전인 9월 7일 미군정을 선포했다. 미국 군대가 한국 정부 역할을 하겠다고 선언하고는 건준에 대한 견제에 들어간 것이다.

　8월 15일 여운형에게 정권을 인계한 조선총독부는 미군이 상륙한 뒤인 9월 9일에는 미군을 상대로 항복 의식을 거행했다. 항복한 일본 정부와 달리 조선총독부는 별도의 의식을 총독부 제1회의실에서 가졌다. 이 의식의 연합국 대표인 미국 제24군단 하지 중장은 한국인들에게 발표한 성명서에서 "주한 미군 사령관으로서 법률과 질서를 유지하는 동시에 한국의 경제 상태를 앙양시키며 인민의 생명과 재산을 보호하며 기타 국제법에 의하여 점령군에 부과된 기타의 제반 의무를 이행하노니"라고 말했다. 미군을 해방군이 아니라 점령군으로 규정한 것이다. 점령군의 의무를 다하겠다고 말한 직후에 그는 "점령 지역에 있는 여러분들도 의무를 다하여라"라는 명령을 내렸다.

　한국을 점령지로 규정하는 태도는 다음 날 나온 맥아더 장군의 포고령에도 드러난다. 그는 자기 명의로 발포한 태평양 육군 총

ⓒDon O_Brien

조선 총독부(위).

1995년 8월 15일 조선총독부 청사를 헐어내면서 남겨둔 건물 일부. 서울시 종로구 신문로 2가의 서울역사박물관 앞마당에서 찍은 사진(아래).

사령부 포고령 제1호에서 "일본국 천황과 정부와 대본영을 대표하여 서명한 항복 문서의 조항에 의하여 본관 휘하의 연합군은 금일 북위 38도 이남의 한국 지역을 점령함"이라고 천명했다. 이렇게 한국을 점령지로 인식하는 것은 한국에 합법적 행정 조직이 있음을 부인하는 것이었다. 이런 인식을 가진 미국이 여운형과 건준을 인정할 리는 없었다.

이런 분위기에 편승한 세력이 있었다. 지주 출신의 교양 계층이라는 점에서는 건준 지도부와 별반 다를 게 없었다. 하지만 영어를 할 줄 알거나 미국 유학 경험이 있다는 점에서 건준과 다른 집단이었다. 바로, 1945년 9월 16일 탄생한 한국민주당(한민당)이다. 건준한테 선수를 빼앗겼던 한민당은 건준과 미 군정을 이간시킬 목적으로 여운형과 건준을 공산주의 세력으로 몰아붙였다. 안 그래도 건준을 경계하던 미 군정은 한민당이 영어로 들려주는 건준의 실체를 듣고, 건준을 더욱더 경계하고 급기야 건준 퇴출에 나서게 되었다.

미 군정과 한민당의 협력 체제가 정착하는 과정에서 해방 한국에서는 좌우의 이념 대결이 활발해졌다. 독립운동 시절에 형성된 좌우의 파벌 대결이 해방 한국에서 재연된 것이다. 미군의 주둔으로 한국 정치 지형이 한국인들의 의사와 무관하게 재편된 것도 좌우 대결을 부추긴 요인 중 하나다. 자국의 지배에 대한 좌파의 저항을 미국은 우파를 앞세워 물리치고자 했다. 미국은 서북청년단 같은 우익 단체에게 경찰이나 군대에 준하는 권력을 부여하고 이들을 앞세워 좌파의 기반을 약화시켜 갔다. 이런 형세를 언론인 리영희는 『대화』

1945년 11월, 리 승만 박사가 중국에서 귀국한 김 구 선생을 소개하고 나서 (하지 장군과 함께)
After Dr. Rhee's introducing Kim Koo to Gen. Hodge upon Mr. Kim's return to Korea from China in Nov., 1945

이승만·김구와 함께한 하지 중장. 서울시 종로구 이화동의 이화장(이승만 저택)에서 찍은 사진.

에서 이렇게 묘사했다.

> 남한에 잔존했던 악질적인 반역자들과 친일파들이 이북에서 도피해 온 같은 부류의 악질분자들과 결탁하여 남한 사회를 장악해버렸던 겁니다. 이북에서 도피해 온 그런 부류의 청년들이 서북청년단이란 것을 결성해 미 군정과 경찰의 비호 아래 온갖 테러와 불법 행위, 폭력을 자행하고 있었어요.

이 대결에서 미국과 우파가 우세를 잡았다. 이에 따라, 향후 오랫동안 이어질 남한 땅의 지배 체제가 색깔을 드러냈다. 조선 시

제3장 투표의 시대

대부터 지주 지위를 이어 오다가 일제강점기 때의 서구식 교육으로 지적인 재무장을 갖추고, 미국식 사고방식과 영어 실력을 갖추고 사회주의 사상을 배격하는 세력이 남한 땅을 지배하게 되리라는 게 이때부터 예고되었다. 1950년 한국전쟁으로 남한 땅에서 북한에 대한 거부감이 확고히 고착된 뒤로는, 그런 세력의 지배가 사회적 정당성을 얻게 되었다.

이 같은 세력을 이끌고 해방 이후에 주도권을 잡은 집단이 한민당 계열이다. 처음에는 한민당과 협력했던 이승만이 자유당을 따로 만들었지만, 자유당의 출신 성분 역시 한민당과 크게 다르지 않았다. 이승만 체제를 어떻게 인식하는가만 달랐을 뿐이다. 한민당은 이승만의 재선을 원치 않는 데 반해 자유당은 재선뿐만 아니라 3선도 돕고 종신 집권까지 이루려 했다. 훗날 정통 야당의 맥을 형성한 민주당도 한민당이라는 뿌리에서 태어났다. 1955년에 민주당을 세운 세력은 한국민주당·민주국민당과 자유당 탈당파 및 흥사단 출신이었다. 이 중에서 한국민주당과 민주국민당은 민주당 구파로 불리고 자유당 탈당파와 흥사단 출신은 민주당 신파로 불렸다.

미 군정의 지원 아래 지배권을 차지한 한민당 계열은 재벌과의 협력 체제를 구축했다. 일본인 재산을 헐값으로 인수해서 재벌로 성장한 기업들과 제휴하면서 지배 체제를 공고히 했다. 오늘날까지 문제가 되는 정경 유착이 이때 시작됐다. 정치와 경제가 분리된 투표의 시대에 그들은 이런 식으로 적응했던 것이다.

정경 유착 구조 속에서 정치인들에게 자금을 헌납하고 특혜를 받는 구조에 불만을 가진 재벌이 있었다. 현대 그룹 회장 정주영이다. 한국 경제의 초고속 성장이 끝나가던 1970년대 후반부터 북한과 동구권 쪽으로 그룹의 활로를 모색하던 그는 1990년대 초반에는 자신이 직접 정권을 잡기 위한 도전에 나섰다. 정치와 재벌의 분리를 극복하고 양자의 일체화를 시도했던 것이다. 하지만 1992년 12월 18일 제14대 대선에서 그는 16.3퍼센트의 득표율로 3위를 기록하는 데 그쳤다. 정치 장악을 꾀한 그의 시도는 그렇게 끝났다. 정치와 경제의 분리를 특징으로 하는 시대적 흐름을 깰 만한 힘은 없었던 것이다.

8 투표의 시대를 실감케 한 두 사건

대한민국이 성립된 이래, 독재 정권이 국민 앞에 무릎을 꿇은 대표적 사건이 세 번 있었다. 1960년 4·19 혁명, 1987년 6월 항쟁, 2016년에서 2017년 사이에 일어난 촛불 혁명이 그것이다. 이 중 앞의 두 사건은 투표의 시대라는 이 시대의 특성을 여실히 보여 주었다. 4·19 혁명과 6월 항쟁은 투표 문제로 발생한 사건이다.

4·19 혁명은 1960년 3월 15일 정·부통령 선거 부정이 직접적 계기가 된 사건이다. 물론 이승만 정권의 12년 장기 독재와 경제 정책 실패가 근본적인 원인이었지만, 3·15 부정 선거에 대한 분노가 직접적 도화선이 되었다.

이 선거에는 우리가 생각할 수 있는 온갖 유형의 부정 선거 기법이 총동원됐다. 요즘 같으면 이런 기법 중 하나만 나와도 정권이 흔들렸을 것이다. 그런 기법들을 총동원했으니 국민적 분노가 터지

3·15 부정 선거 개표 결과 이승만 대통령과 이기붕 부통령 당선을 보도한 1960년 3월 17일 자 동아일보 기사

는 것도 당연했다.

　　자유당은 이승만과 이기붕을 각각 대통령 및 부통령으로 당선시킬 목적으로 실존하지도 않는 유령 유권자들을 창조해서 명부에 얹었다. 또 유권자 4할의 투표용지에 이승만·이기붕을 찍어 투표 시작 전에 투표함에 넣었다. 야당 정치인의 입후보를 폭력적으로 훼방하고 그래도 입후보하면 살상을 감행하기도 했다. 공무원들을 동원해 유권자들을 협박하고 안 되겠다 싶은 유권자는 투표하지 못하게 만들기도 했다. 투표 당일에는 여당 지지자들이 이승만과 이기붕을 찍은 투표용지를 대기 중인 유권자들에게 보여 주었다. 이렇게 투표하라고 시범을 보인 것이다. 이런 장면에 항의하는 야당 참관인이 있으면 투표장 밖으로 내몰았다. 투표가 끝난 뒤 개표 과정에서도 부정이 자행됐음은 물론이다.

　　　　　　　　　　　　제3장 투표의 시대

자유당의 선거 부정은 3·15 부정 선거 이전에도 유명했다. 1958년에 치러진 제4대 총선에서는 강원도 인제에서 출마한 민주당 후보의 입후보가 취소되는 일도 있었다. 그 후보가 바로 35세의 정치 신인이었던 김대중이다. 억울함을 하소연할 데가 없었던 김대중은 인근 군부대의 사단장을 찾아가기로 결심했다. 이 상황이 『김대중 자서전 1』에 기술되어 있다.

> 나는 군청 근처에 있는 육군 사단장 관사를 찾아갔다. 군은 이 억울함을 알아줄지도 모른다는 생각에서였다. 사단장은 자리에 없다고 했다. 정확히 기억은 나지 않지만 아마도 나를 피했던 것 같다. 당시 사단장은 박정희였다. 우리의 첫 대면은 이렇게 빗나갔다.

3·15 부정 선거에서 그 정도로 불법과 부정이 자행됐으니, 이승만과 이기붕이 압승하는 것은 당연했다. 곳곳에서 두 후보가 95~99퍼센트까지 득표하는 것으로 나왔다. 그러자 자유당은 당황했다. 조작 냄새가 너무 진했기 때문이다. 그래서 이승만 정권은 득표율을 낮춰서 보도했다. 이승만은 88.7퍼센트, 이기붕은 79.2퍼센트를 득표한 것으로 발표했다. 자신들이 생각해도 너무했던 모양이다.

투표의 시대에 투표 결과를 조작하는 것은, 왕조 시대에 임금의 혈통을 조작하는 것과 같다. 임금의 혈통이 아닌 사람을 그런 혈통인양 조작하는 것은 왕조 국가의 근간을 흔드는 일이었다. 왕조 국가의 건국 시조는 자신이 하늘의 위임을 받은 천명의 대행자라는 점을 들어 자신의 정통성을 만들었다. 그 후손들은 그런 건국 시조의 자손이라는 점을 근거로 정통성을 갖추었다. 그렇기 때문에 건국 시조의 혈통이 아닌 사람이 왕이 된다는 게 폭로되면 나라의 근간이 흔들릴 수밖에 없었다.

고려 공민왕의 아들 왕우는 아버지 공민왕이 "내 아들이다"라고 인정했는데도, 훗날 이성계·조민수·정몽주 등에 의해 공민왕의 아들이 아닌, 신돈의 아들로 결론이 났다. 그래서 조선 건국 주역들이 편찬한 『고려사』에는 그가 신우란 이름으로 나온다.

사실, 우왕에게는 혈통을 의심케 할 만한 정황이 많았다. 그는 궁에서 출생하지 않았다. 또 신돈의 여종인 반야의 몸에서 태어나서 한동안 신돈의 보호를 받았다. 혈통을 의심받을 만한 정황이 농후했던 것이다. 그렇기 때문에 우왕을 지탱한 최영 정권을 몰아낸 이성계·조민수 등의 입장에서는 우왕의 정통성에 대해 시비를 걸 여지가 많았다. 하지만 무엇보다 중요한 것은 공민왕이 자기 아들로 인정했다는 점이다. 그런데도 우왕은 공민왕의 아들이 아닌 신돈의 아들로 판정되고 가짜 왕으로 낙인찍히고 말았다. 물론 이성계 쪽이 정권을 잡고자 거짓 선전을 했을 가능성도 높다. 어쨌든 이 사건은 왕의 혈통이 왕조 시대의 정통성과 얼마나 직결되는지를 잘 보여 준다. 투표의 시대에 가짜 투표, 부정 선거로 대통령이 되는 것도 그런 일과 다를 바 없었다. 부정 선거는 지도자의 정통성을 왜곡하는 중대 범죄다. 그런 의미에서 이승만은 막판에 대한민국판 우왕이 된 셈이다. 그러니 4·19 혁명이라는 철퇴를 맞지 않을 수 없었다.

6월 항쟁도 투표 문제로 불거진 사건이다. 1972년 유신 체제 등장과 함께 사라진 대통령 직선제를 요구하는 국민적 저항을 전두환 정권이 무조건 억압하려다가 벌어졌기 때문이다.

직선제로 치러진 1971년 제7대 대선에서 민주공화당 박정희 후보는 53.2퍼센트, 신민당 김대중 후보는 45.2퍼센트를 득표했다. 득표율로만 보면 박정희의 승리가 안정적으로 보인다. 하지만 실제로는 그렇지 않았다. 김대중 후보가 투표에서는 이기고 개표에서는 졌다는 말이 공공연히 나왔다. 그만큼 이 선거에서도 불법·부정이 심각했다. 투표에서는 이기고 개표에서는 졌다는 말은 이승만 정권 때부터 나온 말이다.

여기에 더해 1970년대 초반에 박정희 정권을 어렵게 만든 보다 결정적인 일이 있었다. 그것은 세계적인 탈냉전 분위기였다. 미국은 유럽의 경제력 상승과 아시아·아프리카의 제3세계 운동으로 영향력 약화를 겪고 있던 상황에서 1960년대 후반의 베트남 전쟁 실패로 세계 패권을 내놓아야 할 위기를 겪고 있었다. 이런 위기를 타개할 목적으로 미국은 중국과의 관계를 개선하고 중국과 일본의 관계 개선을 허용했다. 미국이 북한의 동맹국인 중국과 관계를 개선하는 분위기는 박정희 정권에게 위기감을 초래했다.

이런 분위기의 대응 차원에서 내놓은 게 유신 체제라는 영구 독재 체제다. 이 체제 속에서 박정희는 국민 직선에 의한 대통령 선거 제도를 폐지하고 '통일 주체 국민 회의'라는 헌법 기구에 의한 대

통령 선거 제도를 내놓았다. 통일 주체 국민 회의는 국민의 직접선
거로 선출된 대의원들로 구성됐지만, 현직 대통령이 의장을 맡도록
했기 때문에 박정희가 얼마든지 통제할 수 있었다. 이렇게 박정희에
의해 길들여질 수 있는 기구에서 대통령을 뽑도록 했으니, 이들만
잘 통제하면 박정희의 영구 독재는 힘든 일이 아니었다.

이런 전통을 이어받아 전두환도 대통령 선거인단에 의한 간
접선거로 대통령에 당선됐다. 그에 더해 전두환 정권은 국회까지 통
제할 목적으로 민한당과 국민당이라는 관제 야당을 만들었다. 간선
제로 대통령 및 행정부 자리를 장악함은 물론이고 관제 야당으로 의
회마저 장악하고자 했던 것이다.

이 같은 부조리에 대한 저항은 전두환 정권 출범 4년 뒤인
1985년부터 두드러졌다. 이해 2월 12일 치러진 국회의원 선거에서
정통 야당인 신민당은 29.3퍼센트의 득표율로 35.2퍼센트를 기록한
집권 민정당을 충격에 빠뜨렸다. 이때부터 직선제 개헌 요구가 봇물
처럼 터졌고, 이렇게 해서 벌어진 1987년 6월 항쟁은 6·29 민주화
선언으로 이어졌다.

투표의 시대에는 총칼로 억압하고 탱크로 밀어붙여도, 국민
주권을 억압하는 정권에게는 미래가 없다는 것을 4월 항쟁과 6월
항쟁은 보여 주었다. 국민이 찬성하는 정부 구성 방식을 따르지 않
는 정치 파벌은 투표의 시대에서 결코 살아남을 수 없는 법이다.

제3장 투표의 시대

9 현대판 무신 정권의 등장

투표의 시대에는 국민의 동의를 얻는 것이 최고의 가치를 갖는 다는 점을 누구보다 잘 인식한 집단이 있었다. 바로 이승만과 자유당 이었다. 대중의 지지가 아닌 외세의 지지로 권력을 유지한 데다가 먹 고사는 문제를 해결해 주지 못한 이승만 집단은 공명정대한 선거를 통해서는 지지를 받을 수 없었다. 그래서 부정 선거에 의존할 수밖에 없었다. 그런 그들의 절박함을 잘 보여 주는 것이 1960년 3·15 부정 선거다.

3·15 부정 선거는 4·19 혁명을 불러왔다. 이로써 자유당은 도태되고 민주당이 주도적 파벌로 등장했다. 하지만 민주당 역시 오 래가지 못했다. 프랑스 혁명이 결과적으로 나폴레옹 독재로 연결된 것처럼, 혁명의 혼란을 수습하지 못한 민간 정부는 일사불란한 지휘 체계를 갖춘 군부에게 정권을 빼앗길 가능성이 높다. 이런 패턴 혹

3·15 부정 선거 항의 시위

은 경향의 적실성에 무게를 실어 준 게 민주당 정권이다. 민주당 정권은 혁명으로 분출된 대중의 욕구를 제대로 수렴하지 못했을 뿐 아니라 혁명으로 인한 혼란도 충분히 잠재우지 못했다. 결국 민주당이 차린 밥상은 박정희가 이끄는 군부의 수중으로 들어갔다.

그런데 미국이 통제하는 나라에서, 그것도 미군이 수도 서울에 주둔하는 나라에서 미국의 협력 없이 쿠데타를 벌이는 것은 쉽지 않은 일이다. 그런 쿠데타로 정권을 잡는 일은 더욱더 쉽지 않다. 한국에서 쿠데타의 성공 여부는 미국의 협조에 의존하기 마련이다.

박정희가 일으킨 1961년 5·16 쿠데타 역시 그랬다. CIA 한국 지부는 이미 4월 말에 박정희의 쿠데타 계획을 인지했다. 그런데도 제지하지 않았다. 이상한 일은 5월 16일 당일에도 벌어졌다. 전날인 5월 15일 밤 10시경, 장도영 육군참모총장은 박정희 일파에 대한 체포 명령을 내리고 박정희 등을 밀착 감시하도록 했다. 장도영은 사전에 쿠데타 계획을 인지하고도 장면 총리 앞에서는 그런 사실을 모르는 척했다. 그런 행동은 그가 쿠데타 직후에 군사 혁명 위원회 의장이 된 배경을 시사한다. 하지만 그러면서도 그는 쿠데타 당일에는 박정희 체포 명령을 내려 놓았다. 그래서 박정희가 동지들을 만나러 새벽 0시 30분경 서울시 영등포구 문래동의 육군 6관구 사령부에 나타났을 때는 수십 명의 체포조가 이미 진을 치고 있었다. 박정희의 동지들이 있는 다른 부대에서도 마찬가지였다. 그런데 무슨 일인지 헌병들은 박정희를 체포하지 않았다. 다른 부대에서도 동일한 일이 벌어졌다. 참모총장이 체포 명령을 내린 뒤에 무슨 이유에선가 명령이 집행되지 않았던 것이다. 덕분에, 정상대로라면 체포됐어야 할 박정희는 아주 손쉽게 쿠데타를 성사시키고 권력을 손아귀에 넣을 수 있었다.

쿠데타 직후만 해도 장면 총리가 이끄는 현 정권을 지지하는 듯했던 미국은 5월 17일 0시를 기해 중립 모드로 돌아섰다. 박정희의 쿠데타를 사실상 지지한 것이다. 2001년 5월 10일 한국정치외교사학회가 주관한 '5·16의 정치외교사적 평가' 학술 대회에서 김일영 성균관대 교수는 이런 요지의 발표를 했다.

박정희의 쿠데타 음모는 다수가 알고 있었지만, 아무도 저지하지 않은 기묘한 것이었다. 미국이 거사를 방임했기 때문에 성공했는지 아니면 미국이 방심한 결과로 쿠데타가 성공했는지는 정확히

5·16 쿠데타가 시작된 육군 6관구 사령부 터에서 찍은 박정희 흉상. 지금은 이곳에 문래 근린 공원이 조성되어 있다.

판단할 수 없다. 하지만 쿠데타가 혁명으로 둔갑하는 데는 미국의 묵인이 결정적이었다. 미국은 한국에서 어떤 인물이 반공을 만족스럽게 수행할 수만 있다면 그가 비민주적 지도자라 할지라도 그를 유지시켜 왔다.

5·16 쿠데타의 성공으로 정변 주역들이 여당의 자리를 차지하고 민주당은 도로 야당으로 물러났다. 과거의 여당인 자유당은 이 시기에는 극히 미미한 존재였다. 1270년 무신 정권 붕괴 이후 691년 만에 박정희 무신 정권이 출현한 데는 국제 정세도 큰 몫을 했다.

1950년대 후반부터 미국은 유럽의 경제 성장과 아시아·아프리카 제3세계의 비중립 노선으로 인해 영향력 약화를 체감하고 있었다. 이런 상황에서 미국은 동아시아에 대한 영향력을 굳건히 해둠으로써 세계적 차원의 패권 약화를 방지하고자 했다. 그렇게 하자면 미국 주도의 한·미·일 삼각 동맹을 공고화시킬 필요가 있었다. 그런데 이승만이 제대로 협조하지 않았다. 그는 자신의 독립운동 경력과 반일 국민 정서 등을 고려해 삼각 동맹 결성에 적극 협조하지 않았다. 한미 동맹 강화에는 찬동했지만, 한일 동맹 결성에는 소극적이었다. 그래서 이승만을 앞세워 한일 동맹과 한·미·일 동맹을 성사시키는 일이 여의치 않았다. 게다가 이승만 정권에 대한 국민 감정마저 좋지 않았기 때문에, 미국으로서는 이승만을 앞세워 무리하게 한일 동맹을 추진할 수 없었다. 이 때문에 삼각 동맹 결성에 차질이 생기게 되었다.

미국 입장에서는 일본에 대해 유화적 입장을 갖고 있으며 국내 상황을 통제할 수 있는 강력한 한국 정권이 절실히 필요했다. 이런 정권이 출현해야 한일 동맹을 체결하고 한·미·일 삼각 동맹을 완성할 수 있었다. 이런 필요에 부응하는 인물이 바로 박정희였다. 미국은 남로당 경력 때문에 박정희에게 의구심을 품기는 했지만, 박정희만큼 자국의 이익에 부합하는 인물을 찾을 수 없었다. 미국 입장에서는 박정희의 쿠데타가 실패하지 않도록 놔두는 게 유리했다. 이처럼 한·미·일 삼각 동맹의 필요성이 한국 군부가 정치 파벌로 전환되는 데 기여했다.

그런데 5·16 주체 세력은 경제적 관점에서 보면 한민당 계열과 달랐다. 과거 여당인 자유당과도 달랐고 당시 여당인 민주당과도 달랐다. 박정희의 성장 배경에서도 드러나듯이, 5·16 쿠데타 주역들은 경제적으로는 서민층에 가까웠다. 이들이 특권층이 아니었다는 점은, 세계 질서가 격동에 빠진 시기에 이들이 모험적인 군인의 길을 선택한 동기 가운데 하나를 설명해 준다. 쿠데타 이전의 박정희가 자유당 정권의 부정 선거를 비판한 것처럼, 이들이 이승만 정권을 비판할 수 있었던 것은 물론 권력에 대한 욕구 때문이기도 하겠지만 자신들이 이승만 정권과 달리 청렴하고 소박하다는 점에 대한 자부심도 적지 않게 작용했기 때문이다. 물론 이들도 정권을 잡은 뒤에는 자유당 정권 못지않게 부패에 빠지고 서민 대중의 삶을 외면했다. 하지만 적어도 1961년 당시에는 도덕적으로 문제없는 세력이었다.

집권에 성공한 5·16 주역들은 691년 전의 선배들보다 나은 면이 있었다. 5·16 주역들은 고려 무신 정권이 해내지 못한 일을 성취했다. 고려 무신 정권은 권력은 잡았지만 권위는 잡지 못했다. 그래서 100년간이나 정권을 잡았으면서도 왕실을 대체하지 못했다. 그렇게 권력은 잃었어도 권위는 잃지 않은 고려 왕실과 100년간 동거하다가, 몽골과 고려 왕실의 연합군에 의해 역사 속으로 사라지고 말았다. 이에 비해 5·16 주역들은 처음에는 무신 정권과 비슷한 국가 재건 최고 회의를 운영하다가, 2년 뒤인 1963년에는 민정 이양이란 형식으로 정권을 잡았다. 군사 정부에서 민간 정부로 말을 바꿔 탄 것이다. 이로써 권력과 권위도 일치시켰다. 미국의 지원이 있었기에 가능한 일이었다. 그럼에도 5·16 집단은 고려 무신 정권보다 단명했다. 100년을 버틴 고려 무신들에 비해 5·16 주역들은 18년밖에 버티지 못했다.

4·19 혁명 이후의 국내 질서 혼란과 미국의 동아시아 정책에 힘입어 정권을 잡은 군부 세력은 1979년 10·26 사건으로 파국에 직

면했다. 박정희가 암살을 당한 이후 군부는 소장파 전두환에 의해 새롭게 편성되었다. 육군사관학교가 4년제 대학 형식을 띤 1951년 이후로 육사에 입학한 이들은 정규 육사 세대라는 정체성으로 뭉쳤다. 이들 육사 11기 이후 세대 중 일부를 박정희가 하나회라는 사조직으로 결집했다. 군에 대한 영향력을 유지할 목적으로 하나회를 육성했던 것이다. 그 하나회의 관리자가 전두환이었다. 이렇게 박정희의 후원을 받은 하나회는 10·26 뒤에 신군부라는 정치 파벌로 탈바꿈했다. 이에 따라 육사 10기까지의 장교들은 구군부로 분류됐다.

신군부는 10·26 직후에 12·12 쿠데타를 성사시켰다. 이를 통해 선배 세대를 밀어내고 주도권을 차지했다. 12·12 쿠데타에 이어 1980년 5·17 쿠데타(계엄령 전국 확대 조치)로 정권을 굳힌 신군부는 1987년까지는 정권을 그럭저럭 지켰다. 하지만 6월 항쟁으로 직격탄을 맞고 흔들리다가 이듬해 제13대 총선에서 치명타를 맞고 말았다. 신군부가 조직한 민정당은 이 선거에서 총 299석 가운데 125석만을 차지해 과반수 의석 확보에 실패함으로써 집권당의 기능을 사실상 상실하고 말았다. 이로 인한 난국을 타개할 목적으로 1990년에 두 야당을 끌어들여 3당 합당을 성사시켰지만, 3당 합당으로 여당에 편입된 김영삼은 대통령이 된 뒤 하나회 세력을 군부에서 축출했다. 691년 만에 부활한 무신 정권의 뿌리는 그렇게 해서 뽑히게 된다.

10 군의 사조직 하나회와 알자회의
시작과 변천

1993년에 출범한 김영삼 정권은 스스로를 '문민정부'라고 불렀다. 박정희·전두환·노태우로 이어진 현대판 무신 정권의 시대를 청산했다는 의미에서 그런 타이틀을 사용했다. 그전까지의 역대 정부는 제1공화국부터 제6공화국까지 제 몇 공화국 하는 식으로 불렸다. 제6공화국인 노태우 정부가 출범한 1988년 2월 25일 이전까지 헌법은 총 아홉 차례 개정됐다. 그 아홉 번 중에서 정치 시스템을 바꾼 것은 다섯 번이었다. 그렇게 바뀔 때마다 제2공화국이니 제3공화국이니 하는 표현을 사용한 것이다.

노태우 정부 출범 이후로는 헌법이 한 번도 바뀌지 않았다. 개념적으로 볼 때, 노태우 정부 이후의 모든 정부는 제6공화국에 포함된다. 따라서 김영삼 정권은 제6공화국 제2기 정권이 되지만 자신들을 노태우 정권과 차별화할 목적으로 문민정부로 자처했다. 이것

제3장 투표의 시대

이 선례가 되어 이후의 정권들도 '국민의 정부', '참여정부', '이명박 정부', '박근혜 정부'라는 표현으로 스스로를 차별화했다.

스스로를 문민정부로 부른 김영삼 정권의 마인드는 문인 대 무인의 대립 구조에 입각한 고려 광종 이후의 정치 구조에서 벗어나지 않는다. 광종 때의 과거 시험 실시에 힘입어 문민 정권을 구성한 선비들은 무인의 사회적 지위를 낮추고 이들을 차별하는 한편, 부대 지휘부에 선비 출신을 배치함으로써 무인 정권의 출현을 억제했다. 이렇게 문인이 왕명을 빌려 무인을 억압하는 것이 문민 정권의 본질이다.

그런데 제6공화국 출범 이후의 한국 군대는 엄밀히 말해서 문인 관료에 눌려 있지 않다. 최고 통치자가 문민 관료를 편들기 때문에 할 수 없이 고분고분하게 있는 것도 아니다. 제6공화국을 잉태한 6월 항쟁 때 군부는 국민의 힘에 눌려 새로운 길을 선택했다. 이때 군은 전국의 국민들이 교통과 통신을 매개로 단합된 힘을 보여 주는 것에 놀랐다. 그로 인해 군은 국민에게 압도됐다. 6월 항쟁 이후로 한국 군대는 국민의 공복이라는 본연의 위치를 고수하고 있다. 광종 이후의 무사들은 백성의 힘에 눌린 적이 없었다. 이에 비해 한국 군대는 국민의 힘에 눌려 있다. 그러므로 6월 항쟁 이후의 군대는 문민한테 억눌린 게 아니라 국민한테 억눌려 있는 것이다. 문민정부란 표현은 이런 본질을 외면한 표현이다. 군대를 너무 과소평가한 것이다.

그런 점에서 보면, 6월 항쟁은 한국 국민과 무인의 관계를 재정립한 사건이라고 볼 수 있다. 물론 그 이전에도 한국군은 국민의 공복이었다. 하지만 그것이 실제로는 잘 지켜지지 않았다. 그러다가 6월 항쟁을 계기로 한국 군대가 역사상 최초로 실질적인 국민의 군대가 된 것이다.

그런데 이런 변화를 파악하지 못하고 아직도 구습에 젖어 군대를 바라보는 이들이 적지 않다. 군대 안에 파벌을 만들고 군을 특정 당파의 도구로 전락시키려 하는 집단이 여전히 군에 남아 있다.

5·16 쿠데타 2년 뒤인 1963년, 박정희는 하나회라는 군부 내 사조직을 창설했다. 그에게는 뚜렷한 동기가 있었다. 박정희는 육사 2기 출신이었다. 그는 김종필·김형욱·강창성·윤필용 등으로 대표되는 육사 8기를 견제할 목적으로, 4년제 육사인 육사 11기 이하를 하나회라는 육군 사조직으로 묶고 이들을 전략적으로 지원했다.

박정희가 하나회를 얼마나 노골적으로 지원했는지는 1973년 이들에게 하사한 선물에서도 드러난다. 이해에 육사 11기이자 하나회 멤버인 전두환·노태우·정호용 등을 준장으로 진급시키면서, 박정희는 그들의 가슴에 별을 달아 줬을 뿐만 아니라 손에 지휘봉도 쥐어 줬다. 지휘봉에 새겨진 글자는 하나회를 뜻하는 一心(일심)이었다. 비밀이어야 할 사조직 이름을 지휘봉에까지 새겨 준 것이다.

박정희는 하나회를 노골적으로 돕는 대신, 대가도 톡톡히 받아 냈다. 군부가 육사 8기에 의해 독점되지 않도록 하는 한편, 육사 8기와 11기 이하가 상호 견제하도록 함으로써 군부에 대한 자신의 영향력을 유지할 수 있었다. 그리고 그것을 기반으로 국민을 폭압적으로 통치했다.

이 하나회가 직격탄을 맞은 사건이 바로 6월 항쟁이다. 하나회가 중심이 된 군부 정권은 6월 항쟁을 계기로 정당성을 상실했다. 그 후로는 군부가 직접 정치에 나설 수 없었다. 문제는 이런 역사적 변화를 무시하거나 혹은 이해하지 못하고 군부 사조직을 이용하려는 움직임이 6월 항쟁 이후에도 여전히 존재했다는 점이다.

전두환이 이끄는 하나회가 한창 영향력을 행사하던 1976년 말이었다. 알자회라는 작은 모임이 육군사관학교 내에서 잉태됐다. 1974년에 입학한 육사 34기 12명이 모임의 주역이었다. 1992년 11월 14일 자 「동아일보」에 따르면, 당시 육사 3학년인 이들은 "속마음을 터놓고 얘기할 수 있는 친구가 없다"면서 "어려운 일이 있을 때 서로 도우며 살자"라고 서약했다. 이것이 알자회의 시작이다. '서로 알고 지내자'는 의미에서 이 명칭이 나왔다고 한다.

2005년 2월호 「신동아」가 육군 본부 인사참모부 문서를 근거로 보도한 바에 따르면, 알자회는 1978년부터 본격적인 회원 모집에 들어갔다. 최초 멤버들이 임관을 앞둔 상태였다. 이들은 바로 아래 기수인 35기 후배들에게 가입을 권유했다. 바로 위의 기수가 바로 아래 후배에게 가입을 권유하는 방식은 이후 계속 답습됐다. 이런 식으로, 육사 34기에서 43기까지(1983년 입학)의 일부가 알자회 회원이 됐다. 1992년 11월 17일 자 「한겨레신문」에 따르면 1992년 당시의 회원은 150명 이상이었고, 「신동아」에 따르면 2005년 당시에는 120명 정도였다.

알자회 회원들은 휴가 때 회원들의 집을 방문하거나 경조사 때 회합하는 등의 방법으로 결속력을 다졌다. 그리고 하나회처럼 선배가 후배의 진급이나 승진을 도왔다. 이런 노력의 결과였는지, 1992년 하반기에는 그중 일부가 육군 본부 인사운영감실과 수도방위사령부, 청와대 경호실에 포진하게 됐다. "알자회가 아니라 알짜회다"라는 말이 이때 나왔다.

이 조직이 세상에 알려진 것은 결성된 지 12년 지난 1986년 최초 멤버들이 서른 초반의 청년 장교가 됐을 때다. 육사 4학년인 알자회 회원이 3학년 생도를 가입시키려다 실패하면서 세상에 알려졌다. 이로 인해 회원들이 보안사령부에 불려가 조사를 받고 각서까지 썼다. 이때만 해도 육군 본부나 보안사에서는 이 모임을 친목회 정도로 파악했다. 규모가 좀 크긴 하지만, 서로 알고 지내는 모임 정도로 이해한 것이다. 전두환이 육사 재학 시절 결성한 오성회(전두환·노태우·김복동·최성택·백운택)나 임관 이후에 결성한 칠성회 같은 친목 모임으로 하나회와는 질적으로 다르다고 판단한 것이다. 그 결과 육군 본부와 보안사에서는 알자회를 별로 문제 삼지 않았다. 보안사에서 요구한 각서도 '조사 받은 사실을 외부에 발설하지 않겠다'는 정도였다. 별것도 아닌 일을 부각시킬 필요가 없다고 판단한 것이다.

그러나 불과 6년 뒤인 1992년, 알자회는 다시 모습을 드러냈다. 최초 멤버들이 서른 후반이 됐을 때다. 1992년 10월 11일, 육사 38기 임관 10주년 행사장이었다. 청와대를 경호하는 수도방위사령부 30대대 작전과장 후보로 거론되는 38기 장교에게 또 다른 38기 장교가 "알자회 회원이 그 자리에 가야 하니, 너는 포기하라"고 압력을 넣었다. 이를 계기로 알자회가 군 수뇌부에 다시 포착됐다. 이번에도 모임 간부들이 보안사에 불려가 '모임을 갖지 않겠으며 명칭도 사용하지 않겠다'는 각서를 쓰고 나갔다. 불이익이 전혀 없었던 것은 아니다. 군 수뇌부는 멤버들의 진급이나 승진에 제동을 거는 방법으로 이들을 견제했다. 그래서 알자회 회원이라는 사실만으로 불이익을 받은 장교들도 있었다.

알자회는 은근히 생명력이 길었다. 2005년 2월호 「신동아」에서 거론된 데서도 알 수 있듯이, 이 조직은 2005년까지도 사람들의 입에 오르내렸다. 그러다가 2016년 연말의 국회 최순실 청문회에서도 또다시 거론됐다. 박근혜 대통령의 비서관인 우병우·안봉근이 육군참모총장에게 압력을 넣어 알자회 멤버들을 장군으로 진급시켰다는 의혹이 청문회에서 다루어졌다. 이를 통해 박근혜가 알자회라는 사조직을 육성했다는 의혹이 국민들의 관심을 끌게 되었다. 아버지 박정희는 하나회를 통해 큰 성과를 거뒀지만, 딸인 박근혜는 알자회를 통해 별다른 성과도 거두지 못한 채 들키고 만 것이다. 1987년 6월 항쟁을 계기로 군부가 한국 역사상 최초로 국민의 실질적 공복으로 바뀌었다는 역사적 변화를 이해하지 못한 소치라고 볼 수 있다.

11 파벌 투쟁의 역사적 전환점이 된 1987년

    박정희 중심의 구군부와 공화당은 1979년 12·12와 함께 역사 무대에서 퇴장하고, 1980년부터는 전두환 중심의 신군부와 민정당이 무대 위로 올라섰다. 한민당 계열의 야당은 이 시기에도 저항을 멈추지 않았다. 야당은 직선제 개헌 문제를 고리로 재야·학생 세력과의 연대를 이루고, 이를 통해 1987년 6월 신군부 정권에 결정적 타격을 주는 데 성공했다. 넥타이 부대로 상징되는 금융권 샐러리맨들이 중심이 된 시민 세력의 광범위한 참여 속에 신군부는 직선제를 허용하고 민주화를 약속했다.

    신군부는 1979년 12월 12일과 1980년 5월 18일에 그랬던 것처럼, 1987년 6월에도 군대를 앞세워 문제를 해결하려 했다. 하지만 미국 정부의 제지로 뜻을 이루지 못했다. 1980년 5월의 광주 항쟁을 외면했다가 광주·부산·서울의 미국 문화원이 공격을 받음과 동시에 광범위한 반미 감정의 확산을 경험한 미국은 힘으로는 한국 대중을 굴복시킬 수 없다고 판단했다. 또 1987년 6월에 들어서는 신군부가 한국 대중을 통제할 수 없겠다는 결론에도 도달했다. 그래서 제임스 릴리 주한 미국 대사를 통해 전두환 정권의 군대 동원을 사전에 저지했다.

전두환이 활약한 시기는 전두환뿐 아니라 우리 모두가 함께 살고 있는 제3기 투표의 시대로 국민 대중으로부터 표를 받아야만 정권의 정통성을 유지할 수 있는 때였다. 전두환 정권보다는 한국 문제를 좀 더 객관적으로 볼 수 있었던 레이건 정권은, 대중의 지지를 받지 못하는 한국 정권이 오래갈 수 없다고 판단했다. 그래서 전두환의 군대 동원을 사전에 좌절시켰던 것이다.

전두환은 군대 동원을 무기로 권력을 잡았다. 그런 그에게 군대 동원을 자제하라고 권고하는 것은 아무것도 하지 말고 대세를 따르라고 말하는 것과 같았다. 결국 그는 노태우 민정당 대표위원 겸 대통령 후보를 내세워 직선제 및 민주화를 약속했다. 6·29 선언을 발표한 것이다. 이로써 6월 항쟁은 신군부의 패배와 국민의 승리로, 적어도 형식적으로는 그렇게 끝났다.

대중의 공격을 누그러뜨린 신군부는 그해 12월 16일 제13대 대선에서 야당 지도자 김대중·김영삼의 분열을 이용해 노태우를 대통령으로 당선시켰다. 하지만 이듬해인 1988년 4월 26일 제13대 총선에서 대참패를 당했다. 창검의 시대 같으면 이런 경우에 군사력을 동원해 정치 지형을 바꾸어 놓을 수도 있었다. 하지만 이 시기는

대한민국 역사 박물관에 전시된 1987년 6월 26일 국민 평화 대행진 전단물

투표의 시대인 데다가 6월 항쟁으로 국민의 힘을 경험한 직후였다. 그래서 신군부의 민정당은 다른 방법을 강구할 수밖에 없었다. 그 방법이란 야당의 의석을 끌어모아 덩치를 불리는 것이었다. 그 결과 1990년 1월 22일의 3당 합당 선언이 나왔다. 민정당은 한민당 계열의 통일민주당과 구군부 계열의 신민주공화당의 의석을 끌어모아 민자당(민주자유당)으로 탈바꿈했다. 그렇게 해서 거대 정당으로 변모했다. 6월 항쟁으로 만들어진 정치 지형이 이렇게 인위적으로 뒤바뀐 것이다.

1960년 4월 항쟁도 국민적 차원에서 광범위하게 전개됐다. 그 결과로, 이승만 정권이 퇴진했다. 1987년 6월 항쟁도 외형상 비슷한 성과를 거두었다. 전두환 정권이 직선제를 수용한 것이다. 하지만 4월 항쟁과 6월 항쟁 사이에는 중요한 차이가 있다. 4월 항쟁은 이듬해 발생한 5·16 쿠데타로 인해 실패한 혁명으로 귀결되었다. 이승만의 자유당 정권을 붕괴시키고 민주화를 진전시키는 데는 성공했지만, 항쟁의 결과물을 실질적 정치 발전으로 승화시키는 데는 실패했다. 5·16 쿠데타로 한국 정치는 18년간의 암흑시대로 빠져들었다. 4·19 혁명은 5·16 쿠데타까지는 막지 못했다. 이에 비해 6월 항쟁은 보수적 정치 구조를 끊임없이 위협하면서 한국의 정치 발전을 추동했다. 3당 합당으로 민자당이 출현하면서 6월 항쟁의 결과가 왜곡되는가 싶었지만, 1990년대의 세계적 탈냉전과 1997년의 IMF 금융 위기로 인해 민자당의 후신인 신한국당이 1997년 제15대 대선에서 패배하면서 기존 지배 체제가 한층 더 약화되었다. 신한국당의 후신인 한나라당이 10년 뒤인 2007년 대선을 통해 정권을 탈환했지만, 한나라당의 후신인 새누리당은 다시 10년 뒤인 2017년에 정권을 빼앗기고 말았다. 6월 항쟁을 계기로 한국 지배층의 권력 기반이 끊임없이 취약해짐에 따라 나타난 결과였다.

6월 항쟁은 지배적인 정치 파벌의 기반을 끊임없이 흔드는 계기가 됐다. 그런 면에서 4월 항쟁과 달랐다. 6월 항쟁은 또 다른 면에서도 4월 항쟁과 달랐다. 6월 항쟁 이후에는 한국 국민들이 5년마다 열리는 대선에서 매번 새로운 스타일의 대통령을 선출했다. 1987년에는 군부 출신이지만 보통 민간인 냄새를 풍기는 사람을 선출하고, 1992년에는 오랜 야당 생활을 하다가 보수 정당에 흡수된 사람을 선출하고, 1997년에는 평생을 오로지 민주화 투사로만 살아온 사람을 선출하고, 2002년에는 학력이나 집안 배경이 완전히 서민 출신인 사람을 선출하고, 2007년에는 샐러리맨으로 출발해 기업인으로 기반을 잡고 지방 자치 단체장으로 성공한 사람을 선출하고, 2012년에는 전직 대통령의 딸이자 여성 정치인인 사람을 선출했다.

대중이 매번 색다른 사람을 지도자로 내세우는 것은 정치 시스템이 위기를 맞았다는 징후다. 기존 시스템과 기존 지도자로는 불안할 때 대중은 이런 패턴을 보인다. 최근 미국에서 흑인 출신 대통령과 사업가 출신 대통령이 연이어 등장한 것도 비슷한 맥락에서 해석할 수 있다. 한국 대중이 1987년 이후의 역대 대선에서 집권 파벌을 교체하는 것에 그치지 않고 매번 새로운 스타일의 지도자를 찾아내는 것은, 6월 항쟁이 한국 정치 체제에 가한 심원한 충격을 반영하는 일이다.

이결명이란 한자명을 가진
제임스 릴리

"도성에 외국군을 두고도 자주국인가?"

1894년 청일전쟁을 계기로 조선은 청나라의 수중에서 일본의 수중으로 떨어졌다. 이와 함께 조선과 청나라의 불평등한 외교 관계가 단절됐다. 이때부터 일본의 간섭이 너무 심해지자, 1896년 2월 11일 고종은 경복궁을 탈출해 덕수궁 쪽의 러시아 공사관으로 피신했다. 거기서 러시아 병사들의 보호를 받으며 친러시아 정책을 펼쳤다.

이런 상황에서 조선은 청나라와 대등한 국교를 체결하기 위한 작업에 착수했다. 과거의 수직적이고 불평등한 양국 관계를 이참에 수평적이고 평등한 관계로 바꾸고자 했던 것이다. 이때 통역관 박태영이 정부의 명령을 받고 청나라 상인 대표 당소의 (탕사오이)를 찾아가 수교 문제를 논의했다. 당소의는 외교관이었지만, 조선과의 국교가 단절된 탓에 상인 대표 신분으로 조선에 주재하고 있었다. 1912년에 중화민국 초대 총리가 되는 인물이다.

바로 그 당소의가 박태영에게 한 말이 바로 "도성에 외국군을 두고도 자주국인가?"라는 말이다. 청나라 말기의 조선·청나라·일본의 외교 관계 문헌을 수록한 『청계 중·일·한 관계사료』 제8권에 나오는 말이다. 청계清季는 청나라 말기라는 의미다. 그는 도성에 외국군을 두고 그런 외국군의 보호를 받는 나라가 무슨 자주국이며, 그런 나라가 어떻게 중국과 평등한 외교 관계를 체결할 수 있느냐며 박태영에게 핀잔을 주었다.

우리 역사에서 민족 자주권이 가장 심하게 훼손된 시기는 1945년 이후다. 도성 안에 외국군이 주둔하고 내정 간섭을 한 사례는 1945년 이후가 처음이다. 그렇기 때문에 1945년 이후의 정치를 이해하려면, 한국인뿐 아니라 미국인들도 함께 고려해야 한다. 미국인들이 한국 정치에 결정적 영향을 미쳤기 때문이다. 그런데 미국인들은 공식 직책을 갖지 않고 배후에서 영향력을 행사했다. 미국 쪽에서는 공식 직책을 갖고 있었지만, 한국 정치에 영향력을 행사할 만한 공식 직책은 없었다. 그래서 그들은 한국 정치와 관련하여 비선 실세가 될 수밖에 없었다. 그런 인물 중 하나가 1987년 6월 항쟁에 개입한 제임스 릴리 미국 대사다.

제임스 릴리는 한자 이름도 갖고 있었다. 깨끗할 결潔에 밝을

명明을 써서 이결명이라고 했다. 중국어 발음은 리졔밍이다. 중국어 이름을 갖게 된 것은 1928년에 중국 산둥 성 청도(칭다오)에서 출생했기 때문이다. 아버지가 미국 석유 회사의 중국 지사 간부였다. 중국에서 성장한 경험 때문에 그는 훗날 미국의 동아시아 정책에 개입하게 됐다. 한국에 온 것도 그 때문이었다.

제임스 릴리는 중국에서 12년간 살다가 제2차 세계대전 중인 1940년에 미국으로 건너갔다. 거기서 학교에 다니다가 예일 대학에 진학했다. 대학에서는 러시아 문학을 전공했다가 다시 중국 문학을 전공했다. 러시아 문학에다가 중국 문학까지 전공한 것을 보면 문학 쪽으로 인생 방향을 잡은 것으로 보이지만, 이러한 그의 계획을 트는 작은 일이 벌어졌다. 중문학을 전공할 당시 '중국과 세계 열강'이란 강의를 들었는데 이를 계기로 동아시아 정치에 대한 관심을 갖게 된 것이다.

그러던 차에 1950년 한국전쟁이 발발했다. 이것이 그의 인생을 완전히 바꾸어 놓았다. 제임스 릴리는 CIA 비밀요원이 되어 이 기관의 동아시아팀에 들어갔다. 이때가 1951년, 24세 때였다. 1년 뒤에 그는 한국을 처음 방문했다. 그때가 1952년 12월이다. 하지만 한국 땅에 발을 딛지는 않았다. 미군 폭격기를 탄 상태에서 한국 땅을 내려다보았다. 회고록 『중국통』에 따르면, 그는 CIA 요원 두 명을 만주 땅에 침투시킨 뒤 일본으로 돌아가는 상공에서 한국을 처음 봤다.

그의 CIA 생활은 52세 때인 1979년 청산됐다. 28년간 CIA 생활을 했던 것이다. 그 기간의 마지막 3년간은 중국 지부장을 했다. CIA를 그만둔 뒤에 그는 레이건 정부의 안보보좌팀에 근무했다. 그 뒤 2년간 타이완 미국 연구소 소장을 역임했다. 미국은 1979년 타이완과 국교를 끊고 중국과 국교를 맺었다. 이 때문에 타이완 대사관을 없애고 준대사관 격의 기구를 설치했는데 타이완 미국 연구소가 바로 그것이다. 그곳은 실질적인 대사관이었다. 따라서 제임스 릴리는 타이완 대사를 역임한 셈이다. 그런 뒤에 1986년 주한 미국 대사로 부임했다. 이때가 59세였다.

1981년 출범한 전두환 정권은 정부의 조종에 따라 움직이는 관제 야당들을 만들었다. 민한당·국민당이 그것이다. 그런데 1985년 제12대 총선에서 김대중·김영삼이 이끄는 정통 야당 신민당이 돌풍을 일으키며 제2당이 되었다. 이때부터 직선제 개헌이 핵심 이슈로 떠올랐다. 이것이 재야로 번지면서 직선제 개헌 투쟁이 강렬해졌다. 이로 인해 직선제 구호가 국민적 공감대를 확보하면서 중산층의 마음이 전두환 정권을 떠나기 시작했다. 이런 상황에서 제임스 릴리가 한국에 부임한 것이다. 미국이 그를 보낸 목적은 한국에서 급격한 상황 변화가 생기지 않도록 하기 위해서였다. 한국의 상황 변화를 막자면 공작 정치가 필요했다. 그래서 CIA 출신을 파견한 것이다.

미국의 한국 정책은 한국을 미국의 통제 하에 두고 소련·중국·북한 견제에 활용하는 것이었다. 그런데 1980년대에 동아시아에서 민주화 운동이 활발했다. 1980년 광주에서 민주화 운동이 발생했고, 1986년 필리핀에서는 시민 혁명이 발생했다. 피플파워로 불리는 필리핀 시민 혁명은 친미 세력인 마르코스 정권의 붕괴로

고 박종철 열사와 더불어 6월 항쟁의 또 다른 도화선이 되었던 고 이한열 열사의 추모 행진. 제임스 릴리는 이러한 전 국민적 시위에 자신의 생각을 바꿔 전두환 전 대통령 측을 압박하게 된다.

이어졌다. 이로 인해 필리핀에서는 미국의 입지가 약해지고 미군 철수 운동이 활발해졌다. 이런 상황에서 광주 민주화 운동 이후로 한국에서도 반미 감정이 확산됐다. 미국이 전두환 정권의 광주 진압을 승인했기 때문이다. 이렇게 반미 감정이 확산되면, 동아시아에서 미국의 입지가 약해질 수밖에 없었다. 이러한 상황 변화를 막자면 야당과 재야를 상대로 공작 정치를

해야 했다.

제임스 릴리는 재야와 야당의 개헌 요구를 억제하고 한국을 현 상태로 묶어 두고자 했다. 하지만 뜻대로 되지 않았다. 직선제 투쟁은 더 거세졌다. 여기에 1987년 1월 박종철 고문 치사 사건까지 발생했다. 그 결과 전두환 정권에 대한 저항은 더 거세졌다. 이런 상황에서 강경파인 장세동 안기부장이 4·13 호헌 조치를 주도했다. 직선제 개헌 요구를 거절한 것이다. 이에 대한 저항이 6월 10일 항쟁으로 이어졌다. 제임스 릴리는 한국의 상황 변화를 막고자 했지만, 한국 상황은 이미 통제 불능이었다.

이런 상황 속에서 제임스 릴리의 생각이 바뀌고 미국의 한국 정책도 바뀌었다. '장세동을 그냥 뒀다가는 한국민의 분노가 더 폭발할 것이고 그렇게 되면 한국이 미국의 통제에서 완전히 벗어날 것'이라는 게 미국의 우려했다. 그래서 강경파를 견제하고 민주화 요구를 적당히 들어주는 쪽으로 미국의 정책은 급격히 선회했다.

제임스 릴리가 자신의 생각을 그런 방향으로 바꾼 데에는 세 가지 계기가 있다. 첫째는 6월 10일의 전국적 시위였다. 승용차 운전자들까지 항의의 표시로 경적을 울려 대는 것을 보고 제임스 릴리는 두려움을 느끼지 않을 수 없었다. 둘째는 6월 11일부터 넥타이를 맨 사무직 노동자들이 시위에 참가한 것이다. 넥타이 부대로 대표되는 중산층이 움직이기 시작한 것이다. 중산층이 움직이면 나라는 바뀔 수밖에 없다. 셋째는 경찰의 추격에 쫓긴 시위대가 명동성당 농성에 들어간 것이다. 제임스 릴리는 한국인들이 서양 종교인 천주교의 보호를 받으며 민주화 투쟁을 하는 것에 감동을 받았다. 그는 민주화 요구를 적당히 들어줘야겠다고 생각했다.

6월 10일 이후로 제임스 릴리는 국민과 재야 세력을 상대로 공작 정치를 펴기보다는 강경파를 상대로 공작 정치를 펴는 쪽으로 선회했다. 그는 장세동파의 군대 동원 시도까지 제지하게 된다. 장세동파가 군대 동원을 결정한 시점은 6월 19일이다. 직선제 개헌 요구가 거세지고 중산층까지 시위에 가담하자 그런 결정을 내린 것이다. 하지만 장세동파를 가로막는 두 가지 흐름이 있었다. 하나는 군부 내의 온건파이고 또 하나는 백악관과 제임스 릴리였다. 군부는 장세동파와 노태우파로 갈려 있었다. 노태우파를 관리한 사람이 김복동과 정호용이다. 온건파는 전두환에게 압력을 가했다. 군대 동원을 포기하도록 압력을 행사한 것이다. 이런 분위기를 타고 제임스 릴리도 전두환을 압박했다.

전두환은 처음에는 제임스 릴리와의 만남을 거부했다. 레이건 대통령의 친서를 갖고 간다는데도 거절했다. 무슨 말을 하려는지 짐작했기 때문이다. 역대 정권 중에서 미국에 대한 의존도가 가장 높은 정권이 전두환 정권이었다. 그런 전두환 정권이 레이건의 친서를 거절한 것이다. 레이건의 친서마저 귀찮을 정도로 1987년 6월은 전두환 정권에게 괴로운 달이었다. 하지만 미국 대사관 입장에서는 그런 상황을 방치할 수 없었다. 한국 정부가 레이건의 친서를 거절하면 미국의 체면이 땅에 떨어질 게 뻔했다. 그렇게 되면 주한 미국 대사관의 입장이 난처해질 게 분명했다. 이때 미국 대사관의 고민을 듣고 어느 한국 관료가 이런 조언을 했다. 『중국통』에 나오는 말이다. "친서를 청와대 우편함에 넣거나 대통령 집무실 문틈으로 밀어 넣으세요." 이런 조언을 들어야 할 정도로 미국 대사관도 고민이 많았다.

상황을 방치할 수 없었던 미국 대사관 참사관이 행동에 나섰다. 참사관 해리 던롭은 한국 외교부에 전화를 걸어 미국 대사의 방문을 훼방하는 자가 누구냐고 욕설을 퍼부었다. 해리 던롭의 욕설은 효과를 발휘했다. 실랑이 끝에 제임스 릴리의 청와대 방문이 이루어지게 된 것이다.

1987년 7월 5일 자 「워싱턴포스트」에 따르면, 친서의 핵심 내용은 '시위에 대처할 때 자제력을 발휘하시오, 정치범을 석방하시오, 야당 탄압을 중지하시오, 야당 및 재야와 대화를 하시오'였다. 제임스 릴리가 청와대를 방문한 때는 1987년 6월 19일 오후였다. 이 장면이 『중국통』에 묘사되어 있다.

전두환 대통령은 90분 내내 딱딱한 표정으로 앉아 있었다. (…) 예전 접견 때 그는 매우 활발하게 보였다. (…) 하지만 그

비선 실세 7

날 오후에는 깊은 고뇌에 빠진 사람처럼 보였다. 나는 레이건 대통령의 친서를 전달했다. 전두환 대통령은 친서를 읽어 보았다. (…) 나는 계엄령 선포에 관한 미국의 입장을 단호하고 명확하게 진술했다. (…) 사태의 심각성도 각인시켰다. 내가 주한 미군을 대표해서 발언하고 있다는 점도 강조했다. "주한 미군 사령관과 저는 무력을 사용하지 않아야 한다는 점을 권고하기로 합의했습니다"라고 나는 말했다. 나는 전두환 대통령에게 "만일 총리가 계엄령 선포가 임박했다고 발표한다면 한미 동맹을 그르칠 수 있습니다. 또 1980년 광주와 같은 참혹한 사태를 재연시킬 수도 있습니다"라고 말했다.

제임스 릴리가 광화문 광장 동편의 대사관으로 돌아가고 몇 시간 뒤였다. 전두환은 군대 동원을 포기했다. 한국 군부의 압력과 릴리의 압력이 함께 힘을 발휘한 결과였다.

릴리는 전두환과의 회담에서 '주한 미군 사령관도 군대 동원을 반대하며 자신이 미군 사령관을 대표해서 이 자리에 있다'는 점을 강조했다. 하지만 그것은 거짓말로 전두환을 겁주기 위한 속임수였다. CIA 지부장 출신이었기에 남의 나라 대통령 앞에서 거짓말도 할 수 있었던 것이다. 그러라고 미국이 그 시기에 CIA 지부장 출신을 대사로 파견했던 것이다.

제임스 릴리가 청와대에서 그런 말을 했다는 이야기는 월리

엄 리브시 주한 미군 사령관의 귀에 들어갔다. 다음 날 리브시는 릴리에게 항의를 하며 내가 언제 그런 말을 했느냐고 말했다. 하지만 문제는 그 이상으로 발전하지 않고 리브시가 살짝 항의하는 수준에서 끝났다. 전두환 정권이 군대 동원을 포기하고 사태가 호전되자 리브시 장군도 좋아했다. 결과적으로, 자기가 배후에 있다는 말을 듣고 전두환이 군대 동원을 포기했다는 말이 되니 리브시로서는 크게 화낼 일도 아니었을 것이다. 기분이 좋아진 리브시가 릴리에게 말했다. "서울은 우리 미군이 잡고 있습니다. 한국군이 서울에 못 들어오도록 막을 준비가 되어 있습니다."

그 직후부터 큰 변화가 연달아 터져 나왔다. 군부에서부터 변화가 감지됐다. 6월 21일, 육군 인사 개편이 있었다. 이때 육군 장군의 3분 1 정도가 바뀌었다. 군복을 벗은 장군들은 주로 장세동파였다. 이렇게 강경파가 제거되자 노태우파의 입지가 더 강해졌다. 이런 상황 속에서 직선제를 수용하는 6·29 선언이 나왔다. 어떤 동기였든 간에 제임스 릴리가 한국 민주화에 기여한 셈이 된 것이다.

제임스 릴리는 1989년까지 한국에 있었다. 그러다가 1989년에 중국 대사가 되어 출생지 중국으로 돌아갔다. 그런데 그가 간 뒤에 중국에서도 민주화 투쟁이 벌어졌다. 그해에 천안문 사태가 발생했다. 그때 릴리는 중국 정부의 시위 진압을 비판하고

비선 실세 7

반체제 인사 팡리지를 숨겨 주었다. 1991년 미국에 가서 국무부 차관보가 되었다. 그 뒤 2009년 전립선암으로 세상을 떠났다. 향년 82세였다.

12 인터넷의 등장으로 인한 제3세력의 출현

    정치인은 대중에 영향을 미치고 그들을 지지자로 만든다. 그런데 모든 대중을 일일이 접촉하면서 영향력을 행사할 수는 없다. 그것은 평생을 살아도 불가능하다. 그래서 과거에는 최고위층 지도자들이 중간 지도층이나 매스 미디어를 통해 일반 대중에게 영향을 미쳤다. 정치 엘리트들은 교수·교사·사장·지역 유지·목사·승려 같은 중간 지도층에게 영향을 미치고, 이들이 이를 자신들의 말로 정리하여 일반 대중에게 다시 영향을 미쳤다. 정치적 영향의 파급이 2단계로 이루어진 것이다. 그래서 일반 국민들 중에는 회사 사장이나 교회 목사가 하는 이야기의 영향을 받고 총선이나 대선에서 표를 찍는 일이 많았다. 그렇지 않으면 신문 사설이나 정치 기사의 영향을 받고 그렇게 했다.

    이런 시스템 하에서는 중간 지도층이나 매스 미디어를 자기편으로 만드는 정치인이나 정치 파벌이 유리했다. 그러다 보니 광범위한 인맥을 갖고 있거나 자금력을 가진 쪽이 정권을 잡기 쉬웠다. 이런 구조에서는 중간 지도층과 유대를 갖고 있거나 매스 미디어에 의견을 낼 수 있는 상류층 사람들의 의견이 정치에 보다 더 많이 반영될 수밖에 없었다.

그런데 1990년대 중반부터 인터넷이 일반화되면서 변화가 찾아왔다. 정치 지도자가 인터넷을 통해 일반 대중에게 직접적으로 영향을 미치고, 가난한 서민들이 인터넷을 통해 정치적 의사를 표시할 수 있게 된 것이다. 포털 사이트 다음이나 일베 등의 토론이 언론 기사에 보도되는 것도 이런 분위기를 반영한다.

이에 따라 전통적 인맥이나 자금력의 중요성은 자연히 저하될 수밖에 없게 됐다. 인터넷이나 SNS를 잘 활용하면 인맥이나 자금력의 약점을 메울 수 있게 된 것이다. 인맥과 자금을 들여 구축하던 인적 네트워크를 지금은 인터넷이나 SNS로 구축할 수 있으니, 인맥과 자금의 중요성이 달라질 수밖에 없는 것이다.

이런 변화를 이용해 집권에 성공한 그룹들이 있다. 미국

충북 청주시 문의면의 청남대(대통령 별장)에서 찍은 노무현 및 이명박 전 대통령의 서명

에서는 버락 오바마가 인터넷을 활용한 덕분에 흑인이란 한계를 딛고 대통령이 됐고, 도널드 트럼프도 SNS를 잘 활용한 덕에 기업가란 한계를 딛고 대통령이 됐다. 2002년의 노무현과 노사모도 그랬다. 노무현을 따르는 정치 그룹은 1980년대의 민주화 운동, 특히 1987년 6월 항쟁으로 정치적 영향력을 획득한 신진 세력이었다. 이들 중 많은 사람들이 민주당과 관련을 맺었지만, 민주당의 주류에 포함되는 이들은 아니었다. 이들이 민주당을 이용한 것은 제도권 정당 중에 그나마 가장 개혁적이었기 때문이다. 그렇지만 민주당과 정치적 성격을 달리했기에 제3의 세력이라 불릴 만했다.

이들 제3의 세력은 전통적인 대중 동원 방식에서 벗어나 인터넷을 통해 대중의 지지를 구했다. 이것은 인맥과 금전에 과도하게 의존하는 기존의 정치 파벌과 색다른 면이었다. 옛날에는 노비와 토지를 많이 보유한 계층이 네트워크를 만드는 데도 유리했다. 네트워크를 만들려면 통신과 교통 면에서 남들보다 나아야 했다. 옛날 지배층은 노비와 자금력을 바탕으로 먼 지방의 사람들과 네트워크를 형성했다. 그런데 지금은 부하 직원과 자금력이 별로 없어도 세계 곳곳의 사람들과 네트워크를 구축할 수 있다. 1987년 이후에 등장한 제3의 세력은 이런 변화를 잘 활용했다. 그래서 2002년 제16대 대선에서 승리의 기쁨을 만끽했다.

물론 노무현 정권도 기존 대한민국 체제의 틀에서 권력을 잡았기 때문에 한미 관계나 노동 문제 등에서 이전 정권과의 차별성을 뚜렷이 보여 주지는 못했다. 하지만 정치 자금이나 정치 과정의 투명성을 통한 정치 개혁을 달성하는 데는 상당한 성과를 거두었다. 인터넷을 통해 형성된 네티즌을 주요 기반으로 했기 때문에, 전통적 정치 파벌과 달리 재벌에 대한 의존도가 상대적으로 낮았다. 그래서 정치 개혁을 좀 더 강력하게 밀어붙일 수 있었다.

2007년 대선 패배와 2009년 노무현 서거로 이들의 정치 실험은 실패로 끝나는 듯했다. 하지만 2017년에 박근혜 정권이 국민적 지탄 속에 붕괴하는 틈을 활용해 노무현의 정치적 계승자인 문재인이 정권을 잡으면서 이들의 정치 실험은 다시 탄력을 받고 있다. 한국 파벌의 역사에서 전혀 새로운 성격의 집단이 2002년에 이어 2017년에 다시 정권을 잡게 된 것이다.

왕세자 더하기 도승지 더하기 영의정, 김현철

현대인의 느낌으로는 왕조 시대가 먼 옛날 같지만, 인간 역사의 긴 흐름으로 보면 지금 우리는 왕조 시대와 그리 멀지 않은 시대에 살고 있다. 전 세계적으로 왕조 국가들이 대거 몰락한 것은 불과 100년 전이다. 태국 같은 나라에서는 아직도 왕이 영향력을 발휘하고 있고, 일본 같은 데서는 군주가 국가 통합의 상징적 존재가 되어 있다. 우리 한국에서도 조선 왕조를 부활시키려는 사람들이 있다.

이렇게 왕조 시대와 그리 멀지 않은 시대이다 보니, 국민주권 시대인 현대에도 과거의 정치적 유풍이 여전히 남아 있다. 그중 하나는 국가 지도자 가족의 국정 개입이다. 왕조 시대에는 군주나 세자 이외의 왕족이 국정에 개입하는 것을 가급적 차단했다. 하지만 어차피 왕실에 주권이 있었기 때문에 왕족은 잠재적 정치 행위자였다. 쿠데타 같은 정변이 발생하면 이들의 몸값은 확

올라갔다. 이들 중 하나를 군주로 추대해야만 신정권이 정당성을 얻을 수 있었기 때문이다. 그래서 왕족들은 정치적으로 항상 중요한 사람들이었다.

현대에는 대통령이나 내각제 총리의 집안에 국가 주권이 맡겨져 있지 않다. 그렇기 때문에 그들의 가족은 임기 중은 물론이고 향후 잠재적으로도 국정에 개입할 권리가 없다. 그런데도 그들의 가족에 의한 국정 개입이나 농단이 여전히 끊이지 않고 있다. 대통령의 아들이나 형제가 인사권에 개입하고 금전을 수수할 뿐 아니라 국정 운영에까지 개입하는 일이 지금도 계속해서 발생하고 있다.

이런 부조리가 끊이지 않는 것은 지도자와의 친소 관계가 권력 서열에 영향을 주는 정치 세계의 생리 때문이기도 하지만, 상당 부분은 왕조 시대의 유풍이 완전히 가시지 않은 결과라고 할 수 있다. 왕의 가족이 왕과 일상적으로 접촉하면서 정치에 영향을 주고, 비상시에는 왕을 대신해 나라를 운영하던 이전의 유풍이 아직도 인류 세계를 지배하기 때문이다.

지도자의 가족은 공식적으로는 아무런 권한도 없다. 그들은 대통령의 가족으로 경호상의 특권은 누릴 수 있어도 공식적으로는 아무런 권력도 없다. 일반 국민과 조금도 다를 바 없는 것이다. 그래서 지도자의 가족이라는 이유로 권력을 가졌으되 공식 직함이 없다는 이유로 공개 정치에 나설 수 없는 사람들은 도림이나 미실, 진령군 같은 이들의 전철을 밟을 수밖에 없다. 대한민국 시대에 그런 전철을 밟은 비선 실세의 하나가 김영삼 전 대통령의 차남인 김현철 씨다.

김영삼은 김현철이 단지 자신의 아들이라는 이유만으로 국회의원에 출마하지 못하는 현실을 안타까워했다. 충분한 능력을 갖춘 자기 아들이 아버지 때문에 뜻을 펴지 못하는 것을 공개적으로 서글퍼하기도 했다. 김영삼이 김현철의 능력을 높이 평가한 것은 단지 자기 아들이기 때문만이 아니라 자기 주변의 측근들과 비교할 때도 김현철이 출중했기 때문이라고 볼 수 있다. 그 정도로 김현철은 정치적 능력을 갖춘 사람이었다. 그 결과 그는 비선 실세로서 능력을 발휘할 수밖에 없었다.

김영삼이 1992년 12월 18일 제14대 대선에서 승리한 뒤부터 김현철은 사실상 소통령이었다. 1987년 이후로 아들의 정치 활동과 선거 운동을 지켜본 김영삼은 아들에게 자기 권력의 상당 부분을 나눠 주었다. 이에 힘입어 김현철은 국회의원 후보자 공천에 개입했을 뿐 아니라 국정원(당시는 안기부) 및 국무총리 인사에까지 관여했다. 심지어는 제15대 대선 후보를 정하는 일에까지 입김을 불어넣었다. 그뿐 아니었다. 민영방송, 케이블TV, 한보 특혜, 도로공사 휴게소 운영권, 포스코 협력 업체 선정 등의 이권에도 개입했다. 이 정도가 되다 보니 대통령이 받아야 할 보고도 김현철에게 올라갔다. 청와대 비서진과 안기부의 정보 보고도 마찬가지로 그가 받았다.

김현철이 그 정도로 막강해지다 보니 어처구니없는 일도 생겼다. 그가 부활시킨 안기부 도청 팀인 미림 팀이 박관용 대통령 비서실장의 대화까지 도청해 김현철에게 보고한 것이다. 박관용은 문민정부라 불린 김영삼 정부의 초대 비서실장이었다. 안기부 직원이었던 김기삼의 폭로에 의하면, 박관용은 친구와 식사를 하는 도중에 김현철의 전횡을 비난했다. 안기부 요원들이 이 대화를 도청했다가 김현철에게 보고한 결과, 박관용은 비서실장에서 물러나고 말았다. 김영삼의 비서실장이 김현철에 의해 경질되었으니, 김현철이 어느 정도의 비선 실세였는지는 더 이상 증명하지 않아도 될 것이다. 김현철은 '왕세자 더하기 도승지 더하기 영의정'의 영향력을 발휘한 비선 실세였다.

사실, 대통령 주변에 김현철 같은 가족이 없어도 유사한 비선 실세는 얼마든지 생길 수 있다. 우리는 2016년의 경험을 통해 그 같은 사실을 잘 알고 있다. 참여 민주주의와 직접 민주주의가 가속화되면 국민들은 대통령 주변 사람들에 대한 견제를 한층 더 강화할 것이다. 그들로 인해 국민의 주권과 정치적 권리가 왜곡될 수 있기 때문이다. 앞으로는 대통령의 가족뿐 아니라 주변 지인들에 대한 통제 및 견제 장치가 사회적 의제가 될 가능성이 있다. SNS로 국민뿐 아니라 위정자의 사생활도 감시하는 게 쉬워졌기 때문에, 앞으로 위정자들은 사생활 측면에서 한

층 더 외로워질 수도 있다. 국민들이 비선 실세의 역기능을 차
단하기 위해 국가 지도자를 고독한 수행자로 만들려 할 것이기
때문이다.

에필로그

촛불 혁명과 파벌 투쟁의 미래 양상

박근혜 대통령의 탄핵을 주장하며 2016년 10월 29일에 시작된 촛불 집회는 대한민국을 들썩이게 했을 뿐 아니라 대의제 민주주의 체제까지 들썩이게 만들었다. 대의제 민주주의 시대는 다른 말로 하면 투표의 시대다. 주권자가 직접 나서지 않고 대표자들을 내세우다 보니, 투표 제도가 중요한 수단으로 활용될 수밖에 없었다. 지금까지 작동해 온 이런 시스템에 적색등을 켠 것이 박근혜 대통령의 하야와 탄핵을 요구하는 촛불 집회였다.

집회 기간에 국민들은 인터넷과 SNS로 공감대를 형성하며 박근혜 반대 여론을 산출하고 확산시켰다. 그리고 서울 광화문 광장을 비롯한 국내외 거리나 광장에서 매주 토요일 집회를 가졌다. 친구·애인·가족과 함께 참가한 지인들의 모습이 트위터나 페이스북 등을 통해 전파되면서, 촛불 집회는 한때 한국인들의 일상적인 주말

문화로 정착했다.

광화문 집회의 경우에는, 1회 참가 인원이 100만 명을 넘는 경우도 많았다. 이런 대규모 인원이 참가하다 보니, 경찰력으로는 처음부터 감당할 수도 없었다. 이로 인해 경찰이 촛불 집회의 경비 인력처럼 되다 보니, 청와대와 정부 청사를 포함한 권력 기관들이 대거 모인 광화문 주변이 일종의 해방구처럼 되어 버렸다. 이런 곳에서 박근혜 하야, 박근혜 탄핵, 박근혜 구속이란 구호들이 아무렇지도 않게 울려 퍼졌다.

이 과정에서 헌법상의 국가 기관들은 사실상 허수아비로 전락했다. 국회는 국민이 시키는 대로 탄핵 소추를 의결하고, 헌법재판소는 국민이 시키는 대로 탄핵 결정을 내리고, 법원은 국민이 시키는 대로 박근혜 구속 결정을 내렸다. 2016년 12월 9일 국회 탄핵 소추 이전에는 대통령 하야를 요구하는 목소리가 많았다. 대통령 하야는 박근혜 본인이 결단하지 않는 한, 이를 강제할 방법이 없었다. 강제로 관철시킬 국가 기관도 없었다. 그래서 하야를 요구하는 국민의 목소리는 결국 탄핵 소추 및 탄핵 결정이라는 다소 변형된 방법으로 관철되었다.

국회·헌법재판소·법원이 국민 여론을 거의 그대로 반영한 데 비해, 행정부는 상대적으로 많은 자율권을 누렸다. 직설적으로 말하자면, 행정부는 국민의 명령 앞에서 다소 삐딱한 태도를 보였다. 황교안 대통령 권한 대행이 이끄는 행정부는 청와대에 대한 특별검사의 압수 수색을 승인하지 않고 특검 수사 기간의 연장도 허용해 주지 않았다. 황교안 대행이 박근혜 쪽 사람인 데다가, 탄핵 반대 집회의 지지를 받는 인물이었기 때문이다. 하지만 2017년 3월 10일 탄핵 결정이 난 후에는 행정부도 마지못해서나마 국민 여론을 따르지 않을 수 없었다. 법원이 박근혜 구속을 승인하자 행정부는 박근혜를 서울구치소에 수감시켰다. 결과적으로 행정부도 국민의 명령에 몸을 숙인 셈이다.

외형상으론 국가 기관들이 헌법과 법률상 절차에 따르는 것처럼 보였지만, 실제로는 국민의 요구를 거의 그대로 받아쓰기하는 것에 불과했다. 촛불 집회가 이어지는 동안 국가 기관들은 사실상 국민의 시녀였다. "대한민국의 주권은 국민에게 있고 모든 권력은 국민으로부터 나온다"는 헌법 조문이 그대로 실현된 것이다. 이 기간에 국민은 하나의 국가 기관이었다. 추상적인 주권자로서의 국민이 아니라, 구체적인 국가 기관으로서의 국민이었다. 구체적인 정책을 결정하는 국가 기관이었던 것이다. 광장에 모인 국민들은 입법부·행정부·사법부를 상대로 명령을 내렸고, 그 기관들은 그것을 거의 그대로 이행했다. 그래서 촛불 혁명 기간에 대한민국은 대의제 민주 국가가 아니라 직접 민주제 국가였다. 헌법상의 국가 기관보다 상위에 선 '국민 기관'이 헌정 회복과 미래 방향에 관한 구체적 명령과 지시를 내리는 나라였다. 북한과 중국에서 당이 국가 기관의 상위에 있듯이, 한국에서는 국민이 국가 기관의 상위에 있었다.

그런데 이런 촛불 혁명이 일회성 행사로 끝날 것 같지는 않다. 몇 십 년마다 한 번씩 벌어지는 일이 될 것 같지도 않다. 대통령이

서울 광화문 광장 촛불 집회에 등장한 박근혜 초상화

돈을 받거나 잘못을 범하면 언제든 또다시 벌어질 것이다. 이것은 당연한 이야기이고, 그런 일이 아니더라도 촛불 집회는 앞으로 얼마든지 자주 벌어질 수 있다. 미군 장갑차 사건이나 광우병 사건과 같은 주요 현안이 발생할 때마다, 국민이 직접 나서서 명령을 발하고 국가 기관이 이를 받아쓰기하는 일이 자주 벌어질 것이다. 인터넷과 SNS를 통해 값싸고 편하게 대규모 집회를 열 수 있는 데다가 노동 시간이 갈수록 줄어들고 있기 때문에, 국민들이 주말마다 집 밖으로 나가 정치적 의사를 표시하는 일은 어렵지 않을 것이다.

이런 일이 반복되고 누적되다 보면, 나중에는 굳이 거리나 광장에 모이지 않더라도 국민 의사를 표출하는 새로운 방법이 모색될

에필로그

것이다. 스마트폰 앱으로 특정 현안에 대한 국민의 의견을 반영시키는 시도가 이루어질 수도 있다. 물론 기술적이고 전문적인 분야는 예전처럼 입법부와 행정부에서 처리하겠지만, 온 국민이 관심을 갖는 쟁점과 관련해서는 앱을 통한 전자 민주주의가 활용될 수도 있을 것이다.

이렇게 될 경우, 직접적 타격을 받게 될 직업군이 있다. 입법부와 행정부를 중심으로 작동하는 현재의 국가 시스템을 바탕으로 영향력을 획득한 정치 파벌과 그에 속한 정치인들이다. 이들 중 상당수가 전업을 고려하지 않을 수 없을 것이다. 『세계미래보고서 2030-2050』에서는 "잘 발달된 온라인을 통해 직접 민주주의가 가능해져 정치인이 사라진다"고 과감한 예언을 내놓았다. 물론, 메시지를 강조하고자 이런 과장법을 썼을 것이다. 그렇더라도 정치인의 상당수는 사라지지 않을 수 없을 것이다. 촛불 집회나 앱 민주주의로 주요 현안이 결정되는 새로운 풍토에 적응하는 사람들이 정치인으로 주목받고 그들에 의해 새로운 형태의 파벌 정치가 창조될 것이다. 이 경우, 정치 파벌이 국가 의사 결정에서 차지하는 비중은 현저히 줄어들 것이다. 핵심 현안은 국민이 직접 결정하고, 나머지 현안을 중심으로 파벌 정치가 전개될 공산이 크다.

그럼, 그런 환경에서는 어떤 사람들이 지배층이 되고 정치 엘리트로 부각될까? 종래까지는 생산 수단을 보유한 계층이 경제적 지배층이 됐다. 이들과 제휴한 정치 엘리트들이 파벌 정치를 이끌었다. 창검의 시대와 사약의 시대에는 노비와 토지를 보유한 그룹이 지배층이 됐고, 그중 일부가 정치 파벌을 형성했다. 투표의 시대에는 정치와 경제가 분리됐다. 그래서 노동자와 부동산을 보유한 계층이 경제적 지배층이 되고, 이들과 제휴하고 이들의 이익을 챙겨 주는 사람들이 정치적 엘리트가 되었다. 생산 수단을 보유한 계층이 지배층이 되는 패턴은 현재 진행 중인 경제 민주화로 인해 어느 정도는 수정될 것이다. 하지만 그런 패턴이 소멸될 거라는 전망은 아직 포착되지 않고 있다. 그러므로 이 패턴은 미래의 지배층과 정치 엘리트를 예측하는 데에 여전히 유효할 것이다.

그런데 '노비와 토지를 보유한 자가 지배층이 된다', '노동자와 부동산을 보유한 자가 지배층이 된다'는 공식이 소멸하지는 않더라도 부분적으로 변화할 조짐이 이미 현저하게 나타나고 있다. 인공지능 로봇의 확산이 그 조짐이다.

인터넷과 SNS로 인해 노동자의 상호 연대가 앞으로 더 강해질 것이기 때문에, 세계 각국의 정부는 종전처럼 사용자 쪽을 지나치게 편들지 못할 것이다. 앞으로는 정부가 노동자를 편드는 일이 점점 더 많아질 것이다. 이렇게 되면 대부분의 기업에서 노동자에 대한 복지 정책을 획기적으로 늘릴 수밖에 없다. 앞으로는 좋은 회사만 사원 복지가 좋은 게 아니라, 모든 직장에서 좋을 것이다. 아니, 좋아야 할 것이다. 그게 법으로 강제될 것이기 때문이다.

이런 현상은 인간 노동자에 대한 고용을 줄이고 인공지능 노동자에 대한 고용을 늘리도록 기업을 유혹할 것이다. 이렇게 되면 수많은 노동자들이 1인 기업 사장님으로 밀려나고, 인공지능 피조

청와대 코앞까지 진출한 시민 시위대

물들이 노비·노동자의 자리를 상당 부분 차지할 것이다. 이런 세상에서는 노동자와 부동산을 보유한 집단이 아니라 노동자와 인공지능 로봇과 부동산을 보유한 그룹이 경제적 지배층이 될 것이다. 그렇게 되면, 이 그룹의 이익을 대변하는 사람들 속에서 정치 파벌도 등장하게 될 것이다.

인공지능 시대의 경제적 지배층과 제휴했다 해서 무조건 미래의 정치를 주도할 수 있는 것은 아니다. 새로운 시대의 환경에 맞는 정치 노선을 표방해야만 그 시대의 정치를 주도할 수 있다. 이와 관련하여 주목해야 할 것이 또 다른 의미의 세계화다.

경제적 의미의 세계화는 이미 시작됐다. 그런데 지금 우리는 인터넷과 SNS를 통해 또 다른 세계화를 목격하고 있다. 저 아프리카 오지에 사는 꼬마와도 친구가 되고 그들과 일상의 소소한 이야기를 나눌 수 있는 세상이 되었다. 이에 따라 점점 더 글로벌한 가치관들이 우리 의식에 조용히 침투하고 있다. 공감대의 세계화가 이루어지고 있는 것이다.

이런 공감대의 세계화로 인해 일국의 국내 문제에 대해 세계 네티즌이 내정 간섭을 하는 일도 늘어나고 있다. 시민운동이 세계적 차원으로 확산되고 있는 것이다. 이런 상황에서는 그런 세계적 관심사를 중심으로 진보적 여론을 이끌거나 아니면 보수적 여론을 주도할 수 있는 집단이 국내 정치에서도 유력한 파벌로 부각될 것이다.

찾아보기